"VOUS AVEZ GRANDI AUPRÈS DE LUI, VOUS ALLEZ DONC L'ÉPOUSER ? "

Eleni tressaillit, irritée par cette remarque. Inconsciemment sur la défensive, elle jeta : "Eh bien, il semble que ce soit la solution parfaite pour tout le monde ! Paul veut m'épouser, je veux épouser Paul, ses parents veulent que nous nous mariions. C'est un arrangement idéal ! "

Les yeux à demi fermés, Lucio la contempla, puis laissa tomber : "C'est tout à fait sensé de vouloir épouser votre cousin, chica. "

D'un geste lent, il glissa ses doigts sous son menton pour l'obliger à se tourner vers lui. Soudain, il ne resta plus rien que la bouche de Lucio sur la sienne, douce, tendre, savourant ses lèvres, les caressant de longs baisers envoûtants. Il la tenait contre lui avec précaution comme s'il craignait qu'un geste trop brutal et passionné ne la brise…

DANS
HARLEQUIN SEDUCTION
CHRISTINE HELLA COTT
est l'auteur de

DES REFLETS COULEUR SAPHIR

Christine Hella Cott

HARLEQUIN SEDUCTION

PARIS • MONTREAL • NEW YORK • TORONTO

Publié en juin 1984

ISBN 0-373-45043-5

Dépôt légal 2ᵉ trimestre 1984
Bibliothèque nationale du Québec et Bibliothèque nationale
du Canada.

Imprimé au Québec, Canada —Printed in Canada

DES REFLETS COULEUR SAPHIR

1

La rue serpentait au flanc de la colline entre d'immenses arbres centenaires dont les cimes se rejoignaient très haut en un dôme dans la splendeur du ciel d'été. Dans cette ville de béton, Mount Royal Hill était un tranquille îlot de verdure. Sous le feuillage épais se dressaient de vénérables résidences en briques rouges, de ces demeures spacieuses construites du temps où Calgary était connu sous le nom de Fort Calgary.

Vers le sommet du coteau, une longue allée bordée d'arbustes taillés et de massifs de fleurs débouchait, après de nombreux méandres, sur ce qu'on appelait dans le voisinage un bel exemple de l'architecture canadienne de la première époque.

La maison, construite en grès du pays, offrait, avec ses fenêtres à meneaux, le caractère et l'élégance discrète qui avaient fait la renommée de son architecte. Sur la vaste terrasse dallée entourée de lierre et de glycines, des rosiers miniatures, des fougères et de minuscules myosotis poussaient dans de grands pots vernissés. De chaque côté de l'entrée, deux lanternes brillaient doucement comme des lucioles.

La porte à double vitrage qui menait à la terrasse

était entrouverte sur cette nuit d'août. Langoureuse et tiède, la brise du soir agitait légèrement les rideaux blancs et se faufilait autour de la table dressée pour le dîner dominical.

— Bien ! laissa tomber Angus Tessier, comme s'il venait d'être frappé par une idée soudaine, alors que chacun ici savait pertinemment que de toute sa vie, cela ne lui était jamais arrivé.

Il lança un regard circulaire pour s'assurer de l'attention générale.

Eleni fut la dernière à relever les yeux. Paul, en face d'elle, fixait déjà son père, ayant oublié la truite au four qui jusqu'ici avait retenu tout son intérêt. Après quelques secondes d'un silence interrogatif, Dora, la femme d'Angus, reposa sa fourchette et, appuyant son menton sur sa main, dit avec un sourire un peu moqueur :

— Oui, chéri ?

Angus Tessier prenait son temps et ménageait ses effets.

— Oh ! ce n'est vraiment rien de très important...

Paul poussa un soupir et le sourire de Dora s'accentua.

— J'ai seulement pensé que cette fois-ci, j'enverrai Paul au Pérou à ma place, laissa-t-il enfin tomber avec une feinte indifférence.

Il marqua une pause et ajouta :

— Il s'agit du voyage annuel afin de sélectionner notre collection de pierres pour Noël.

L'explication était superflue. Ils savaient tous que chaque année en septembre, Angus s'envolait pour l'Amérique du Sud, y visitait un de ses amis, commerçant de pierres précieuses, et en rapportait une sélection qu'il faisait ensuite monter dans son élégante petite bijouterie, connue de tout Calgary, horriblement chère et réservée à une clientèle d'élite.

Ponctuant ses mots en brandissant vers Paul la pointe de sa fourchette, il déclara :

— Mon garçon, il est grand temps que tu te mettes un peu au courant des affaires en dehors du magasin. Je me suis toujours fait un devoir de choisir personnellement les gemmes que nous présentons à nos clients et, quand je ne serai plus là, je ne veux pas que tu te contentes de passer des commandes à travers un catalogue. Dieu nous en préserve ! Fâcheux, très fâcheux, cela. J'espère que je t'en ai appris suffisamment pour que tu saches que de mauvaises pierres signifient de mauvaises affaires.

— Oui, oui, naturellement, s'empressa d'acquiescer Paul.

Eleni dissimula une grimace. Combien de fois n'avait-elle pas entendu cette phrase ? Une des favorites de son oncle Angus. Une autre était « qui veut manger doit travailler », et tout le monde travaillait, y compris Dora dont la tâche consistait, disait-elle, à s'occuper de sa maison. Dora était terriblement démodée sur ce point.

— Bien, ce sera ton premier voyage d'homme d'affaires. Considère-le comme un test. Si tu fais du bon travail, je te renverrai là-bas. Je sais que tu attends cette occasion depuis très longtemps — trop longtemps crois-tu peut-être, mais je ne suis pas arrivé là où j'en suis aujourd'hui en me trompant sur vous ou sur quiconque collaborant avec moi — y compris Eleni.

Angus lui lança un regard aigu pour s'assurer qu'elle l'écoutait encore. Elle avait la mauvaise habitude de s'évader dans des rêveries. Eleni lui adressa un demi-sourire en pensant que sa truite était en train de refroidir. Il l'observa quelques secondes puis pencha la

tête de sorte que la lumière des candélabres se refléta
sur son crâne chauve et luisant.

— Tu partiras dimanche, déclara-t-il en se tournant
vers son fils. Demain, j'appellerai Ferraz pour lui
confirmer ton arrivée et je saurai si votre rencontre
aura lieu à Lima ou dans sa propriété à Sal si Puedes.
Cela signifie « sauve qui peut » un nom tout à fait
approprié... Je préfère de beaucoup y aller. Les cités
finissent toutes par se ressembler, tandis que sa plantation... c'est quelque chose de réellement exceptionnel.
Comme vous ne vous connaissez pas, il préférera peut-
être te donner rendez-vous à Trujilo, la ville la plus
proche. Mais, s'il t'invite chez lui, ne manque surtout
pas d'y aller.

— Tu as toujours dit que c'était très agréable,
renchérit Dora en reprenant sa fourchette, l'est-ce
vraiment autant que cela ?

— Tu le saurais si tu te décidais à m'accompagner.
Tu es invitée en permanence chez Lucio Ferraz depuis
des années !

— Oui, je sais, chéri, j'adorerais visiter Lima, mais
tu tiens toujours à aller chez ton ami dans la brousse
sud-américaine et j'avoue que cela ne me tente pas du
tout.

— Ce n'est absolument pas ce que tu t'imagines,
protesta Angus en levant les yeux au ciel, tu te laisses
influencer par la télévision.

— Pas le moins du monde, chéri, d'ailleurs, tu sais
bien que je ne regarde jamais la télévision, riposta
Dora, amusée.

Angus prit une bouchée de sa truite et, s'adressant de
nouveau à son fils, déclara :

— S'il t'invite chez lui, cela signifiera qu'il est prêt à
te montrer sa collection privée dont certaines pièces
sont à vendre et d'autres non. Elles sont toutes

magnifiques et c'est là que j'ai trouvé mes plus belles pierres, des émeraudes d'une pureté extraordinaire.

— Oui papa, je sais, réussit à dire Paul.

— Donc, cette invitation est très importante, essaie de l'obtenir, et surtout, ne commets aucun impair avec Lucio Ferraz. Tu le trouveras peut-être un peu bizarre, mais il s'agit d'un de mes chers et vieux amis et je tiens à ce que ton comportement soit parfait.

— Vraiment, Angus, tu exagères ! s'exclama Dora.

— Ces choses doivent être dites, ma chère, ne serait-ce que pour les rappeler. N'oublie pas, Paul, qu'il s'agit de préparer ton avenir, alors tâche de mener tes affaires adroitement.

— Oui, naturellement, papa, répondit Paul patiemment, ne vous inquiétez pas.

— Qu'est-ce que ça veut dire « ne vous inquiétez pas » ! explosa Angus. Je m'inquiéterai, naturellement ! et jusqu'à l'instant où tu reviendras ici. Le milieu des pierres précieuses est très restreint, tout le monde se connaît, et il suffirait que tu sois maladroit avec Lucio pour que tous les autres commerçants se montrent difficiles. Je sais par expérience ce dont je parle... et pense aussi à emporter une loupe de rechange.

— Oh ! papa.

— Mais oui ! De quoi aurais-tu l'air si tu devais lui en emprunter une ?

— Il a raison, Paul, prends une loupe de rechange, intervint sa mère, moi, j'emporte toujours une paire de chaussures supplémentaire.

Elle adressa un brillant sourire à son mari de l'autre côté de la table.

Il l'observa un instant, ne sachant si elle se moquait de lui, puis haussa les épaules et demanda à Paul :

— Alors ? crois-tu être prêt ?

— Oui, oui, je pense bien, répondit-il avec enthousiasme, ravi de voir enfin aussi proche un but que depuis longtemps il rêvait d'atteindre.

— Hum ! Finis ta truite, maugréa Angus en s'adressant à Eleni, et redescends un peu sur terre ! Dora, combien de fois devrai-je répéter à Laine que je n'aime pas le persil ?

— Mets-le sur le côté de ton assiette, mon chéri.

— Je n'étais pas distraite, protesta Eleni, je réfléchissais au Pérou, c'est tout.

— Ne la presse pas, Angus, tu sais qu'elle mange lentement, c'est d'ailleurs bien meilleur pour la santé et tu devrais en faire autant. Je suis sûre qu'un jour ou l'autre, tu auras un ulcère, déclara Dora avec un ton de reproche.

— Dora, soupira Angus, j'ai soixante-quatre ans et, si je n'en ai pas eu jusqu'ici, je suppose que je n'en aurai jamais... Tiens ! Cela me fait penser que j'ai parlé ce matin à Pat Lister et que le sien empire. Eleni, la bague de sa femme est-elle prête ?

— Oui, presque, fit-elle avec une moue.

— *Presque ?* C'est-à-dire ?

— Elle change d'idée tous les deux jours en moyenne. D'abord, elle voulait absolument des opales australiennes ; maintenant, elle a décidé qu'elle aurait à la place des rubis et des perles. Où trouver encore des perles authentiques ? Chez Ferraz peut-être ? Paul, essaie de m'en choisir une très belle, cela l'aidera peut-être à se décider.

Eleni contempla un instant la grande perle rose et translucide que Dora portait à son cou, une pièce exceptionnelle.

— C'est une femme épouvantable à tout point de vue, décréta Angus, et très indiscrète par-dessus le marché. Quand nous discutions de la bague que tu devais lui dessiner, elle m'a demandé quels étaient exactement tes liens de parenté avec nous.

— Alors vous avez éclairci le mystère ? s'enquit Paul en s'esclaffant, cousine germaine, issue de germain ?

— Je lui ai fait comprendre poliment, rétorqua Angus, que cela ne la regardait pas. Je ne suis pas étonné que le pauvre Pat soit malade ! C'est presque dommage de mettre une jolie bague au doigt de cette chipie.

Eleni soupira soudain si bruyamment que tout le monde la fixa. Assise, les yeux dans le vague, elle pensait à Ross Marshall qui se trouvait quelque part au Pérou. Elle connaissait même sa dernière adresse qu'elle avait réussi à obtenir d'un de leurs amis communs. Non pas qu'elle tînt encore à lui. Comment serait-ce possible ? Elle aurait simplement aimé le voir pour régler un compte entre eux et mettre les choses au point.

— Non et non, Eleni, tu n'iras pas. Inutile de soupirer à fendre l'âme, déclara fermement l'oncle Angus en frappant la table du plat de la main. Tu n'iras pas, répéta-t-il, tu ne ferais que distraire Paul.

— Angus ! s'écria Dora, comment peux-tu dire une chose pareille ? C'est au contraire une idée merveilleuse ! Elle pourrait étudier les pierres, faire une sélection, et Paul aurait le dernier mot. Chéri, tu répètes toujours qu'Eleni saurait choisir les yeux fermés.

Eleni considéra sa tante avec stupéfaction et s'exclama :

— Attendez un peu, je n'ai jamais dit que je voulais aller au Pérou ! Je réfléchissais tout simplement.

Elle sourit à la ronde, pensant qu'elle devrait prêter plus d'attention à ce qui se passait autour d'elle.

— Tu vois, Dora, elle ne veut pas y aller, constata l'oncle Angus avec satisfaction.

— Tu ne le lui as même pas demandé, répliqua sa femme.

— Sottises que tout cela ! Il ne s'agit pas de prendre des vacances, mais de travailler, et je n'ai aucune raison de payer deux billets d'avion. Ne me regarde pas ainsi, Dora, je ne suis pas un vieil avare, je fais preuve d'esprit pratique. Un homme doit en avoir, à mon âge et par les temps qui courent. D'ailleurs, Eleni aura beaucoup d'autres occasions d'accompagner Paul dans ses déplacements.

Tout le monde la fixait, l'oncle Angus, avec une expression sévère, Dora, avec amusement, et Paul... tout à coup, Paul l'observait intensément, son regard gris-bleu fixé sur sa bouche. Quand leurs yeux se rencontrèrent, elle leva imperceptiblement les sourcils et il lui répondit par un sourire.

— Peut-être l'année prochaine, Eleni, dit-il.

— Oui, peut-être, répondit-elle négligemment comme si cela lui importait peu.

C'était d'ailleurs vrai, en ce moment, elle se sentait assez indifférente.

— J'ai une quantité de travail qui m'attend, ajouta-t-elle. En un sens, cela me ferait prendre un retard considérable.

— C'est parce que tu ne penses pas uniquement aux affaires, ma chère, plaisanta Paul.

— Non, grâce à Dieu ! s'exclama Dora. Avec vous deux, c'est amplement suffisant. Voilà un dîner de famille, un dimanche, et vous êtes incapables de parler d'autre chose !

— Mais c'est qu'il s'agit d'une histoire de famille, fit remarquer l'oncle Angus en ouvrant les mains dans un geste de justification.

Le lundi soir, ils étaient à nouveau tous réunis. C'était inhabituel, et Eleni crut d'abord qu'il s'agissait d'un hasard, mais après quelques minutes, elle n'en fut plus aussi sûre.

— N'est-ce pas charmant ? lança Angus en jetant sur Paul et Eleni un regard railleur. Deux repas ensemble en une semaine ! Heureusement que, grâce à moi, le dîner du dimanche soir est devenu une institution, sinon nous ne vous verrions jamais.

— Voyons, Angus, nous ne pouvons pas leur demander d'être constamment à la maison, observa Dora d'un ton raisonnable.

Elle était rayonnante, ce soir, et paraissait bien plus jeune que ses cinquante ans.

Son large sourire éveilla les soupçons d'Eleni : quelque chose se tramait, elle en était sûre. Elle essaya de chasser Ross Marshall de son esprit — il constituait un profond et sombre secret qu'elle n'avait jamais dévoilé à personne. De tous ses admirateurs, Ross avait été le seul à éveiller la jalousie de Paul... et elle s'interrogeait sur la cause. Aux yeux de tous, elle et Ross avaient seulement été de simples camarades travaillant côte à côte, créant des modèles de bagues, de colliers et de bracelets. Quand il leur était arrivé de bavarder ensemble, son cousin s'était toujours arrangé pour les interrompre.

— N'est-ce pas, Eleni ?

La voix de Paul la fit sursauter.

— N'est-ce pas, quoi ? s'enquit-elle en battant des paupières.

Il soupira impatiemment tandis que sa mère lui faisait un signe de connivence.

— N'as-tu pas envie d'aller au Pérou, ma chérie ?

intervint-elle rapidement, le visage empreint d'une expression engageante.

— Naturellement, elle en meurt d'envie, décréta l'oncle Angus avec entrain, et dans ce cas, elle ira.

Stupéfaite, Eleni observait son oncle, puis sa tante dont les yeux brillaient malicieusement.

— Ce sera bien agréable, remarqua Dora légèrement. Paul et toi n'avez jamais pu passer beaucoup de temps en compagnie l'un de l'autre.

— Mais, protesta Eleni, j'ai encore énormément de travail — quatorze bagues — et puis il y a...

— Tu n'auras qu'à t'y mettre à ton retour, coupa l'oncle Angus avec un sourire angélique. Cela vous fera du bien à tous les deux de changer un peu d'horizon. En fait, vous pouvez considérer ce voyage comme des vacances.

— *Des vacances?* s'exclama Paul avec étonnement, mais hier soir encore vous disiez...

— Je sais ce que je disais hier soir. J'ai changé d'avis, un point c'est tout. Ce n'est pas interdit que je sache?

— Non, bien sûr, mais...

— Il n'y a pas de « mais », tout est arrangé.

Angus se mit aussitôt à leur dresser un plan détaillé : heures des divers avions, au départ et à l'arrivée, réservations d'hôtel, vêtements qu'il conviendrait d'emporter, il n'avait rien oublié.

— Un séjour au Pérou, murmura rêveusement Eleni, de sa voix tranquille, à la fois musicale et voilée, cela paraît merveilleux.

— Attention, mon petit, comprends-moi bien, il ne s'agit pas que d'un séjour d'agrément, il faudra aussi travailler.

— Est-ce que je pourrai également choisir les pierres?

— Voyons, Eleni! fit Paul en secouant la tête.

— Oh! Paul, pour l'amour du Ciel, sois un peu objectif! Tu sais parfaitement que j'en sais autant que toi... si ce n'est davantage.

— Allons, allons, vous deux, interrompit Angus. Paul, il n'y a pas de raison qu'elle parte avec toi si c'est seulement pour faire du tourisme. Naturellement, Eleni, je compte sur toi pour exercer les connaissances que j'ai mis tant d'années à t'inculquer. Comme Paul aura la responsabilité financière, c'est lui, cependant, qui décidera en dernier.

Paul regardait sa cousine d'un air un peu maussade, et elle lui décocha une petite grimace ironique, commençant seulement maintenant à se sentir terriblement excitée à la perspective de ce voyage.

— N'oublie pas qu'il te restera beaucoup de temps pour te distraire, fit Dora en pressant affectueusement la main de sa nièce. Regarde, ma chérie, j'ai acheté cela aujourd'hui pour que tu l'emportes.

— Oh! s'exclama Eleni, ravie, en voyant une grande bouteille de parfum français, mon préféré! Mais je vais avoir un excédent de bagage, plaisanta-t-elle.

— Eh, bien, tu n'auras qu'à te débarrasser de quelque chose d'autre, répondit Dora. Dieu sait qu'aucune femme ne peut s'aventurer dans la jungle sans parfum, ajouta-t-elle avec sa logique très personnelle.

— Combien de fois devrai-je t'expliquer qu'il ne s'agit pas de jungle mais de désert semi-tropical, soupira Angus.

— Oui... enfin, cela ne me semble guère mieux, rétorqua Dora.

Devant l'exclamation triomphale et inattendue que poussa Eleni, Paul demeura bouche bée, comme si elle avait eu soudain quatre ans au lieu de vingt-quatre, et elle le fixa en fronçant son nez avec espièglerie pour

bien lui montrer qu'elle n'était pas impressionnée par
ses airs de supériorité.

Les matins suivants, Eleni, bondissant hors de son lit
à six heures, courait au magasin, qui n'était qu'à
quelques minutes de chez elle, pour avancer son travail
le plus possible avant le vendredi. La bijouterie de son
oncle se trouvait sur la Septième Avenue, un quartier
chic où étaient installées des boutiques d'antiquaires,
des galeries d'art et les maisons de couture les plus
élégantes de la ville. Assise sur un tabouret bas, devant
une table circulaire, elle s'absorbait durant des heures
d'affilée dans la création de modèles qui allaient du plus
simple au plus élaboré. Elle était entourée de lampes à
gaz, de bains d'acide, de ciseaux, de marteaux, de
burins, modelant une cire épaisse ou travaillant directement sur le métal, soudant avec précision des enchevê-
trements d'or et d'argent, tissant des fils brillants,
enchâssant des pierres avec une infinie délicatesse.
Eleni était un des meilleurs orfèvres d'Angus et il
était fier de le faire remarquer, sachant que le rigou-
reux apprentissage auquel il l'avait soumise avait
changé l'amateur enthousiaste des débuts en une pro-
fessionnelle remarquablement habile. « Cela a pris sept
ans », aimait-il ajouter. Elle jouissait désormais d'un
statut particulier et pouvait se permettre de refuser un
travail s'il ne lui plaisait pas. Cela l'avait d'abord plutôt
gênée vis-à-vis des autres employés, qui avaient immédiatement parlé de favoritisme et Janice, toujours
mordante, lui avait dit :

— Tu as de la chance qu'il n'y ait pas dix enfants de
plus dans la famille, sinon tu serais en train de balayer
la boutique.

Eleni avait préféré ignorer sa remarque d'un haussement d'épaules.

Les trois soirs suivants, Eleni et Dora, dans l'excitation et le désordre, se consacrèrent aux bagages.

— Dois-je prendre cela ?

— Naturellement, ma chérie, tu peux en avoir besoin.

— Alors, où vais-je mettre le parfum ?

— Passe-le moi, je vais l'arranger dans ton bagage à main.

— Mais le sac sera trop lourd ! La brochure précise qu'on ne peut pas emporter plus de...

— Sottises ! l'interrompit Dora, tu feras un joli sourire, et on fermera les yeux. A propos, il faudra que tu sois très prudente, j'ai entendu dire qu'en Amérique du Sud, les hommes adorent les femmes blondes.

— Je suis sûre que c'est exagéré. De toute façon, Paul sera là.

— Oui, Paul sera là, acquiesça Dora d'un ton un peu sec qui surprit Eleni un instant.

— Où sont mes chaussures de marche, tante Dora, les avez-vous vues ? Croyez-vous que l'oncle Angus était sérieux quand il parlait de sérum contre les venins ? J'espère que non car je ne m'en suis pas procuré.

— Bien sûr que non, ma chérie, c'est sa façon de plaisanter... il a un sens de l'humour assez particulier.

— Tout comme Paul, assura Eleni. Savez-vous ce qu'il m'a répondu quand je lui ai un jour demandé, par pure curiosité, ce qu'il pensait de ma silhouette ?

Elle s'interrompit, et s'écria, exaspérée :

— Mais où ai-je bien pu mettre ces chaussures ?

— Tu aurais dû en acheter une nouvelle paire, elles sont terriblement usées. Et qu'a répondu Paul ? enchaîna Dora.

— Avec des souliers neufs, on a toujours des

ampoules, riposta Eleni... Paul a dit que je « n'étais pas mal faite ». Vous vous rendez compte ?

— Eh ! bien, oui, je suppose que tu n'es pas mal faite.

Dora lui lança en souriant un coup d'œil en coin.

Eleni s'indignait.

— *Pas mal faite !* il aurait tout de même pu trouver autre chose !

— Elégante, gracieuse. Elancée peut-être ? proposa Dora. Allons, ne t'inquiète pas, ma chérie, tu connais Paul, toujours maladroit avec les femmes, ce n'est pas un séducteur.

— Vous voulez entendre par là qu'il faut apprécier ses bons côtés ? Vous avez sûrement raison ; des hommes aussi solides, et avec un tel sens de la responsabilité, sont de plus en plus rares.

Sous le regard un peu narquois de sa tante, Eleni changea rapidement de sujet.

— Tante Dora, je crois que je ne prendrai pas de négligé, des pyjamas suffiront.

Dora s'assit sur le bord du lit jonché de vêtements et s'empara d'un grand sac de papier.

— Pas même celui-là ? fit-elle d'une voix déçue en en sortant un long déshabillé de dentelle blanche et de soie.

C'était une pièce de lingerie, somptueuse, très féminine, tout ce qu'adorait Eleni. Dora connaissait bien ses faiblesses.

— Il est idéal, tu ne trouves pas ?

— Ou...i, cela dépend à quoi vous pensez, répondit Eleni en posant sur sa tante un regard soupçonneux.

— A quoi je pense ? s'exclama Dora de sa voix la plus ingénue, mais que vas-tu imaginer ? Le prendras-tu finalement, demanda-t-elle comme si sincèrement elle en doutait encore.

— Tante Dora, lui reprocha Eleni, vous savez très bien que je n'aurai jamais le courage de résister et que je l'emporterai, mais que se passe-t-il ? vous êtes en train de comploter quelque chose, j'en suis certaine.

— Moi ? s'écria Dora, ses yeux arrondis exprimant son innocence. Mais non, ma chérie, c'est toi qui te fais des idées, et tu m'attribues celles que tu ressasses dans ta tête, ajouta-t-elle avec une mauvaise foi désarmante. D'ailleurs, ce qui doit arriver arrivera.

— Surtout avec un petit peu d'aide, railla Eleni gentiment. Un billet pour le Pérou, du parfum, et « ça », fit-elle en désignant le négligé d'un geste du menton.

— Et qu'y a-t-il de mal ? riposta Dora.

— Oh ! rien sans doute.

Eleni se laissa tomber sur le lit et promena doucement ses doigts sur le tissu soyeux.

— Merci, il est adorable. Merci, même si vous avez une arrière-pensée. Au fond, je suis de votre avis, ce qui doit arriver arrivera, alors, voyez-vous, je n'ai pas l'intention de forcer le destin, et il ne faut pas compter sur moi pour jouer les séductrices. C'est un rôle qui ne me convient pas !

— Bien sûr que non, ma chérie, personne n'a jamais supposé une chose pareille !

Dora sourit avec insouciance en passant sa main dans ses épaisses boucles déjà presque blanches. Trois fins joncs d'or glissèrent le long de son bras avec un tintement léger.

— Allons, bon voyage, et ne permets pas toujours à Paul de n'en faire qu'à sa tête, cela ne convient pas aux hommes.

— Je suis sûre qu'il va maugréer quand je voudrai visiter les magasins.

— Dis-lui que tu cherches un cadeau pour lui, cela le mettra de bonne humeur.

Eleni éclata de rire. Les reparties de sa tante la prenaient parfois au dépourvu.

— Et moi qui me demandais comment vous arriviez à bout d'oncle Angus !

Dora lui sourit d'un air amusé et se remit à fouiller dans le sac en papier.

— Voilà le dictionnaire d'espagnol que je t'avais promis.

Elles réussirent finalement à tout caser dans deux petites valises, un sac de voyage pour les besoins immédiats et un attaché-case dans lequel Eleni rangea ses outils de travail. Une loupe de secours et le petit dictionnaire furent glissés dans son sac à main.

De Calgary à Los Angeles, Paul se plongea dans la lecture d'un journal financier. Eleni, assise à ses côtés, se mordillait les lèvres, trop excitée pour lire et se demandant comment se terminerait cette expédition. Ses yeux se posèrent un instant sur la tête brune de son cousin et se détournèrent aussitôt. De toute évidence, Paul n'avait pas envie de parler. En soupirant, elle laissa errer son regard sur le paysage qui défilait lentement, minuscule au-dessous d'eux, et se mit insensiblement à rêver à ce qui pourrait se passer entre elle et Paul. L'oncle Angus et Dora s'attendaient probablement à des fiançailles et...

Paul interrompit ses pensées par un léger coup de coude affectueux.

— Alors, Eleni ? Dans les nuages comme toujours, et pour de bon cette fois-ci ! Attention, au Pérou, il faudra garder la tête bien claire et les pieds sur terre, ma petite cousine.

— As-tu déjà eu besoin de me surveiller ? s'enquit-elle d'un ton un peu acide.

Ses yeux gris-bleu se posèrent sur elle un court instant. Il froissa son journal.

— Oh ! je me souviens bien de quelques occasions dans le passé. Quand était-ce donc ? Il y a treize ans, non ? Enfin, n'oublie pas qui est le chef de l'expédition, conclut-il soudain avec un large sourire.

— Bah ! Tu ressembles de plus en plus à l'oncle Angus.

— A propos de papa, as-tu étudié sa liste d'achats ?

En comptant sur ses doigts, il récita :

— Emeraudes, améthystes, aigues-marines, œil-de-chat...

— Oui, Paul, trois fois déjà, coupa Eleni, agacée.

— Bien, il serait inutile que tu perdes du temps à chercher des pierres dont nous n'avons pas besoin.

— Naturellement, acquiesça Eleni posément.

Entre deux vols, Eleni vaporisa un peu de parfum sur sa nuque et dédia son plus gracieux sourire au jeune homme chargé de peser son bagage. Il cilla, troublé par ce regard si clair dans ce visage hâlé, auréolé d'une masse souple et brillante de cheveux blond pale, et oublia de regarder la balance.

— Vraiment, Eleni, lui reprocha Paul, tu ne devrais pas faire du charme à n'importe qui !

— Et pourquoi pas ? Il ne m'a rien fait, protesta Eleni.

— Non, mais toi, tu l'as vraiment affecté !

Elle lui jeta un rapide coup d'œil étonné. Finalement, Paul voyait peut-être plus qu'elle ne le croyait.

Pendant le long vol de Los Angeles à Lima, Paul repassa une fois de plus ses instructions, étudia une liasse de papiers que lui avait remis son père et s'absorba dans des calculs avec une calculatrice de poche qui émettait une note chaque fois qu'il appuyait sur une de ses touches avec son stylo en or.

Plaquant ses mains sur ses oreilles, Eleni le supplia :

— N'y a-t-il pas moyen d'arrêter ce bruit ? A la longue, il finit par me rendre folle !

— Je vais essayer, fit Paul, mais je ne crois pas qu'il fonctionne sans cela.

Il manipula un peu au hasard le petit appareil et réussit, sans trop savoir comment, à le faire taire.

— Dis-moi, maman ne t'a-t-elle pas parlé avant le départ ? s'enquit-il avec une feinte indifférence.

— Non, pourquoi ?

— Oh ! pour rien.

Il se replongea dans ses calculs et Eleni, appuyant sa tête contre le dossier de son fauteuil, regarda vaguement leurs compagnons de voyage. Si elle allait à Trujillo, pensait-elle, elle essaierait de voir si Ross Marshall se trouvait toujours à la même adresse de Huanchaco, à sept ou huit kilomètres de là. Sans doute avait-il déménagé, il aimait bouger, mais elle tenterait tout de même sa chance. Après deux ans, ce serait bien de tirer un trait sur le passé, enfin, dans la mesure du possible, il y avait des choses que l'on ne pouvait effacer... Maintenant, elle espérait sérieusement pouvoir le rencontrer, alors que peu de temps auparavant, elle n'y croyait guère. Le transport, depuis l'Aéroport International Jorge Chavez jusqu'à leur hôtel, se fit si rapidement qu'Eleni n'eut qu'une vision fugace de rues bruyantes, éclairées au néon, résonnantes de musique et de gaieté.

Paul s'avança vers le bureau de réception.

— Je suis Paul Tessier, et voici ma... fiancée, Miss Eleni Neilsen. Nous avons des réservations.

— *Si Señor*, chambres 704 et 705.

Un employé les accompagna, portant leurs valises et,

tandis que Paul lui donnait un pourboire, Eleni l'observait à la dérobée d'un air perplexe. Pourquoi l'avait-il
présentée comme sa « fiancée » ? Bien sûr, tout le
monde supposait qu'un jour ou l'autre ils finiraient par
se marier, mais elle aurait bien aimé qu'il lui en parle
d'abord. Après avoir jeté un bref regard circulaire,
Paul déclara :

— Cela semble très bien. As-tu encore besoin de
quelque chose ?

— Non, tout est parfait, répondit Eleni, appréciant
d'emblée l'élégante chambre de style espagnol.

— Bien, alors dors bien, je te verrai demain matin.
Ne te lève pas trop tard, nous devons prendre le
premier avion pour Trujillo.

Il avait déjà fait demi-tour quand Eleni, incapable de
cacher sa déception, lui demanda :

— Comment ? Tu vas juste te coucher comme cela ?

— Mais qu'imaginais-tu ?

— Eh ! bien... nous aurions pu descendre boire
quelque chose, nous sommes à Lima, Paul !

— Il est tard, lui expliqua-t-il raisonnablement.

— Pas tellement.

— Tu as déjà pris deux verres dans l'avion.

— Mais ce n'est pas pour boire ! s'exclama Eleni
irritée. Ce qui m'intéresse ce sont les gens, l'atmosphère ! C'est avoir au moins une légère idée de la ville,
puisque tu as décidé d'avance que nous n'y resterions
pas un jour de plus. Pas de tourisme, pas de shopping,
rien du tout. Ce n'est vraiment pas drôle, fit-elle.

— Nous pourrons faire tout cela sur le chemin du
retour, lui assura-t-il. Et demain, tu auras le droit de
regarder les gens autant que tu le voudras. Bonne nuit,
Eleni, fais de beaux rêves.

Paul referma calmement la porte derrière lui comme

s'ils venaient d'avoir une conversation tout à fait satisfaisante.

Eleni se sentit abattue et frustrée au-delà de toute expression. Elle courut à la fenêtre et se pencha, mais ne réussit pas à voir grand-chose à part les lumières scintillant dans la nuit. Peut-être avait-ce été une erreur, après tout, de venir ici. Tant qu'il n'aurait pas terminé son travail, Paul n'imaginerait certainement aucun projet de soirées romantiques. Le négligé soigneusement enveloppé dans du papier de soie, semblait à présent la narguer et Eleni regretta de l'avoir emporté. En soupirant, elle tourna le dos à la fenêtre. Paul se rendrait-il jamais compte qu'elle était une femme ? Etait-ce trop lui demander ? Eh ! bien, puisqu'il voulait dormir, qu'il dorme ! Elle irait faire un tour en bas et ne permettrait pas à son maussade cousin de lui gâcher tout son voyage ! D'un geste décidé, elle ouvrit la porte de sa chambre et sortit. Au rez-de-chaussée, Eleni finit par découvrir une sorte de café-bar-restaurant dont les larges baies s'ouvraient sur un jardin. Il y régnait une grande animation et la pièce bourdonnait du bruit des conversations en espagnol. Eleni s'installa dans un coin et commanda la boisson typique du pays, un *pisco* amer, qu'elle commença à siroter lentement, humant toutes ces senteurs étranges et inconnues qui flottaient dans l'air, se gorgeant de sons, de couleurs, de sensations nouvelles. Les bribes d'une sorte de rumba lui parvinrent à travers la nuit chaude. Appuyant la tête contre le dossier de son fauteuil en bambou, elle ferma les yeux, un peu grisée. Oublié Paul ! Oublié son découragement ! Un sentiment d'espoir et d'attente, perdu depuis longtemps, l'assaillait à nouveau et la faisait vibrer d'excitation.

Le lendemain matin, leur vol pour Trujillo fut retardé en raison d'ennuis mécaniques. Ils avaient le choix entre attendre vingt-quatre heures que leur petit jet soit réparé, ou bien prendre à la place un vieux DC-6 à hélices, tout bariolé de jaune, de vert, de rose et de violet par les soins d'un artiste original qui, ce jour-là, avait dû être particulièrement inspiré, fit remarquer Eleni en pouffant. Paul opta pour cette dernière solution, ce qui signifia une longue matinée assez irritante passée à l'aéroport, au cours de laquelle on les assurait régulièrement que leur avion serait prêt à décoller dans cinq minutes. Paul arpentait nerveusement la salle de long en large et Eleni se consolait en observant avec curiosité la foule bigarrée et bruyante qui se pressait autour d'eux. Des femmes d'une extrême élégance côtoyaient des paysannes pieds nus dans des sandales de paille, engoncées dans de courtes jupes superposées aux couleurs vives, et coiffées du typique chapeau melon andin. L'une d'elles retint particulièrement l'attention d'Eleni : elle portait, de chaque côté de son beau visage régulier, de lourdes boucles d'oreilles en or massif, incrustées de perles et d'émeraudes, qui tombaient presque jusque sur ses épaules. Eleni n'arrivait pas à en détacher son regard, et Paul dut la tirer de sa contemplation en lui recommandant de se montrer un peu plus discrète.

Bien entendu, le pilote de leur pittoresque DC-6 ne pouvait pas se mettre en route avant d'avoir déjeuné. Ils durent donc se résoudre à en faire autant. Eleni, tout en terminant son avocat farci, tâcha d'expliquer à Paul la philosophie du « *mañana* ». Elle commanda ensuite des « *tamales* », boulettes remplies d'un hachis de viande et cuites au four dans des feuilles de bananier. Paul, piaffant d'impatience, la regardait dévorer paisiblement, en se demandant comment elle

arrivait à absorber autant de nourriture. Il avait terminé depuis longtemps son hamburger et ses « *patatas
fritas* », les seuls plats du menu qu'il avait pu reconnaître.

Enfin, le pilote et l'avion furent prêts et ils décollèrent pour un vol d'environ trois cents kilomètres vers le
Nord en longeant la côte. Quand ils eurent pris de
l'altitude, Paul s'épongea le front et soupira, à la fois
soulagé et inquiet. Eleni, pour essayer de le distraire de
ses appréhensions, entreprit de lui raconter sa petite
sortie de la veille au soir.

— Tu as fait *QUOI ?* s'écria-t-il, suffoqué, comment
as-tu pu ? Es-tu complètement inconsciente ? Aller
seule la nuit, dans un bar et dans un pays inconnu !

Plusieurs têtes se tournèrent vers eux ; les gens
étaient visiblement intrigués par les éclats de sa voix
que, dans son émotion, Paul n'avait pu contrôler.

— Paul, ce n'est pas parce que tu ne veux stricte-
ment rien faire d'autre que travailler, pendant tout
notre séjour ici, que je suis forcée de partager tes idées.
Ma conception des vacances est différente de la tienne,
et je ne vois aucun intérêt à rester enfermée dans une
chambre d'hôtel, aussi confortable soit-elle, alors que
j'ai la chance de me trouver au Pérou ! Je te rappelle
que ce pays est à des milliers de kilomètres de chez nous
et que je n'aurai sans doute pas d'autre occasion de le
voir.

Il ne releva pas sa remarque et continua, scandalisé :
— C'est une folie d'avoir agi ainsi, n'importe quoi
aurait pu t'arriver !

Eleni resta muette quelques secondes et éclata :
— Décidément, tu es complètement fou !

— Ne pourrais-tu pas, pour une fois, te comporter
comme une adulte ? Tu sais combien ce voyage est
important pour moi. Je suis suffisamment préoccupé
pour ne pas devoir en plus jouer les nourrices ! Fran-

chement, je me demande pourquoi il a fallu que tu viennes !

— Oh ! Je vois, dis tout de suite que je suis un fardeau à traîner !

La voix d'Eleni, un peu rauque et chantante, était pleine de colère, tandis qu'elle regardait droit devant elle avec un air buté.

Paul observa son délicat profil, sa peau dorée par le soleil de Calgary, et l'auréole de cheveux blonds qui encadrait son joli visage.

— Allons, Eleni, ne sois pas aussi susceptible. Si tu te retrouves dans une situation délicate, je ne suis pas certain de savoir comment t'en sortir, c'est tout.

— Et quand as-tu jamais dû me tirer d'embarras ? rétorqua-t-elle avec irritation.

— Nous sommes dans un pays étranger et...

— Ah ! bravo ! Tu as donc fini par t'en rendre compte et...

Paul, exaspéré, exhala un soupir et lui lança un regard furieux qui mit fin à leur conversation.

Alors que l'avion amorçait sa descente, Eleni, le nez collé contre le hublot eut le temps d'apercevoir les grandes ruines de Chan Chan, ancienne capitale du Royaume Chimú. Puis ils atterrirent sans douceur en soulevant des nuages de poussière rougeâtre. Quand ils descendirent de l'appareil pour se diriger vers le petit bâtiment carré de l'aéroport local, ils furent enveloppés par un air chaud, un vent du désert, mêlé à la brise plus fraîche de l'océan, qui courait sur les roches et les dunes. Dans la lumière intense, les couleurs semblaient plus brillantes et le paysage, même lointain, se dessinait avec une précision remarquable. Eleni, fascinée, était rivée sur place.

— Viens, Eleni, répéta Paul, nous avons probablement un message de Ferraz qui nous attend, étant donné que nous aurions dû arriver ce matin. Allons, depêche-toi un peu, à ce rythme-là, nous ne trouverons jamais de taxi.

Eleni lui fit un signe.

— Et si nous prenions celui-ci ?

Elle désignait de la main un véhicule délabré dont le pare-brise s'ornait coquettement de pompons multicolores.

— Tu plaisantes ! s'exclama Paul en se dirigeant vers un des nouveaux modèles rangés non loin de là.

— Allons, viens ! insista-t-il.

— Je veux prendre celui-là, décréta-t-elle avec entêtement.

— Eleni, je ne crois pas que cette voiture puisse arriver jusqu'en ville. Si on peut appeler cela une voiture !

— Si elle ne le pouvait pas, elle ne serait pas ici. Oh ! Paul, je t'en prie ! Nous ne risquons rien et je suis sûre que quelques *sols* seraient les bienvenus pour ce chauffeur.

— Je parie que c'est une comédie pour attendrir les âmes tendres comme la tienne. Il a probablement tout autant d'argent que les autres. Allons, fit-il impatiemment, hâte-toi et nous arriverons peut-être avant minuit si tu y mets du tien.

Eleni releva le menton d'un geste de défi, partagée entre l'envie de discuter et celle de se taire pour avoir la paix. A quoi bon passer tout le voyage à se disputer ? se dit-elle finalement. S'efforçant de contrôler sa mauvaise humeur grandissante, elle se décida à suivre Paul et à monter dans le taxi qu'il avait choisi. Lentement, ils mirent le cap sur Trujillo. Comme ils se rapprochaient de la rivière Moche, le sol aride disparut soudain pour faire place aux riches terres de la vallée Santa Catalina, divisées en de multiples parcelles, irriguées par l'eau qui descendait de la montagne. Certaines étaient plantées de cannes à sucre, de cotonniers ou de tabac, d'autres de caféiers et de bananiers, d'autres encore de cacaoyers dont les longues cabosses jaunes ou rousses, gonflées de graines, semblaient prêtes à éclater. De temps en temps, le long de la route, ou d'un champ, formant une véritable barrière entre un terrain et un autre, se dressait une rangée d'agaves et de cactus qui rappelaient que le désert était toujours là, présent sous cette couche de terre fertile. Eleni se demandait pourquoi les meilleurs moments depuis son départ avaient été ceux qu'elle avait passés seule, observant la vie nocturne de Lima et pressentant l'atmosphère particulière de cette ville, cette conception si différente du temps... *mañana*... et si l'on ne pouvait faire les choses *mañana,* eh! bien, peut-être ne les ferait-on jamais. Cet étrange mélange de nonchalance et de vitalité semblait la pénétrer tout au fond de son être. Dommage que Paul ne puisse partager cette sensation. Le tumulte et l'agitation de Calgary l'affectaient encore. Assis à ses côtés sur la banquette arrière, il tambourinait de ses doigts sur le pli impeccable de son pantalon, regardant droit devant lui, préoccupé par leur prochaine rencontre avec Ferraz.

Eleni se mordit la lèvre. Arriver à ce que Paul prenne conscience de son existence semblait décidément être bien au-delà de ses possibilités! Son regard se reporta sur le paysage. Des maisons blanches, une nouvelle conserverie de poissons, des jardins luxuriants, débordants de fleurs tropicales défilaient sous ses yeux. Puis d'autres maisons encore avec des toits de tuiles roses. Tout était si joli et si nouveau pour elle que, mentalement, Eleni haussa les épaules et pensa que même si ce voyage n'aboutissait pas à des fiançailles — ce dont elle doutait de plus en plus — cela lui était assez indifférent.

Elle et Paul avaient la vie devant eux pour se marier, rien ne pressait.

Quelques heures plus tard, Paul reposant son verre de vin, relisait le message qui leur avait été remis à leur hôtel. Eleni continua à savourer le délicieux « *aji de gallina* », du poulet à la béchamelle avec des œufs et du fromage, généreusement assaisonné de piment rouge.

— C'est ennuyeux, c'est vraiment ennuyeux, maugréa-t-il en froissant la note, tellement vague !

— Cela me paraît assez clair, rétorqua Eleni tranquillement : le messager de Ferraz nous contactera ici, et nous ferons alors des plans pour voir les pierres.

— Oui, mais quand ? et comment ? Je n'aime pas les gens imprécis, ajouta-t-il en fronçant les sourcils.

Eleni, les yeux mi-clos, dégustait son vin blanc, aussi transparent que les eaux cristallines de la rivière qui coulait au pied du restaurant, mais possédant assez de corps cependant pour accompagner le plat fortement épicé qu'elle avait choisi.

« Monsieur Tessier ?... Miss Neilsen ? »

Derrière elle, une voix masculine à l'accent espagnol la fit sursauter. Elle se retourna vivement pour faire face à un grand homme mince, au visage mince et hâlé, dont la main reposait fermement sur le dossier de sa chaise.

A première vue, il était surprenant, c'était le moins que l'on pouvait en dire. Il ressemblait à un brigand. Ses cheveux lisses et noirs, étaient assez longs. Sa chemise lâche de coton blanc et son vieux *bombacha*, ce large pantalon généralement porté par les gauchos, lui donnaient dans ce cadre citadin une allure déplacée. Comme Eleni le fixait, les yeux écarquillés, il se mit à lui sourire et ne cessa de la dévisager ouvertement tout le temps qu'il s'adressa à Paul.

— Je suis Pedro, *peon modesto* de Lucio Baptista Ferraz et voici Hilario Pinilla. Il désignait un gros homme très large d'épaules, avec une chevelure rousse et hirsute.

Les deux étrangers s'inclinèrent très légèrement avec une certaine grâce, tandis que Paul et Eleni demeuraient assis, un peu interloqués, ne sachant trop que penser.

Hilario, non plus, n'était guère élégant, vêtu d'un costume sombre et poussiéreux et coiffé bizarrement de deux chapeaux posés l'un au-dessus de l'autre, pourtant il ne donnait pas envie de rire.

Eleni se râcla hâtivement la gorge.

— Heureuse de faire votre connaissance, euh... *mucho gusto en conocerle*.

— *Tanto gusto* — enchanté de vous connaître — répondit Pedro gravement.

Et Hilario Pinilla répéta la phrase une demi-seconde plus tard.

— Vous êtes envoyés par Lucio Ferraz ?

Le ton de Paul était acerbe et soupçonneux.

— Si *Señor* Tessier, lui-même.

— Je vois... je vois.

— Voulez-vous vous joindre à nous ? s'enquit Eleni ignorant le regard glacial et le froncement de sourcils de Paul.

— *Muchas gracias, Señorita* — avec plaisir.

Et celui qui s'était présenté comme étant Pedro fit le tour de la table et s'assit avec aisance comme si, dans ses vêtements de paysan, il était aussi élégamment vêtu que les autres clients du restaurant. Hilario Pinilla, de façon délibérée, s'installa à côté d'Eleni.

— J'imagine que vous avez une lettre du *Señor* Ferraz ? lui dit Paul d'un air méfiant.

Et, se penchant vers Eleni, il ajouta à mi-voix :

— Tu ferais bien de chercher ton dictionnaire.

— C'est inutile, intervint posément Pedro, je parle votre langue.

Souriant légèrement, il sortit de dessous sa chemise une enveloppe qu'il tendit à Paul.

La note était écrite sur un papier à en-tête et Paul se détendit en reconnaissant le monogramme de Ferraz. Mais à mesure qu'il la lisait, son expression recommença à s'assombrir.

Avec un soupir, Paul la tendit à Eleni dont les yeux se portèrent immédiatement sur la signature pour s'assurer qu'il s'agissait bien de celle de Lucio Baptista Ferraz. Le message disait qu'il fallait faire entière confiance à Pedro et suivre ses instructions. Rien de plus, sauf une phrase de courtoise bienvenue.

Relevant la tête, elle surprit le regard tranquille et insistant de Pedro posé sur elle et fut un instant hypnotisée par leur troublant magnétisme. Paul lui décocha un léger coup de pied sous la table. Immédiatement, Eleni revint à la réalité.

— Comme c'est aimable de la part du *Señor* Ferraz de nous accueillir si aimablement, articula-t-elle en retrouvant son sang-froid.

Elle espérait à la fois par ces mots faire comprendre à Paul qu'elle jugeait la missive authentique, et faire oublier son attitude quelque peu désagréable. Bien que la situation et les deux hommes puissent leur paraître insolites, il n'y avait pas de raison de se montrer soupçonneux.

— Et quelles sont exactement vos instructions... Pedro ? s'enquit gauchement Paul. Le *Señor* Ferraz est-il en ville ? Devons-nous le rencontrer ici ? Ou bien vous a-t-il ordonné de nous conduire à sa plantation ?

Un garçon s'affairait autour de la table et remplissait leurs verres. Pedro ne répondit pas tout de suite.

Nonchalamment accoudé, comme s'il disposait de l'éternité, il attendait paisiblement que le serviteur se soit retiré, tandis que Paul ne pouvait détacher de lui ses yeux impatients et interrogateurs. Eleni, quant à elle, se sentait légèrement embarrassée. Paul semblait complètement oublier qu'il était au Pérou et que le rythme y était bien différent de celui de Calgary. Chez eux, les affaires se concluaient rapidement et les discussions étaient âpres. Tandis qu'à Trujillo, la philosophie paraissait toute autre...

Les deux hommes se dévisageaient, s'affrontant muettement du regard. Curieuse, Eleni observa Pedro. Il s'était présenté comme un simple paysan mais ne se comportait pas comme tel. Hilario demeurait immobile, impassible, ses grandes mains reposaient à plat sur ses genoux.

— Eh ! bien ? s'enquit Paul.

Eleni eut envie de le remettre à sa place. Pourquoi était-il si agressif ?

— Etes-vous particulièrement pressé ? questionna Pedro, sans répondre à sa question, mais sur un ton parfaitement courtois qui décourageait toute réponse sèche.

Paul humecta nerveusement ses lèvres.

— Non... bien sûr que non.

— Ah ! bien, alors vous avez le temps ?

— Euh... aucune urgence... comme il plaira au *Señor* Ferraz, articula péniblement Paul vaincu.

Quand les messagers de Lucio Ferraz avaient fait leur apparition, le soleil était sur le point de se coucher ; à présent, il faisait presque nuit. Le crépuscule, dans ces pays, ne durait que quelques minutes et Eleni assista à cet étrange phénomène tandis que se déroulait cette conversation bizarre.

— Le *Señor* Ferraz se réjouit de vous rencontrer

ainsi que votre... fiancée, monsieur Tessier, et il m'a chargé de l'excuser auprès de vous de n'avoir pu vous accueillir personnellement.

Paul inclina la tête.

— J'espère qu'il n'est pas souffrant ?

— Absolument pas, il ne s'est jamais aussi bien porté.

— J'en suis ravi, mon père l'estime énormément et m'a beaucoup parlé de lui.

— Ah, oui ?

— Euh... oui, et je serais très heureux de le connaître enfin.

Paul ne cessait de faire glisser machinalement son verre de gauche à droite, trahissant ainsi sa nervosité.

— Naturellement, continua-t-il, j'avoue que je suis très curieux de voir sa collection, mon père assure qu'elle est fabuleuse.

Paul essayait de découvrir si ce Pedro était bien ce qu'il prétendait être, mais il aurait pu le faire un peu plus adroitement, pensa Eleni, embarrassée. Les Péruviens étaient-ils susceptibles ? A en juger par la contenance paisible de leur interlocuteur, il fallait croire que non.

— Ah ! oui, riposta Pedro. L'émeraude de 13,3 carats par exemple, la perfection faite pierre. Et la pièce qui avait retenu l'attention de monsieur votre père ? Le *Señor* Ferraz aimerait savoir s'il a décidé de la garder ou bien s'il l'a exposée dans son magasin.

Eleni réprima un sourire et observa Pedro à la dérobée. Un mélange très séduisant d'aristocrate espagnol et de guerrier Inca, estima-t-elle.

— Vous faites sans doute allusion à la perle rose ? rétorqua Paul, ma mère l'a reçue en cadeau et la porte presque constamment.

— Ah ! Cela lui fera plaisir. Un bijou aussi beau doit être porté, surtout par une femme comme votre mère.

— Vous avez vu ma mère ? s'étonna Paul.

— Votre père emporte toujours sa photo avec lui et M. Ferraz m'a vanté sa beauté.

Eleni ne put s'empêcher de remarquer que pour un valet de ferme, Pedro était vraiment bien informé. Paul se faisait-il la même réflexion ? se demanda-t-elle.

— Je suis sûr qu'un jour où l'autre, mon père finira par la persuader de l'accompagner, fit Paul.

— A moins qu'il ne décide de vous remettre entièrement les rênes de son affaire, laissa tomber négligemment Pedro.

Eleni faillit renverser son verre et Paul le considéra avec stupéfaction. Il avala sa salive et répondit brusquement :

— Mon père et M. Ferraz sont de vieux amis et, quoi qu'il en soit, mes parents seraient toujours heureux de lui rendre visite.

— M. Ferraz en serait très honoré.

Tandis que le garçon leur servait à nouveau du vin, le silence s'installa entre eux. Le murmure des voix leur parvenait en même temps que des notes lointaines égrenées dans la nuit par une guitare espagnole. Eleni, les yeux fixés sur une multitude d'étoiles, si grosses et si brillantes qu'on pensait pouvoir les toucher de la main comme autant de diamants éparpillés sur un velours noir, sentait sa peau caressée par la brise tiède, infiniment apaisante. Elle commençait à mieux comprendre les secrets du « *mañana* ».

Quand elle revint à la réalité, elle surprit une fois de plus le regard intense et hardi de Pedro posé sur elle. Il n'en témoignait nul embarras, comme s'il était parfaitement naturel de sa part de la contempler aussi longtemps qu'il le voulait. Elle plongea ses yeux dans les siens, profonds et noirs, et le temps cessa d'exister. Quand il lui adressa brusquement un grand sourire malicieux, elle détourna vivement la tête en rougissant sous son hâle.

— Nous partirons demain pour Sal si Puedes, déclara-t-il enfin.

Le visage de Paul s'épanouit.

— Demain ? Pour Sal si Puedes ? la plantation ? le *Señor* Ferraz nous a invités chez lui ?

Eleni, qui observait Pedro à travers ses longs cils, se demandait s'il avait toujours su qu'ils iraient à Sal si Puedes, et avait retardé le moment de le leur annoncer — afin de tourmenter un peu Paul — ou bien s'il venait d'en décider à l'instant même. Elle soupçonnait que la dernière hypothèse était la bonne. Mais s'il avait la responsabilité de cette décision, il était alors beaucoup plus qu'un *peon modesto*. Cet homme était décidément un mystère.

— Oui, chez lui, à moins que la *Señorita* Neilsen ne désire passer la journée à faire du tourisme ?

— Oh !... fit Eleni en regardant Paul. En vérité, j'aimerais bien me promener un peu... visiter les ruines, aller à Huanchaco. Ce n'est pas très loin d'ici, n'est-ce pas ?

— Sept kilomètres seulement, répondit Pedro. Le village est juste sur l'océan entre la falaise et la plage, et vaut bien le déplacement.

— Eleni, nous pourrons faire cela au retour, intervint Paul.

Comme elle n'avait pas envie de discuter devant témoins, elle sourit et, contrôlant son irritation, déclara qu'elle était tout à fait d'accord.

— Puisque nous ne partirons que demain après-midi, cela nous permettrait d'y aller cette nuit, intercéda Pedro. Il faut voir Huanchaco au petit matin, quand le brouillard de l'océan se dissipe dans le soleil.

— Oh ! oui ! s'écria Eleni, enthousiaste.

— Et nous pourrions être de retour à Trujillo à temps pour le départ.

Pedro parlait d'un ton décidé comme si tout était arrangé.

— Cette nuit ? protesta Paul. Mais nous avons des chambres réservées ici et...

— Vous pouvez les annuler, j'en prendrai d'autres pour vous à Huanchaco, ce n'est pas un problème.

— J'imagine que non, finit par admettre Paul à contrecœur.

— Ne vous inquiétez pas, *Señor* Tessier. Les établissements de Huanchaco possèdent tout le confort moderne, c'est un petit village, mais on y vient du monde entier pour faire du surfing.

— Certainement... je ne voulais pas dire que... et si Eleni y tient tant... bredouilla Paul.

Paul espérait certainement qu'elle changerait d'avis et, lui souriant calmement, elle assura :

— Mais oui, cela me ferait un très grand plaisir.

Eleni ne savait si c'était à cause des housses en plastique ou bien de sa robe de soie bleue, mais elle ne cessait de glisser contre Pedro, dans le taxi qui les conduisait de Trujillo à Huanchaco. Assise entre les deux hommes, elle se sentait un peu écrasée bien que ni l'un ni l'autre ne soient gros. La cuisse musclée de Pedro, appuyée contre la sienne, était un contact chaud et curieusement très agréable. Elle essayait de temps en temps de s'en écarter, mais cela signifiait se presser contre Paul, qui se contractait brusquement avec humeur, encore fâché contre elle. Pedro ne semblait pas s'apercevoir du silence maussade de Paul ni de l'embarras d'Eleni. L'imposant Hilario était installé à l'avant à côté du chauffeur et la radio faisait un bruit assourdissant.

Aussitôt qu'Eleni et Paul furent logés dans le moderne petit hôtel de Huanchaco, Pedro et Hilario disparurent dans la nuit et les deux cousins se retrouvèrent en tête à tête.

De son balcon, Eleni voyait les vagues du Pacifique déferler sous la lune. Elles se retiraient vers le large et revenaient, bouillonnantes et impétueuses se briser si haut sur la plage que l'ombre violette des palmiers disparaissait un instant sous l'écume argentée.

— Naturellement, papa m'avait prévenu que Lucio Ferraz était un peu bizarre, mais cela, c'est excessif ! Je ne m'imagine pas collaborant avec deux individus pareils, s'indigna Paul.

Eleni rêvait, appuyée contre les volutes en fer forgé de son balcon.

— Hmmm, répondit-elle distraitement.

— Ils me déplaisent souverainement tous les deux. A ta place, je les fuirais. Evite toute familiarité, tu vois ce que je veux dire ? ajouta Paul d'un ton sec.

— Hmmm...

— Même si nous n'avons pas sur nous de grosses sommes d'argent, ils peuvent penser le contraire puisque nous sommes ici en tant qu'acheteurs. Il vaut mieux ne porter aucun bijou devant eux, on ne sait jamais.

— Hmmm...

— Bien, je crois que c'est tout. Je dois dire que je serai content quand nous rentrerons à Calgary, une fois notre mission accomplie !

Il termina son verre de brandy et se leva.

— A demain, repose-toi, j'aimerais pouvoir partir tôt. Allons, bonne nuit Eleni, déclara Paul.

— Hmmm... ah ! bonne nuit, Paul.

Eleni tourna la tête pour lui sourire et se replongea dans sa contemplation.

Très loin, le brouillard se levait, enveloppant avec lenteur le ciel et l'océan. Comme une brillante perle allumée de l'intérieur, la lune mettait dans ses cheveux des reflets d'argent et la douce brise nocturne caressait son visage et ses bras nus. Eleni frissonna soudain, douloureusement consciente de sa solitude. Elle aurait tant aimé que Paul soit sensible à toute cette beauté et puisse la partager avec elle, ne serait-ce que quelques instants...

2

ELENI s'était bien doutée que Paul ne voudrait pas la suivre dans son excursion, mais elle ne pouvait s'empêcher de l'observer avec un sentiment de frustration tandis qu'il prenait son petit déjeuner.

— Et tu vas lire le journal ? lui demanda-t-elle avec étonnement.

— Il n'y a rien à voir ici. Tout est blanc.

Paul fit un geste en direction de la fenêtre.

— Cela t'est égal, n'est-ce pas, si je ne t'accompagne pas ?

— Euh... non, je n'ai jamais pensé que cela te tenterait.

Elle hésitait, n'arrivant pas à le comprendre. Et puis, après tout, que lui importait la présence de Paul ? Sans lui, elle serait plus libre de chercher Ross.

— Alors, à tout à l'heure, lança-t-elle légèrement, je serai de retour pour le déjeuner.

Et elle disparut sans lui laisser le temps de répondre.

Finalement, elle fut accompagnée dans sa promenade par Pedro et Hilario qui s'étaient présentés pour lui servir d'escorte. Paul avait eu raison, tout était blanc, en effet : le sable sous leurs pieds, le village, l'air

lui-même qui les enveloppait d'un brouillard laiteux.
Les maisons, les ruelles étroites semblaient immatériel-
les, visibles un instant, elles disparaissaient comme par
enchantement derrière des pans de brume. Eleni,
émerveillée et ravie, n'aurait pu se sentir mieux protégée que par ces deux hommes étranges, l'un robuste et
silencieux, l'autre souple et félin, dégageant une
impression de vigueur tranquille. Pedro avait réponse à
tout. Grâce à lui, Eleni découvrait beaucoup de choses
qui ne figuraient pas dans son guide. Les boucles
d'oreilles qu'elle avait remarquées à Lima étaient plus
communes ici et, quand elle les lui mentionna, il lui
expliqua, à son grand amusement, que, pour les
femmes mariées, ces lourds bijoux de famille étaient un
peu comme un « compte en banque transportable ».

Sur la place du marché, la brume ouatait les scènes
de fiévreux marchandages et faisait pâlir les costumes
colorés des femmes qui empilaient, sur des couvertures
posées à même le sol, des piles de papayes, d'avocats,
de bananes, des sections de cannes à sucre poisseuses,
du café vert ou grillé, des balles de maïs, des piments
jaunes et rouges, et une incroyable diversité de
pommes de terre, dont les saveurs étaient très différentes, lui expliqua Pedro. Selon lui, les Incas avaient
été les découvreurs de ce légume et l'avaient fait
connaître au monde entier. On leur proposait des
herbes et des charmes capables d'opérer tous les
miracles : guérir le cancer, la stérilité, dissiper la peur,
éveiller l'amour fou. Hunchaco étant un port de pêche,
on y trouvait donc aussi une infinie variété de poissons.

Eleni formula sans hésiter sa question délicate devant
Hilario, certaine qu'il n'y prêterait nulle attention.

— Pedro, j'ai un message... personnel à délivrer,
annonça-t-elle.

Tirant de son sac un morceau d'enveloppe déchirée,

elle lui lut l'adresse qui y était griffonnée et lui demanda s'il pouvait l'aider à la localiser.

Dix minutes plus tard, il lui montrait d'un geste ce qu'il appelait une « pension de famille ».

— C'est ici, *Señorita.*

Prenant une profonde inspiration, Eleni s'enquit :

— Comment dois-je dire « est-ce que Untel vit encore ici ? savez-vous où il faut faire suivre son courrier » ?

Pedro lui énonça lentement la phrase en espagnol et elle la répéta à plusieurs reprises.

— Je ne serai pas longue, lui promit-elle en lui souriant avec gratitude, avant de s'engager dans le chemin sablonneux bordé de géraniums en pots.

— Et si vous le trouvez, *Señorita ?* lui lança-t-il.

— De toute façon, je ne tarderai pas.

Elle hâta le pas en ressassant mentalement les mots en espagnol de peur de les oublier. Dans un coin de son esprit, elle se demandait comment il avait pu deviner qu'il s'agissait d'un homme puisqu'elle s'était bien gardée de le lui préciser.

Les battements de son cœur s'accélérèrent tandis qu'elle frappait contre la lourde porte de bois. Elle était dans son droit en venant ici, pensa-t-elle, Ross n'avait pas rempli ses engagements vis-à-vis d'elle, et elle était déterminée à le lui rappeler. Au bas du sentier, à demi dissimulés par le brouillard, Pedro et Hilario étaient engagés dans une discussion animée.

Articulant avec soin, Eleni répéta les phrases en espagnol à la vieille femme qui vint lui ouvrir, et elle attendit nerveusement, sans même se rendre compte qu'elle retenait son souffle. Mais la réponse à ses questions fut décevante et le battant se referma sur son « *muchas gracias* ». Elle demeura immobile pendant

quelques secondes puis, avec un long soupir, fit demi-
tour et rebroussa chemin.

Pedro se contenta de la regarder, nota son expression, et lui demanda avec courtoisie si elle avait envie
de voir l'église. Revenant à la réalité, Eleni lui répondit
machinalement qu'elle en serait ravie.

A mi-chemin, sur la falaise crayeuse qui se dressait
derrière le village, Pedro s'arrêta et, lui touchant
légèrement l'épaule, lui désigna quelque chose de la
main. Là-haut, à travers des tourbillons de brume,
l'église apparaissait. Blanche et or, de style colonial
espagnol, elle semblait flotter magiquement entre les
nuages. Et dire que Paul croyait qu'il n'y avait rien à
voir ! Eleni, muette d'admiration, secoua imperceptiblement la tête. Ce léger mouvement n'échappa pas à
Pedro. Devant son expression émerveillée, il sourit et
une lueur s'alluma dans ses grands yeux noirs.

— Elle date d'il y a quatre cents ans, *Señorita,*
déclara-t-il. Et bien qu'elle soit encore debout, elle a
été abandonnée parce que deux tremblements de terre
l'ont rendue peu sûre.

Quand ils revinrent au village, le sable avait retrouvé
son pâle éclat doré et les maisons, leur habituelle teinte
d'un blanc cassé. Sous la brume maintenant diaphane
scintillait l'océan gris-bleu. De grands roseaux d'un vert
intense poussaient dans des lagunes au bord du rivage.

— Qu'as-tu fait ?

Eleni, qui buvait une bière, poussa un soupir excédé.

— Je t'avais pourtant recommandé de ne pas être
trop familière, s'indigna Paul.

— Pour l'amour du ciel, s'écria-t-elle. Ils ne pouvaient pas être plus aimables, et je n'en dirai pas autant
en ce qui te concerne ! Tu ne vas pas m'expliquer
continuellement qui je peux voir ou ne pas voir, ce que
je peux faire ou ne pas faire ! J'ai passé une matinée

merveilleuse avec Pedro et Hilario et, aussi étrange que cela puisse te paraître, leur compagnie m'a été très agréable.

— J'essaie seulement de t'éviter de possibles ennuis, maugréa Paul. Ce sont des individus grossiers, et...

— Chut ! les voilà.

Eleni avala une autre gorgée de sa boisson et laissa couler voluptueusement dans sa gorge le liquide ambré, froid et mousseux.

Malgré son impatience de connaître les détails de leur futur voyage, Paul se retint héroïquement de poser des questions, et Pedro ne montra aucun désir de l'éclairer. Pendant qu'ils déjeunaient, le soleil de midi dissipa les derniers lambeaux de brume, la chaleur s'installa. Des femmes, récoltant des algues, revenaient avant la marée montante, et les hommes commençaient déjà à pousser leurs barques vers la mer.

— Ils vont pêcher le *bonito*, le thon, commenta Pedro.

Un groupe de jeunes garçons bronzés, dont la peau nue brillait d'eau et de soleil, cherchaient près des rochers des crabes et des poulpes. Eleni observait tout avec un vif intérêt, alors que Paul ne semblait avoir que deux idées en tête : son repas et leur départ imminent.

— Préférez-vous un cheval ou un mulet ? s'enquit inopinément Pedro, ou peut-être un âne ? enchaîna-t-il avec une lueur malicieuse dans les yeux. Les ânes sont plus proches du sol.

Paul avala une gorgée de son café et lui demanda d'un ton hautain :

— Puis-je savoir pourquoi ?

— Mais pour les monter naturellement.

— Ah ?... oui... bien sûr... nous devrons aller jusqu'à Sal si Puedes à cheval ?...

— A moins que vous ne préfériez vous y rendre à pied ? c'est à plus de cent soixante kilomètres.

— Je savais que c'était loin, mais j'ignorais qu'il fallait... qu'il fallait..., balbutia lamentablement Paul.

— L'oncle Angus a omis de nous prévenir. Sans doute une de ses petites plaisanteries, fit Eleni en souriant devant la mine déconfite de son cousin.

Quand elle se tourna vers Pedro, ses yeux pétillants trahissaient son amusement.

— Combien de temps nous faudra-t-il pour arriver ? questionna-t-elle.

— Cela dépend. Avez-vous l'habitude de monter ? fit-il en s'adressant à Paul qui était devenu légèrement pâle.

— Non, je ne peux pas dire que je sois très familiarisé avec ces animaux, mais Eleni est une bonne cavalière, je crois.

— Je ne me défends pas trop mal, acquiesça-t-elle.

— C'est déjà quelque chose déclara Pedro avec satisfaction, je craignais qu'aucun de vous deux n'ait jamais posé son pied dans un étrier. C'est la raison pour laquelle j'ai repoussé notre départ jusqu'à l'après-midi. Le premier jour, il faut aller doucement. Avez-vous des vêtements appropriés ? Il serait très facile de s'en procurer ici en cas de besoin.

— Mon père nous a conseillé d'emporter ce qu'il fallait pour la campagne, nous sommes donc équipés, mais je crains qu'il n'ait pas mentionné les bottes.

— Il ne l'a sans doute pas fait, intervint Pedro, parce que nous n'en portons pas. Elles tiennent beaucoup trop chaud, vos pieds gonfleraient de façon désagréable.

Ses yeux brillèrent à nouveau de malice, et il ajouta :

— Vous aurez besoin de sandales et d'un grand chapeau de paille. Nous pourrons les acheter en chemin. Les chevaux nous attendent à Trujillo et, se tournant vers Eleni : *Señorita,* vous devriez essayer *el helado de fresas,* la glace maison avec des fraises fraîches. Elle est délicieuse.

Son regard s'était posé sur les lèvres de la jeune fille, et un très léger sourire éclairait ses traits.

Equipée de la tête aux pieds dans son large pantalon de coton blanc, sa fine chemise à manches longues, ses chaussures légères et son chapeau de paille, Eleni se sentait fraîche et à l'aise, tandis qu'elle regardait Pedro seller leurs chevaux. Paul, à côté d'elle, avait du mal à supporter son jean. Il avait voulu ignorer le conseil de leur guide qui l'avait pourtant prévenu qu'il aurait ainsi beaucoup trop chaud avant d'arriver aux Andes, et Eleni n'éprouvait aucune pitié pour lui. Elle écouta avec application Pedro qui lui expliquait comment seller dorénavant seule sa monture. Il y avait d'abord le *sudadero,* une espèce de couverture imperméable à la sueur, posée directement sur le dos de l'animal, puis venait un tissu de laine grossière que l'on recouvrait d'un cuir souple appelé *carona,* destiné à protéger la bête de l'armature de la selle. D'étroits étriers de métal et une peau de mouton complétaient l'ensemble.

— Ça, dit Pedro en ajustant l'épaisse fourrure, c'est pour protéger le cavalier, tout le reste est pour le cheval.

— Le cheval ! protesta Paul. Et moi ? A quoi vais-je me raccrocher ? Ces selles n'ont pas de cornes et rien ne m'empêchera de glisser.

— Cela s'appelle un arçon, Paul, rectifia Eleni.

Elle ne put s'empêcher de fixer Pedro d'un air interrogateur. Il leur répondit à tous deux par un large sourire rassurant, démenti par la lueur malicieuse qui dansait une fois de plus dans ses yeux.

— Vous vous accrocherez aux rênes, et à la crinière

s'il le faut. Quant à la peau de mouton, vous la trouverez très confortable, elle vous maintiendra aussi sûrement qu'un bébé dans son berceau.

Que pouvait-on répondre ? Il fallait bien le croire sur parole, ce qui semblait devoir leur arriver souvent, maugréa Paul intérieurement, trop souvent.

Eleni, de son côté, ne pouvait s'empêcher de penser que c'était mettre beaucoup de confiance dans un homme au regard parfois si railleur. Non pas qu'elle se sentît en insécurité, mais il y avait en lui quelque chose d'indéfinissable qui la déconcertait, ou peut-être cette impression n'était-elle dûe qu'à l'imminence de leur « aventure ». Un peu ridicule, en vérité, mais elle avait l'étrange sensation d'être revenue cent ans en arrière et d'être sur le point de faire quelque chose de nouveau, de différent, d'inimaginable quelques jours plus tôt — et cela dans un pays dont elle ignorait tout. Eleni médita pendant quelques secondes encore puis haussa les épaules avec philosophie.

Juste avant de quitter la cour de l'écurie, dernier point de civilisation avant de nombreux kilomètres, Paul murmura à son oreille.

— Je ne peux pas comprendre pourquoi papa ne nous a pas parlé de tout cela.

De la main, il fit un geste qui embrassait les chevaux et les quatre ânes qui suivaient derrière, chargés de provisions et de bagages.

— Je me souviens que tante Dora a mentionné quelque chose au sujet de l'aventure dans la brousse sud-américaine, mais, sur le moment, je n'y ai guère prêté d'attention.

— Moi non plus, fit Paul, je croyais que c'était encore une de ses exagérations.

Les sabots de leurs chevaux frappaient en cadence le sol de terre battue. La jeune fille s'avança et se mit en file derrière Pedro en se demandant si l'oncle Gus avait été sérieux au sujet du sérum antivenimeux.

— Crois-tu vraiment que c'est le seul moyen d'aller là-bas ? demanda Paul, derrière elle. Son cheval secouait nerveusement la tête de haut en bas, tiraillé maladroitement par les rênes de son cavalier inexpert.

Pedro se retourna sur sa selle.

— Détendez-vous et laissez-le faire, lui conseilla-t-il légèrement.

Sur quoi il partit au petit galop, suivi par Eleni, puis, très prudemment, par Paul. Derrière eux, les quatre ânes trottinaient vaillamment. Hilario fermait la marche, sévère et silencieux, ses deux chapeaux enfoncés jusqu'aux yeux.

Leur ordre resta le même. Ils avancèrent en colonne, sans se parler, en croisant de plus en plus rarement des voyageurs qui venaient en sens inverse.

Bercée par le pas régulier de sa monture, Eleni, dont les vêtements étaient agréablement rafraîchis par la brise, régalait ses yeux du spectacle offert par cette terre sauvage et solitaire. Euphorbes géantes, cactus, épineux, figuiers de Barbarie se dressaient çà et là dans les dunes ondulées, et partout émergeaient de longues files basses de roches nues étrangement sculptées par le vent de l'océan et par les sables.

Loin devant eux, le dos large de Pedro devenait comme un but symbolique à atteindre. Paul, cramponné gauchement à sa bête, avait pris du retard, de sorte qu'ils étaient très écartés les uns des autres. Le soir descendait lentement et le désert, sous les feux du couchant, se para soudain de rose, d'or et de pourpre dans un féerique déploiement de beauté.

Quand ils atteignirent enfin le hameau qui devait constituer leur première halte, Eleni était rompue mais profondément heureuse. Le claquement des sabots résonnait dans le village silencieux et des chiens excités se précipitèrent en aboyant et en sautant autour d'eux. Eleni était obsédée par l'idée de se délasser dans un océan d'eau chaude, savonneuse et parfumée.

Leur logement était un petit monastère au fond d'un jardin et, un peu plus tard, Eleni put réaliser son rêve... ou presque.

Une grande cuve en terre cuite lui tint lieu de baignoire. Beaucoup d'autres semblables étaient alignées de chaque côté du caniveau qui traversait la buanderie en plein air des moines. Assise avec délice dans l'eau chaude, la nuque appuyée sur le rebord, le visage levé vers les étoiles, la jeune fille se laissait aller à une profonde sensation de béatitude. La lumière vacillante des lampes à huile projetait des ombres étranges sur l'épais mur de briques et, tandis qu'elle se séchait, Eleni, envahie à nouveau par cette impression d'aventure et de mystère, frissonna d'excitation. Il ne faudrait pas oublier de remercier chaudement tante Dora pour ce voyage, pensa-t-elle. Quelle qu'en soit l'issue, pour rien au monde elle n'aurait voulu manquer tout cela : ni son bain sous les étoiles, ni cette bâtisse, si vieille que par endroits son sol de pierre était creusé, ni ce moine à la figure ronde et placide, vêtu d'une longue robe de bure et qui, en ce moment, installé à la table du réfectoire, buvait du vin du pays en compagnie de Pedro et d'Hilario. Elle vint les rejoindre, fraîche et pimpante, ses yeux bleus brillant comme deux étoiles.

C'était au tour de Paul de se laver. Quand il réapparut, après ses ablutions, son humeur était si maussade et Eleni le trouvait si comique qu'elle eut toutes les peines du monde à réprimer un fou rire.

— Un tub ? Un pot de terre, tu veux dire ! Mais de qui se moque-t-on ? Je n'ai jamais rien vu d'aussi incommode de ma vie. Un moment donné, j'ai cru que je n'arriverais jamais à m'en extirper, et que tu devrais m'emballer et m'expédier ainsi par la poste avec un mot d'excuse pour mon père...

L'humeur sombre de son cousin la fit sourire.

— Eh bien ! Paul, répondit-elle avec entrain, au moins tu aurais été bien mouillé, je n'aurais pas eu besoin de lécher tous ces timbres.

Son regard était espiègle et elle lui parut si charmante qu'il se dérida malgré lui.

L'aimable moine leur annonça que le dîner était servi ; un bon bol de soupe au poulet et aux légumes acheva de le réconforter.

Eleni, savourant une mangue dont l'épais jus sucré coulait sur ses doigts, écoutait attentivement Pedro et leur hôte leur expliquer qu'au Pérou, la plupart de la population vivait sur une longue frange côtière et que, dans l'arrière-pays, il n'y avait pratiquement pas de villes importantes, ni de confort moderne à plus forte raison.

— A qui le dites-vous ! ne put s'empêcher de murmurer Paul entre ses dents, afin de n'être entendu que de sa cousine.

Elle rougit néanmoins avec embarras.

Le vin l'engourdissait et, après un dernier verre, la jeune fille fut heureuse de se retirer dans sa petite cellule. Une plate-forme en maçonnerie, recouverte d'une simple paillasse tenait lieu de lit. Cela ne semblait guère pratique, mais une fois allongée bien à plat, elle soupira d'aise et pensa qu'il était impossible de se sentir plus confortable.

Au petit matin, Pedro frappa à sa porte. Les animaux dormaient encore quand elle se leva. Se rappelant le vent et la chaleur de la veille, elle rassembla en une queue-de-cheval sa souple chevelure qui jusqu'ici avait librement flotté sur ses épaules.

Eleni prit son petit déjeuner accompagnée par le chœur des oiseaux tout proches nichant dans les hévéas. Contemplant le paisible jardin fleuri du monastère, elle se sentit sereine, fraîche, disposée à affronter joyeusement cette nouvelle journée. Pedro semblait partager son humeur. On ne pouvait en dire autant de Paul. Eleni pensa qu'elle avait été sage d'écarter pour l'instant toute idée de fiançailles. Si elle avait continué à espérer, elle aurait été accablée par sa mauvaise humeur. Mais ainsi, son amertume la faisait rire et elle le taquinait sans merci jusqu'à ce qu'il se déride. Il se sentait fourbu, courbatu, après l'exercice inaccoutumé de la veille et faisait en sorte que personne ne l'ignore.

— La peau de mouton n'est pas mal, mais le cheval ! grogna-t-il. C'est comme être assis sur un marteau-pilon !

Environ trois heures après leur départ, ils croisèrent les premiers voyageurs de la journée, trois hommes montés sur des mules chargées de sacoches et de paquets ventrus. Deux d'entre eux étaient, comme Hilario, coiffés de couvre-chefs superposés, et tous avaient orné leurs coiffures de quelques fleurs fraîches. Eleni ne put éviter de les dévisager ; tout le monde se salua poliment et elle remarqua que la curiosité qu'elle éveillait chez eux n'était pas moindre que la sienne à leur égard.

Quand ils les eurent dépassés, elle se rapprocha en trottant de Pedro.

— Est-ce habituel ici que tout le monde porte des fleurs, y compris les hommes ?

— *Si, Señorita,* et pourquoi pas ?

Ses yeux lui sourirent.

— Oh ! Je trouve cela charmant, mais pourquoi deux chapeaux ? Et Hilario aussi ?

— Si un homme en porte deux, cela veut dire qu'il peut se les offrir. Vous avez sans doute remarqué que le plus neuf était toujours celui du dessus ?

— Oui, en effet, et il me semblerait plus logique de le porter en dessous pour le conserver en bon état plus longtemps.

— Vous voyez, expliqua Pedro, c'est ici que nos deux cultures diffèrent, quand nous avons un objet nouveau, nous voulons en profiter et le faire voir, tandis que vous, vous ne cherchez qu'à le protéger.

Eleni l'observait, songeuse.

— Ces hommes étaient des paysans ?

— *Si*.

— Alors, Hilario aussi ?... Mais...

— *Si ?*

— Euh... je ne sais pas... il me semble qu'il y a chez lui quelque chose de... militaire. Il n'a pas du tout l'air d'un homme de la terre.

— Militaire, *Señorita ?* s'étonna Pedro.

— Oui... je crois que c'est à cause de sa façon de se mouvoir, avec ses épaules si carrées, son dos si raide. Je ne voudrais pas avoir à me battre contre lui, ajouta-t-elle en riant.

— Non, vous n'aimeriez pas cela, acquiesça Pedro d'une voix amusée.

Et elle s'aperçut subitement qu'il n'avait pas répondu à sa question. Comme il ne semblait pas disposé à en dire davantage, elle n'insista pas. Au lieu de quoi, changeant de conversation, il lui montra du doigt un faucon qui volait en cercle au-dessus de leur têtes, et lui déclara qu'il s'agissait d'un *killiksha*. Ils parlèrent ensuite de l'oiseau et des différences qu'il présentait dans leurs pays respectifs, puis finirent par se taire.

Le vaste désert, avec son étroite route sinueuse se perdant dans les sables, et le balancement rythmé de leurs chevaux les incitaient au silence et à la réflexion. Ils avancèrent amicalement côte à côte pendant de nombreux kilomètres.

Vers midi, ils s'arrêtèrent au bord d'un ruisseau qui courait impétueusement entre les rochers. L'eau était limpide et glacée. Une fois que les chevaux furent dessellés et les ânes libérés de leur chargement, Hilario se mit en quête de ses casseroles. Le voyant si calme et si efficace, Eleni décida qu'il n'avait pas besoin de son aide et s'éloigna le long de la petite rivière. A l'ombre des eucalyptus, elle s'assit et trempa ses pieds dans l'eau. Paul, était appuyé contre un arbre, les yeux fermés. Il n'avait pas envie de parler, la longue course du matin l'avait épuisé.

Après quelques minutes, Eleni retroussa le bas de son pantalon et s'avança jusqu'à une espèce de bassin peu profond. Prenant de l'eau dans ses mains, elle aspergea son visage à plusieurs reprises. C'était si délicieux que, lançant son chapeau sur la rive, elle se mit en devoir de se mouiller plus abondamment, baignant son cou, ses bras et tout ce que lui permettaient ses vêtements. Se retournant, elle vit que Pedro l'attendait en l'observant à travers ses paupières mi-closes. Quand elle vint s'asseoir sur le rocher à ses côtés, il lui tendit une des deux calebasses qu'il avait apportées et elle faillit la laisser tomber tant elle était chaude. A l'endroit du pédoncule était creusé un petit orifice qui avait été bagué d'un anneau en argent repoussé que ses yeux d'orfèvre remarquèrent et apprécièrent aussitôt. Elle regarda interrogativement Pedro, ne sachant ce qu'il attendait d'elle. Fouillant dans sa poche, il en sortit deux pailles en argent et lui en offrit une. Il plongea l'autre dans sa gourde et commença à aspirer le breuvage brûlant à l'intérieur. Eleni examina la pipette, elle était très belle, gravée d'oiseaux et de fleurs entrelacés dans un dessin compliqué.

— C'est une *bombilla*, lui expliqua Pedro.

Eleni aspira prudemment une petite gorgée de liquide et grimaça aussitôt.

— Et ça, c'est le *maté*, lui dit-il, amusé par son expression. Une herbe forte, mais vous verrez, vous vous y habituerez rapidement. C'est très rafraîchissant.

— Vous croyez vraiment ? demanda-t-elle en fronçant son joli petit nez avec dégoût.

— Est-ce que je vous mentirais, *Señorita* ?

Eleni le regarda, perplexe. Pourquoi était-il aussi compassé ? Il l'appelait toujours « *Señorita* » ainsi qu'Hilario. Tous deux se conduisaient avec une extrême correction avec elle et, habituée aux façons plus familières du Canada, cette courtoisie presque excessive la déconcertait un peu.

Acceptant son conseil, comme elle le faisait toujours, elle but lentement son thé en essayant de ne pas faire trop de grimaces, et en réfléchissant à la façon dont elle pourrait lui demander de ne pas être aussi cérémonieux.

Un salut typiquement américain leur fit tourner la tête. Voilà quelque chose qui semblait tout à fait déplacé dans cet endroit.

C'était un jeune couple de Californiens qui parcourait, sac au dos, l'Amérique du Sud. Eleni admira leur endurance, ils étaient terriblement chargés et la chaleur était intense. Après qu'ils aient tous déjeuné et lavé leur vaisselle dans l'eau courante, les hommes s'installèrent les uns après les autres pour une sieste. Eleni et la jeune femme préférèrent bavarder sous les grands arbres.

— Nous étions en route pour la rivière Marañon, ce

qui signifie en indien « Serpent Doré », confia Janey.
Bob avait entendu dire qu'on y trouvait de l'or, mais
nous ne sommes allés que jusqu'à Yenasar.

— Où est-ce ?

— C'est au-delà de Huamachuco, cette ville dans les
Andes dont je vous ai parlé. Et Sal si Puedes est près de
Yenasar. Ensuite, il y a une autre chaîne de montagnes
à l'Est, et la rivière Marañon se trouve dans la jungle de
l'autre côté, donc pas très loin de là. Où en étais-je ?
Ah ! oui !

Sa voix se fit basse et elle se rapprocha d'Eleni.

— Nous avons rebroussé chemin parce qu'on racontait que deux prospecteurs avaient été assassinés...

Elle se lança aussitôt dans une description sinistre du
méfait qui fit frémir Eleni. Janey semblait se délecter
de sa réaction, ravie d'avoir un auditoire aussi attentif.

— ... On n'a pas cessé de nous répéter que ce n'était
pas un endroit pour une femme. J'aime l'or comme tout
le monde, mais quand on est mort, on ne peut pas en
profiter, n'est-ce pas ?

Eleni hocha la tête en signe d'assentiment.

Janey avait un véritable sens du mélodrame ; dans
quelle mesure son histoire était-elle crédible ? pensa-
t-elle.

— J'ai dit à Bob, poursuivit sa nouvelle amie, qu'il
pourrait prospecter ailleurs. Savez-vous qu'il y a des
gisements dans la jungle ?

— Non, fit Eleni en secouant la tête.

— Les Incas extrayaient des tonnes d'or et il paraît
qu'il en reste encore beaucoup. En fait, Sal si Puedes
est un lieu de réunion pour les mineurs, ajouta-t-elle,
fière de ses connaissances.

— Un... quoi ?

— Oui, expliqua Janey, ils viennent y vendre les
pépites qu'ils ont trouvé dans la Marañon. Ecoutez,

continua-t-elle d'un ton averti, faites très attention à
vos rencontres à partir de maintenant.

— Pourquoi ? Que voulez-vous dire ?

— Vous ne savez pas ?

La voix de Janey était devenue un murmure et elle
jetait de petits coups d'œil effrayés de droite à gauche
comme si elle craignait qu'on puisse l'entendre, ce
qu'Eleni jugea un peu ridicule.

En dehors de leur petit groupe, il n'y avait pas une
âme à des kilomètres à la ronde !

Janey chuchota :

— Ce chemin est connu comme « la route de la
cocaïne » ! Le coca est cultivé dans la montagne. En
principe, il est vendu au gouvernement, mais il y a des
fuites et elles passent par ici.

Eleni se demanda si, par hasard, Janey n'avait pas vu
trop de films d'aventures...

Quand ils reprirent leur voyage, elle hésita à rappor-
ter cette conversation à Pedro. Il avait attendu qu'elle
le rejoigne et, maintenant, ils avançaient encore côte à
côte, comme ils l'avaient fait jusqu'ici. Elle décida
finalement de remettre ses questions à plus tard. La
supposition de Janey selon laquelle Pedro et Hilario
pourraient bien être aussi des passeurs de drogue l'avait
irritée, mais un petit doute, difficile à chasser, s'était
malgré tout insinué dans son esprit.

Le lendemain, le terrain commença à changer. Leur
route grimpait dans la montagne entre des éboulis de
pierres et de roches. Les dunes firent peu à peu place
aux prairies où poussaient des acacias couverts de
minuscules baies rouges, des genêts, des muriers et de
minces peupliers frisonnant dans l'air vif. Plus haut
encore, étaient cultivés en terrasse du blé, du maïs et de
l'orge. Dès qu'il y avait de l'eau, c'était une profusion

de fruits tropicaux : mangues, papayes, avocats, bananes, ananas...

Eleni et Pedro chevauchaient toujours ensemble, et il continuait à l'appeler « *Señorita* ». Paul avait préféré demeurer assez loin en arrière car il ne supportait pas la voix de Pedro qui s'était mis à chanter pour passer le temps. Ce dernier était un compagnon charmant, son répertoire semblait inépuisable, et la jeune fille était ravie de son timbre agréable et profond.

Le quatrième jour de leur périple, ils durent bivouaquer car il n'y avait pas de villages dans les environs. Ils s'arrêtèrent dans une clairière au pied de laquelle coulait en bruissant un petit cours d'eau. Eleni aurait aimé s'installer à proximité, mais Pedro lui expliqua que si un orage éclatait au sommet de la montagne, ce modeste ruisseau pouvait devenir en quelques heures un torrent tumultueux. Quand elle y trempa son pied, elle admit volontiers que cette eau était en effet de la neige fondue descendue des hautes cimes perdues dans les nuages. Elle était si glacée que ses orteils se recroquevillèrent. Après avoir fait une rapide toilette, Eleni fut heureuse de venir se réchauffer près du feu crépitant qu'Hilario avait allumé. Pedro montait une tente, et Paul était assis sur un rocher l'air morose, la tête entre ses mains.

— *Señorita !* Votre abri est prêt, voulez-vous que j'y dépose votre valise ?

— Oh ! Merci Pedro, mais j'aimerais mieux dormir à la belle étoile... si vous n'y voyez pas d'inconvénient ?

— Mais non, aucun, répondit-il avec désinvolture en souriant, M. Tessier pourra avoir la tente.

En grognant un vague remerciement, Paul se leva et alla s'installer, emportant avec lui son sac de couchage, ses affaires et son porte-documents.

Pedro déroula les trois autres duvets en demi-cercle

autour du feu, en plaçant celui d'Eleni au milieu. Elle
s'assit en tailleur auprès du foyer et tendit ses mains
vers la chaleur. En face d'elle, Hilario dont le visage
ingrat était éclairé par les flammes dansantes, coupait
une tranche de fromage frais acheté le matin dans une
ferme. L'eau lui vint à la bouche en le regardant puis,
soudain, elle eut un imperceptible mouvement de recul
et détourna la tête.

— Qu'y a-t-il ? s'enquit aussitôt Pedro.

— Oh !... ce n'est rien, murmura Eleni, embarrassée
qu'il ait surpris son expression.

— Dites-moi, insista-t-il, nous sommes *amigos* non ?
vous pouvez être franche avec moi.

— Eh ! bien... c'est que... euh... Hilario a des ongles
très noirs, avoua-t-elle, rougissante. Mais ne lui dites
pas, ajouta-t-elle précipitamment.

Pedro renversa la tête en arrière et éclata de rire.

— Il ne faut pas avoir peur de lui, *Señorita*.

Rapidement, il donna un ordre en espagnol puis,
tirant une *navaja* d'un étui en cuir dissimulé sous sa
veste, il l'envoya voler au-dessus du feu, d'un geste sec
et précis. Elle décrivit un arc parfait et vint se planter
en vibrant dans une bûche posée à quelques centimètres d'Hilario qui ne cilla même pas, tandis qu'Eleni le
contemplait bouche bée, les yeux arrondis de frayeur.
Hilario arracha tranquillement le couteau et se mit à
nettoyer ses ongles avec la pointe de la lame.

— Vous êtes très adroit, fit-elle à Pedro, en essayant
de donner un ton naturel à sa voix encore tremblante.

— *Señorita,* il y a trois choses qui sont sacrées pour
un *gaucho :* son *caballo,* son *facón.*

Il désigna du menton le couteau menaçant.

— Et sa « china », sa femme, ajouta-t-il avec
sérieux.

— Dans cet ordre-là ?

Il lui répondit par un large sourire éclatant qui, pendant quelques secondes, lui coupa le souffle.

— Mais vous n'êtes plus un *gaucho* maintenant ? Vous nous avez dit que vous étiez un *peon,* ce qui signifie plus ou moins garçon de ferme, n'est-ce pas ?

— Oui, c'est vrai.

— Vous avez dû faire beaucoup de choses dans votre vie, hasarda-t-elle, brûlant de curiosité.

— *Si, Señorita,* beaucoup... beaucoup.

Eleni pensait que leur conversation commençait à prendre un tour intéressant quand ils furent interrompus par l'annonce de leur dîner : *tortilla* de farine de maïs, saucisses grillées fortement pimentées, poivrons verts crus, croquants et un peu sucrés, *choclo,* des épis de maïs rôtis et, enfin, d'énormes tranches de fromage.

— Ce café est aussi noir que le cœur du Diable, déclara Pedro à Eleni en lui en tendant une timbale fumante.

— Voulez-vous du sucre, monsieur Tessier ? Oh ! il est parti se coucher, fit-il étonné.

— Paul ne prend jamais de café le soir, cela l'empêche de dormir, expliqua Eleni.

— Oui ? Comme je le regrette pour lui. Combien de cuillers, *Señorita ?*

— Pas de sucre, merci. Je devrais peut-être aider Hilario à faire la vaisselle ?

— Non, non, *Señorita,* c'est son travail et cela ne lui déplaît pas.

— Et le vôtre, est-ce qu'il vous plaît, lui demanda-t-elle négligemment.

Il plongea brièvement ses yeux dans les siens, sans rien dire et aspira avec prudence un peu de son café brûlant.

— Cela me convient pour le moment, laissa-t-il finalement tomber.

Et Eleni eut l'impression qu'il évitait de lui donner une réponse trop directe.

— Quand vous en changerez, emmènerez-vous Hilario avec vous ? Vous semblez... je veux dire, il me semble que vous vous connaissez depuis très longtemps. Il est comme un loyal serviteur.

Elle détourna son regard avec embarras en essayant de ne pas avoir l'air trop indiscrète.

— Pourquoi dites-vous cela, *Señorita* ?

— Il n'y a que les Irlandais qui répondent aux questions par d'autres questions, riposta-t-elle, un peu agacée par son éternelle façon de se dérober, et je ne crois pas que vous ayez une seule goutte de sang irlandais dans les veines, ajouta-t-elle en le regardant franchement.

— Non, en effet, *Señorita,* rien que du sang indien et espagnol, comme beaucoup de Péruviens. Heureusement, le racisme n'a jamais trouvé chez nous un terrain favorable, comme c'est le cas ailleurs. Les premiers colons espagnols encourageaient les mariages entre leurs officiers et les femmes incas de bonne famille. Ainsi, ils ont réussi à dominer rapidement le pays sans trop d'effusions de sang. Maintenant, il y a tant de nationalités différentes ici, se mélangeant toutes entre elles, qu'un Indien Machiguenga peut aussi bien être espagnol que français, italien, allemand, hollandais, africain, israélien ou autre chose encore. Mais, que me disiez-vous ? Ah ! oui... pourquoi imaginez-vous qu'Hilario est mon serviteur ?

— Il vous obéit, et il est évident que vous êtes le chef de cette expédition, lança Eleni sans hésitation. Il selle les chevaux, charge les ânes, cuisine, lave la vaisselle, que voulez-vous de plus ?

— Vos yeux sont très observateurs, *Señorita.*

— Vous ne voulez pas me répondre, n'est-ce pas ?

— Peut-être le ferai-je un jour, *Señorita* Neilsen.

— Oh! Pedro, implora-t-elle, n'y tenant plus, ne pourriez-vous pas abandonner ce « *Señorita* »? J'ai l'impression d'être très vieille quand vous me parlez ainsi. Si je vous appelle par votre prénom, pourquoi n'en faites-vous pas autant?

Il l'enveloppa un instant du regard.

— Ce ne serait pas correct, *Señorita*, après tout je ne suis qu'un simple *peon mo*...

— Oui, je sais, l'interrompit-elle un « *peon modesto* ». Une belle histoire! ajouta-t-elle, ironique.

Pedro la dévisagea, interloqué, puis éclata de son rire chaud et sonore.

— Je crois que l'expression correcte en l'occurrence serait « touché », non?

C'était au tour d'Eleni d'être étonnée. Elle avait frappé un peu au hasard et il semblait qu'elle était tombée juste. Elle profita de son avantage.

— Alors...?

— Alors, Eleni, vous gagnez. Et maintenant, dites-moi ce qui vous a fait dire que c'était « une belle histoire ».

Il se pencha vers elle et appuya son coude sur son genou, décidé à obtenir une réponse.

— Vous êtes trop bien élevé, trop bien informé, votre anglais est parfait, vous le maîtrisez avec autant d'art que votre couteau... votre *facon*. C'est plus qu'étrange de la part d'un garçon de ferme, ne croyez-vous pas? L'anglais d'Hilario, lui, est épouvantable.

— Comment? Vous l'avez entendu s'exprimer dans votre langue?

— Oh! Je l'y ai presque forcé.

— Vous y êtes arrivée? Cela je ne peux pas le croire! s'esclaffa Pedro.

Il la dévisageait comme s'il la voyait sous un jour

nouveau et elle se pétrifia, comme hypnotisée par l'éclat de ses prunelles.

— Vos yeux sont comme des saphirs, Eleni, je trouve que vous êtes une femme très belle, murmura-t-il soudain.

Décontenancée, elle pensa que son intonation n'eut pas été autre si, par exemple, il lui avait fait remarquer que l'herbe était verte. Une simple constatation, sans l'ombre d'une flatterie. Mais qui l'avait tout de même affectée. Emue, Eleni humecta ses lèvres, soudain consciente de leur isolement. Hilario n'était pas revenu ; Paul, sous la tente, avait éteint sa torche. Il ne restait plus que le craquement du bois qui flambait, le bruit des chevaux en train de paître et, plus loin, le clapotis de l'eau... et puis Pedro dont les yeux, plongés dans les siens, semblaient vouloir sonder son âme.

— Vous frissonnez, avez-vous froid ? Je vais vous apporter de quoi vous couvrir, lui dit-il avec sollicitude.

Il s'éloigna dans l'ombre et revint rapidement, muni d'une épaisse couverture en laine de mouton dont il enveloppa ses épaules.

— Encore un peu de café ?

Reconnaissante, Eleni accepta avec gratitude le liquide brûlant. Pedro était, lui aussi, noir et puissant comme le cœur du Diable, songea-t-elle subitement.

Le matin suivant, ils s'éveillèrent dans la brume. Toute la végétation alentour était trempée, et pourtant il n'avait pas plu depuis plusieurs semaines.

Peu de temps après avoir repris leur route, alors que le soleil commençait à percer derrière les nuages, ils rencontrèrent une caravane. Douze ânes disparaissaient presque sous de volumineux ballots de couleurs vives. Attachés entre eux, les uns derrière les autres, au moyen de grosses tresses de chanvre rouge, ils étaient conduits par un homme basané, monté sur un cheval, avec un pistolet glissé dans sa sacoche de selle. Un autre cavalier fermait la marche. Eleni dut se rabattre derrière Pedro pour que les deux processions puissent se croiser sur l'étroit sentier. Il y eut un échange courtois de *buenos dias* et le cortège passa son chemin. Dès qu'il fut hors de vue, Eleni revint se placer à côté de Pedro.

— Qu'est-ce qu'ils transportaient ? s'enquit-elle.

Il était désormais habitué à ses innumérables questions.

— Des feuilles de coca, répondit-il.

— Qu... oi ?

— Des feuilles de coca, répéta patiemment Pedro, à ne pas confondre avec « cacao ».

— Non, je sais bien... Pedro, ajouta-t-elle en hésitant, il y a longtemps que je veux vous demander quelque chose : ce chemin est-il vraiment connu comme la « route de la cocaïne » ?

— Où avez-vous entendu cela ? fit-il étonné.

— C'est Janey qui me l'a dit, confia-t-elle.

— Ah... peut-être que certains la connaissent sous ce nom. C'est en effet une des voies principales pour transporter le coca des plantations jusqu'à Trujillo où il est vendu au Gouvernement. Pensiez-vous qu'il y avait là quelque trafic illégal ? Ne vous inquiétez pas, *chica*. Cette plante pousse ici depuis des temps immémoriaux. Bien avant l'arrivée des Espagnols, les Indiens en mâchaient déjà les feuilles pour se donner de la force, du courage, pour ne plus sentir la faim, le froid et le sommeil. Actuellement, toutes les pharmacies du monde ont leur stock de cocaïne. Elle entre dans la composition de multiples médicaments. Et d'où croyez-vous qu'elle provienne ?... De ces montagnes, conti-

nua-t-il en faisant du bras un large geste circulaire.
Nous en faisons pousser à Sal si Puedes.

— Oh ! c'est donc bien une ferme ?

— *Si,* il y a beaucoup d'autres choses, mais le coca
est notre culture principale.

— Pourtant, Janey m'a affirmé que c'était la route
des fraudeurs.

— Vraiment ? Il est possible qu'elle ait raison.
Voyez-vous, nous avons ici des éléments criminels
comme partout ailleurs, il y a sûrement des individus
qui essaient de circonvenir les acheteurs officiels, et
comme de grandes quantités de coca se trouvent dans
ces montagnes, il se peut qu'ils utilisent cette route
« pour leurs abominables desseins ». Ses yeux pétillant
de malice démentaient la gravité de son ton.

— Je vois... dit Eleni en le regardant.

Puis elle ajouta à brûle-pourpoint :

— Pourquoi portez-vous un pistolet, Pedro ?

— Qu'entendez-vous par là ?

— Ce n'est pas un pistolet que vous avez-là dans
votre ceinture ? s'étonna-t-elle d'un air faussement
innocent.

Le matin, elle avait remarqué une légère bosse sous
la chemise de Pedro et, quand il avait levé le bras pour
seller son cheval, elle avait surpris l'éclat gris et
métallique de l'arme. Epiant ensuite Hilario, elle fut
convaincue qu'il en possédait une également. Paul, elle
en était sûre, n'avait rien observé, trop occupé à
maîtriser sa monture. Quand elle lui avait demandé si
vraiment il ne parvenait pas à trouver quelque chose
qui lui plaise dans ce voyage, il avait haussé les épaules
avec lassitude en répondant « je ne serai content que
quand nous atterrirons à Calgary », et, prudemment,
elle l'avait laissé, incapable d'affronter sa mauvaise
humeur.

— Il me semble vous avoir déjà dit que vous avez des yeux de lynx, plaisanta Pedro à sa manière détournée.

— Mais pourquoi, Pedro ? insista Eleni. Nous n'avons rien sur nous qui vaille la peine d'être volé.

Il la contempla et riposta d'une voix profonde et comme à regret :

— Sauf vous, Eleni, avec vos cheveux de miel et vos yeux de la couleur des glaciers, vous seriez une pièce de grand prix.

— Vous tenez à garder le secret, n'est-ce pas ? maugréa-t-elle, sans relever sa plaisanterie, et un peu fâchée.

Il haussa les épaules et lança :

— Porter un pistolet n'a rien d'anormal pour un homme, je sais qu'au Texas, par exemple, c'est chose assez courante. Pourquoi trouvez-vous que ce soit si extraordinaire en ce qui me concerne ?

— Mais eux, ils protégeaient leur chargement de coca, et puis, ajouta-t-elle pour se justifier, au Canada, en général personne n'est armé, j'imagine que j'ai été frappée pour cette raison.

— Cela a-t-il inquiété le *señor* Tessier ?

— Non, je crois qu'il n'a rien remarqué.

Ils se retournèrent tous deux sur leur selle pour regarder en arrière et aperçurent Paul à une assez grande distance. Agrippé des deux mains à la crinière de sa monture, il détournait la tête pour éviter de voir le précipice escarpé qu'il longeait sur la gauche.

Pedro soupira, et remarqua :

— Il ne semble pas faire beaucoup de progrès.

— Quand Paul a décidé qu'il n'aimait pas quelque chose, il est quasi impossible de le faire revenir sur son opinion, concéda-t-elle en soupirant.

— Et que se passe-t-il dans le cas contraire ? est-il aussi obstiné ? s'enquit Pedro.

— Où voulez-vous en venir ?

— Il est votre *novio,* n'est-ce pas ? Un jour vous vous marierez, alors j'imagine qu'il doit être aussi déterminé en ce qui vous concerne qu'il l'est pour les chevaux, et probablement davantage.

Eleni répondit vivement sans réfléchir :

— Oh ! non, il est bien loin de l'être !

Quand Pedro la considéra d'un air interrogateur et surpris, elle devint écarlate et balbutia de façon un peu incohérente :

— Je veux dire... il n'est pas exactement mon cousin et... euh... il est mon fiancé mais... j'espère que vous n'êtes pas contrarié par sa mauvaise humeur. Dans le fond, il est très gentil, pas du tout maussade ni renfermé. Je sais qu'il a produit sur vous une mauvaise impression,... je vous en prie, ne le jugez pas trop sévèrement. Il a ses idées, il manque peut-être un peu de souplesse, mais vous verrez, quand nous serons arrivés à Sal si Puedes, je suis sûre que vous l'apprécierez mieux...

Elle s'arrêta, la gorge sèche, et reprit :

— Comprenez-le, c'est son premier voyage de ce genre, une grosse responsabilité pour lui. Il est préoccupé et voudrait que tout aille pour le mieux. Les choses ne se sont pas passées comme il l'avait imaginé et, bien sûr, il est un peu déconcerté... c'est normal... et puis, il n'aime pas les chevaux.

Eleni ignorait pourquoi elle éprouvait ce besoin si pressant de justifier Paul à tout prix. Elle baissa les paupières et détourna la tête pour éviter le regard de Pedro, devenu soudain étrangement perçant.

La jeune fille eut l'impression que Pedro décidait de faire halte plus tôt que d'habitude pour permettre à Paul de se reposer, et peut-être aussi à cause du difficile terrain montagneux qu'ils étaient en train de traverser.

— Bien, nos animaux ont été nettoyés et nourris, notre camp est dressé, notre dîner mijote sur le feu, et maintenant, Eleni, qu'aimeriez-vous faire ? Nous avons au moins une heure et demie devant nous, lui dit-il.

Hilario somnolait, ses deux chapeaux tirés sur ses yeux, et Paul se reposait avec béatitude sur un rocher plat tiédi par le soleil. Il souriait presque.

Elle s'approcha de lui et proposa :

— Paul, aimerais-tu te promener avec moi ?

Pour toute réponse, il lui adressa une grimace en secouant négativement la tête, et regarda Pedro inter-rogativement.

— Puisque monsieur Tessier est fatigué, je vous accompagnerais avec plaisir, s'empressa-t-il de dire.

— Merci, répondit Eleni. Quelle direction pren-drons-nous ? Ni vers le haut ni vers le bas, remarqua-t-elle en jetant un regard circulaire. Ah ! oui... allons donc de ce côté.

Pedro ouvrit la marche, agile comme un chevreuil. Eleni le suivait, heureuse de se dégourdir les jambes après ces longues heures de chevauchée. Sautant et grimpant derrière lui, elle s'arrêtait de temps en temps pour contempler la montagne vaste et austère. Plus bas s'étendaient des plateaux verdoyants, coupés de som-bres ravins. Des parois de grès et de calcaire semblaient s'étirer à l'infini. Loin, sur sa gauche, des moutons paissaient. On eut dit de petites boules de coton éparpillées sur un tapis vert. Au retour, le soleil semblait un énorme fruit rouge suspendu très bas au-dessus de l'horizon. La lumière du jour était encore intense, mais les ombres commençaient à s'allonger. Pedro sauta d'un rocher, se retourna et regarda Eleni qui hésitait.

— Lancez-vous, je vous rattraperai, proposa-t-il en tendant les bras vers elle.

Il la saisit par la taille ; les mains de la jeune fille glissèrent le long de sa poitrine chaude et musclée et touchèrent par inadvertance le métal froid de son pistolet. Elle se rejeta en arrière si vivement qu'il lui demanda :

— Qu'y a-t-il ? Avez-vous peur ? C'est probablement parce que vous ne vous êtes jamais servie d'une arme. Asseyez-vous, je vais vous montrer comment elle fonctionne.

Eleni le fixait intensément tandis qu'il tâchait de lui inculquer quelques notions rudimentaires, agenouillé auprès d'elle dans la poussière, son épaule frôlant la sienne. Il lui tendit l'objet et ordonna :

— Tenez-le fermement. Imaginez que vous avez devant vous un serpent venimeux et que vous devez l'atteindre entre les deux yeux. Ne bougez pas, vous n'avez qu'une balle.

— Je ne peux pas viser, c'est trop lourd, protesta Eleni.

— Levez-vous et essayez avec les deux mains.

Elle obéit maladroitement tandis qu'il observait ses efforts avec une expression de doute sur son visage hâlé.

— Impossible ! gémit-elle, je n'arrive pas à me concentrer à la fois sur le canon et sur la gâchette.

Il se planta alors tout près, derrière elle, l'entoura de ses bras et referma ses grandes mains brunes sur les siennes. L'immobilisant contre lui, il la maintint avec fermeté et glissa son index au-dessus du sien sur la détente. Son menton volontaire effleurait la tempe de la jeune fille.

— Maintenant ! ordonna-t-il, la deuxième branche en partant du bas.

Ses muscles se contractèrent ; en un quart de seconde la branche vola dans les airs et Eleni perçut une brusque secousse. L'écho du coup de feu se répercuta sur les rochers alentours.

— A votre tour, lui dit Pedro avec un sourire encourageant, visez l'autre branche.

Il conserva sa main sur la sienne mais la laissa tirer toute seule. La branche ne bougea pas, et il y eut de nouveau ce petit choc presque douloureux au creux de sa paume.

— Encore ! Recommencez !

Elle allait viser une troisième fois, quand ils furent interrompus par une voix familière.

— Mais, que se passe-t-il ?

Ils tournèrent la tête à l'unisson pour voir Paul qui accourait vers eux, l'air furieux.

— Mais que faites-vous ? leur cria-t-il, visiblement affolé.

— J'apprends à Eleni à se servir d'un pistolet, répondit calmement Pedro sans bouger d'un pouce.

— Grands Dieux ! Vous pouvez vous vanter de m'avoir effrayé, et juste quand je commençais à peine à renaître à la vie ! Comment pourrais-je avoir un peu de tranquillité ? se lamenta-t-il. Savez-vous que notre camp est juste derrière ce monticule ?

— Naturellement, monsieur Tessier, pourquoi croyez-vous donc que nous nous entraînions du côté opposé ?

Pedro avait laissé retomber ses bras, mais il était demeuré à la même place ; Eleni savourait avec délices la sensation d'être entourée et protégée par lui.

Paul se dérida un peu et concéda :

— Ah !... oui, c'est une bonne idée de lui apprendre à tirer, j'ai toujours pensé que c'était quelque chose d'utile à savoir. Elle n'a jamais touché un fusil de sa vie... Mais ces coups de feu m'avaient inquiété, c'est bien normal.

— Naturellement, *señor* Tessier, acquiesça Pedro d'une voix apaisante, c'est tout à fait compréhensible.

Radouci, Paul hocha la tête et commença à rebrousser chemin. Eleni ne put s'empêcher de remarquer qu'il n'avait pas manifesté de contrariété en la surprenant si près de Pedro. Il se retourna soudain, après quelques pas, et posa sur eux un regard aigu. Puis, avec une grimace de légère impatience que les adultes réservent aux enfants désobéissants, il poursuivit sa route.

— Prête ? demanda Pedro en reprenant sa position. Allons, essayez encore.

Eleni visa soigneusement, serra les dents et tira. L'impact du recul lui fit fermer les yeux un court instant. Quand elle les rouvrit, la branche se balançait, prête à tomber. Elle poussa un cri de triomphe et se jeta en riant contre la poitrine de Pedro.

Il lui prit la main et lança subitement :

— Vous n'avez pas de bague de fiançailles, Eleni, comment cela se fait-il ?

Elle le dévisagea, désarçonnée par sa remarque et incapable d'articuler une parole. Puis, s'apercevant qu'il attendait sa réponse, elle se hâta d'expliquer :

— C'est parce que nos fiançailles ne sont pas encore officielles.

— Pas officielles ?… Ne désirez-vous pas qu'elles le soient ?

— Nous ne sommes pas pressés, continua-t-elle. Après tout, nous allons passer le reste de notre vie ensemble… Paul est très occupé et cette situation lui convient… et puis j'ai besoin de prendre mon temps et de réfléchir, ajouta-t-elle vivement, quand elle crut qu'il était sur le point de l'interrompre.

Mais il garda le silence et se contenta de la dévisager, les sourcils froncés.

La main de Pedro, à la fois douce et ferme, empri-

sonnait toujours la sienne. Autour d'eux, les ombres
s'étiraient. Les derniers rayons incendièrent le rocher
gris contre lequel ils étaient adossés et ils demeurèrent
encore quelques instants, sans parler, admirant la
symphonie d'or et de vieux rose qui se déployait autour
d'eux.

— Nous devrions rentrer, murmura Pedro comme à
contrecœur, la brise du soir va se lever, et puis la
brume. Dès que le soleil disparaît, il fait froid à cette
altitude. Avez-vous eu suffisamment chaud la nuit
dernière ? lui demanda-t-il avec sollicitude.

— Oui, j'étais très bien, répondit poliment Eleni,
consciente de la banalité de ses mots.

Il fallait qu'elle adopte ce ton distant pour lui
dissimuler le trouble qui l'envahissait.

Quand ils revinrent au camp, un crépuscule violet
noyait déjà la terre.

Le jour suivant, le sixième de leur voyage, ils
atteignirent la petite ville de Huamachuco, située sur ce
que Pedro appelait *el altiplano*. A près de quatre mille
mètres au-dessus du niveau de la mer, l'air était froid,
sec et raréfié, brûlant le nez et la gorge. Eleni et Paul,
déjà acclimatés à la haute montagne, n'en souffrirent
qu'à peine et des bols de thé de coca achevèrent de leur
ôter toute trace de maux de tête ou de nausée.

Peu après leur arrivée en fin d'après-midi, Pedro
disparut mystérieusement. Il les laissa en compagnie
d'Hilario dans une confortable auberge rose à trois
étages. Après s'être lavée et avoir changé de vêtements, Eleni se sentit prête à visiter la ville, mais Paul
déclina sa proposition en décrétant qu'il allait essayer
de rattraper son manque de sommeil. De sorte qu'elle
partit avec Hilario qui lui faisait une fois de plus office
de chaperon.

Elle déambula longuement dans les rues étroites,

charmée par les maisons blanches à colonnes dotées de toits de tuiles rouges aussi pointus que les pics de la montagne. Continuant sa marche, elle déboucha sur une belle et large place où s'était installé un marché. Eleni observa alors avec intérêt la foule bruyante et bigarrée. Les hommes, avec leur gros ponchos de laine rayée, leurs bonnets de tricot ornés d'un pompon, et les femmes dans leurs nombreuses jupes multicolores, vertes, rouges, fuchsia, couvertes de broderies compliquées — leur nombre était proportionnel à la richesse de leur propriétaire, lui avait expliqué Pedro. Elles arboraient presque toutes un chapeau melon noir. La plupart portaient des fleurs derrière l'oreille. Des alpagas, lointains cousins du chameau, ruminaient avec une expression flegmatique en regardant le monde de leurs grands yeux marrons bordés de cils soyeux. Des ânes étaient là aussi, attendant patiemment le retour de leurs maîtres. Deux haut-parleurs, accrochés de chaque côté de la porte d'un petit magasin, déversaient sur la cohue des flots assourdissants de musique rock parfaitement incongrue dans ce décor.

Avec ses cheveux d'or pâle cascadant librement sur ses épaules, son visage hâlé, et ses yeux couleur de saphir, Eleni était très remarquée. Certains hommes la dévisagèrent même avec insistance, ignorant Hilario, qui, silencieux et sévère leur décochait des regards peu amènes. Il était évident que Pedro l'avait chargé de veiller sur elle et décourager les importuns. Cette consigne s'appliquait-elle aussi à Paul ? s'interrogea-t-elle avec amusement. L'idée d'Hilario tenant son *novio* à distance amena un sourire malicieux à ses lèvres...

3

APRÈS avoir quitté Huamachuco, le petit groupe ralentit considérablement son allure. Eleni eut l'impression que Pedro s'attardait un peu et en conclut que Sal si Puedes devait être proche ; la plus grande partie de leur voyage était donc achevée.

La route serpentait interminablement à travers les alpages. Le *yuyo,* une herbe rêche, était parsemé de dents-de-lion, de pâquerettes, de modestes fleurs rouges, connues pour leurs vertus aphrodisiaques — comme l'avait précisé Pedro avec un clin d'œil —, de minuscules gentianes et de grosses chélidoines jaunes, appelées *zapatillas.* Quelques pommes de terre et de l'orge étaient à peu près tout ce qu'on réussissait à faire pousser à cette altitude. Pedro expliqua qu'ici, un œuf à la coque devait cuire deux fois plus longtemps, et que l'orge ne mûrissait jamais. Elle était seulement cultivée pour servir d'additif à la nourriture du bétail : moutons, alpagas, dont on voyait un grand nombre, toujours gardés par des bergers attentifs. Les ânes étaient encore utilisés, cependant, les caravanes de lamas étaient plus fréquentes. Parfois, un petit camion les croisait et ses occupants leur criaient les habituelles paroles de bienvenue du pays : *Ama sua, ama llula, ama kella.*

— C'est un salut très ancien, lui révéla Pedro, une sorte de code moral d'origine Inca, qui s'est transmis d'une génération à l'autre. Cela signifie : « ne mens pas, ne vole pas, et ne sois pas oisif ». Ma réponse est : *Qampas hinallatag* c'est-à-dire : « qu'il en soit de même pour toi ».

— Ces lamas semblent très vigoureux, remarqua ensuite Eleni. Ils doivent pouvoir transporter des tonnes.

— Mais non, détrompez-vous, ces bêtes ne peuvent porter que de trente à cinquante kilos, et si vous voulez les charger davantage, elles refusent catégoriquement d'avancer.

Pedro sourit devant son expression incrédule et lui promit de le lui prouver dès que possible. Elle avait beaucoup appris grâce à lui, songea pensivement Eleni, plus qu'elle ne l'aurait fait en lisant de nombreux livres, mais elle se demandait parfois s'il n'avait pas tendance à l'exagération. Eleni eut cependant très vite l'occasion de constater qu'elle l'avait accusé à tort. Non loin, devant une petite ferme au toit de chaume près du chemin, un homme était occupé à charger quelques lamas qui devaient transporter des sacs de pommes de terre jusqu'aux cabanes de bergers situées beaucoup plus haut entre les pics andins. Tous portaient des pompons de couleur vive accrochés à leurs oreilles. Leurs beaux yeux doux fixaient avec une sereine curiosité les nouveaux venus. Pedro échangea quelques mots en quechua avec le Péruvien, qui acquiesça de la tête d'un air entendu, et se mit en devoir d'ajouter deux ou trois sacs sur le dos d'une de ses bêtes. A peine eut-il terminé, qu'elle s'agenouilla tranquillement comme un chameau et refusa avec obstination de remuer. Rien n'y faisait, ni encouragements, ni cajoleries, ni menaces. Prudemment, le fermier lui chatouilla les côtes de son bâton, et sa circonspection étonna Eleni. Elle en comprit vite la raison, quand l'animal, rejetant la tête en arrière, projeta soudain un énorme jet de salive verte que son maître put éviter grâce à la rapidité de ses réflexes. Devant l'expression abasourdie de Paul et d'Eleni, il se mit à rire de bon cœur, accompagné par Pedro ; même Hilario daigna sourire légèrement. Dès que le paysan eut retiré les kilos en trop, le lama se redressa aimablement et consentit à se mettre en marche de son élégant petit pas dansant.

— Ils sont vraiment intelligents ! s'exclama Paul, visiblement impressionné par la démonstration.

Après s'être partagé un pichet de lait frais, gracieusement offert par la fermière, ils firent l'achat d'un gros fromage rond fait par elle et reprirent leur route en direction d'un col qui s'ouvrait devant eux. Malgré l'après-midi lumineux, l'air était très froid et Eleni se félicitait d'avoir acheté des gros ponchos sur le marché de Huamachuco. Bien que Paul lui ait déclaré à la vue du sien qu'il ne porterait jamais un déguisement pareil, son cousin devait maintenant être bien content de son acquisition.

Après le défilé, leur route commença à descendre de plus en plus et soudain, une grande vallée surgit devant eux. Eleni eut le souffle coupé par la beauté de cette vue inattendue.

Evoquant un ouvrage de patchwork, des terrains cultivés longeaient le flanc de la montagne et s'étageaient jusqu'au delta d'une rivière. Des murs de pierre en marquaient les limites ainsi que des rangées d'eucalyptus et, comme toujours, on apercevait çà et là ces maisons d'un blanc cassé, en brique, avec des cours intérieures et des écuries.

Devant ce spectacle, le ravissement d'Eleni fut à son comble et, quand elle se retourna vers Paul, demeuré

un peu en arrière, elle constata qu'il avait cessé
d'agripper la crinière de son cheval, et regardait avec
stupéfaction la riche vallée multicolore, les flancs gris et
rouges de la montagne, et les hauts pics coiffés d'une
neige bleutée.

Pedro observait Eleni, heureux de son plaisir. Elle ne
put trouver de mots pour exprimer ce qu'elle ressentait
et, devant son expression émerveillée, il lui adressa un
sourire compréhensif, si chaleureux qu'elle en fut
saisie. Comme ils étaient devenus proches en une
semaine! songea-t-elle, émue. Entre eux, les paroles
étaient souvent superflues. Et pourtant cette idée était
absurde : au fond, elle ignorait tout de lui...

Ils firent halte pour déjeuner et Pedro décida qu'il
n'y aurait pas de *siesta*. Cependant, quand ils reprirent
leur route, il adopta une allure paisible. Il s'arrêta deux
fois pour parler à des passants. Eleni ne pouvait
comprendre le mélange rapide d'espagnol et de quechua, mais elle saisissait la cadence des questions et des
réponses. A première vue, tout semblait parfaitement
naturel, une *siesta* n'était pas nécessaire puisque la
chaleur brûlante du désert était restée loin derrière
eux... et pourquoi Pedro ne bavarderait-il pas avec ces
gens ? Mais en voyant la façon dont il scrutait la route et
parcourait du regard le paysage, Eleni eut l'impression
qu'il se préparait quelque chose.

Au bout d'un moment, n'y tenant plus, elle s'enquit :

— Vous cherchez quelqu'un ?

Il la dévisagea avec une surprise incrédule, et s'exclama :

— Eh bien, on peut dire que rien ne vous échappe !
Je commence à comprendre maintenant pourquoi
Angus vous a envoyée ici, continua-t-il avec ironie.

Vexée, Eleni s'aperçut qu'il s'était une fois de plus
arrangé pour changer de sujet. Elle remarqua aussi que

le prénom de son oncle lui était venu aux lèvres très naturellement, tandis qu'il continuait à appeler cérémonieusement Paul, « *Señor* Tessier ».

Elle le dévisagea en silence, se demandant si elle arriverait à lui faire croire qu'elle en savait plus qu'il ne l'imaginait.

— L'oncle Angus avait une raison particulière pour me faire venir au Pérou, mais elle est différente de ce que vous pensez. Vous me cachez quelque chose, j'en suis sûre.

— Bon sang, Eleni, vous possédez un sixième sens ! Et moi qui imaginais avoir affaire à une ravissante écervelée !

— Moi aussi, j'ai été surprise, avoua-t-elle en riant.

— Vous n'avez aucune raison de me craindre, dit-il gravement.

— Mais je ne vous crains pas !

— Et vous pouvez compter sur moi pour vous conduire sûrement à Sal si Puedes, ajouta-t-il avec sérieux.

— J'en suis convaincue, assura-t-elle en souriant.

— Ce n'est alors que simple curiosité ?

— Peut-être pas aussi simple que cela, convint-elle.

Il sourit malgré lui, secoua la tête et déclara :

— Je vais prendre un peu d'avance mais je veux que vous restiez avec les autres. Il faut que je repère un coin agréable pour camper, je ne serai pas long.

Il fit une pause, la dévisagea, et ajouta avec une expression malicieuse qui le transforma totalement :

— Et surtout, pendant mon absence, n'acceptez aucun bonbon si un étranger vous en offre...

Avant qu'elle ait pu lui répondre, il s'était déjà éloigné sur la route dans un nuage de poussière. Elle le suivit pensivement des yeux en fronçant les sourcils.

Ce ne fut qu'une heure plus tard qu'elle l'aperçut de

loin dans l'ombre verte de grands hévéas. Son cheval
paissait paresseusement l'herbe en fouettant l'air de sa
queue. Pedro, appuyé contre lui, les bras croisés, son
chapeau baissé sur son front, semblait dormir debout.
Son regard était pourtant vif quand elle arriva à sa
hauteur et passa son chemin du même pas tranquille.
En un éclair il fut à ses côtés.

— J'ai trouvé un endroit parfait pour camper,
annonça-t-il d'un air détaché au bout d'un moment.

— Vraiment ? fit Eleni d'un ton poli, épiant à la
dérobée sa monture dont la robe brune et luisante était
par endroit blanchie d'écume.

Il semblait inutile d'essayer de savoir où il était
réellement allé et pourquoi il avait tant galopé, car il ne
lui répondrait jamais clairement. Il s'agissait sans doute
d'affaires personnelles dont il ne voulait pas parler. Elle
était dévorée de curiosité et retenait sa question avec
difficulté. Mais, préférant rester sur un terrain neutre,
elle le questionna, d'un ton léger :

— Vous aimez les marguerites ? Y a-t-il une raison
particulière pour que vous les portiez sur l'oreille
gauche plutôt que sur la droite ?

Elle n'aurait su dire s'il lui paraissait ridicule et
charmant ou irrésistiblement séduisant avec ces quelques fleurs sous le bord de son chapeau. En tout cas,
elle devait reconnaître qu'il les portait avec style : ce
sourire éclatant, cette peau hâlée, ces yeux rieurs, sa
désinvolture... Oui, vraiment, Pedro était très attirant !

— Cela signifie que je suis libre, déclara-t-il gravement. Vous devriez en porter vous aussi sur votre
oreille gauche.

— Mais je suis pour ainsi dire... fiancée, répondit
Eleni d'une voix hésitante.

— Jusqu'au jour de votre mariage, *chica*, n'importe

quel homme peut essayer de vous voler à votre *novio*. Ce n'est pas ainsi au Canada ?

— Euh… oui, je suppose…

— A-t-on déjà essayé ?

— Euh… balbutia Eleni.

— Vous voyez ! s'écria-t-il triomphalement. C'est au *señor* Tessier de se battre pour conserver votre affection. S'il y arrive, vous l'épouserez, sinon, eh ! bien, Eleni, un autre homme…

Il étendit ses mains ouvertes dans un geste éloquent.

— Je… je ne crois pas que Paul envisage la situation tout à fait sous cet angle, fit-elle en tâchant encore de le défendre.

— Non ? Il a tort. Vous pourriez vous éprendre d'un autre ici aussi bien qu'à Calgary.

— Oui, mais même le mariage n'est pas la garantie d'une affection éternelle, et je crois que la passion est très surestimée, contra Eleni en pensant à Ross et à la rapidité avec laquelle leurs relations s'étaient dégradées.

— *Si ?* fit Pedro, intrigué par ce dernier commentaire. Quoi qu'il en soit, continua-t-il, il faut faire des efforts pour mériter l'amour et plus encore pour le conserver. On ne peut s'attendre à ce qu'une fleur de serre s'épanouisse si on ne l'entoure pas de soins.

Tandis qu'elle le dévisageait avec un peu d'embarras, la jeune fille ne put s'empêcher de songer que Paul, lui, ne déployait pas beaucoup d'efforts, mais elle rejeta aussitôt cette idée déloyale. Il était différent, c'est tout…

Surplombant la route, une corniche couverte d'herbe grasse et bordée d'un côté par des eucalyptus, était en effet un lieu idéal pour y bivouaquer. Les eaux d'une petite rivière bondissaient joyeusement entre les rochers. D'autres avant eux s'étaient arrêtés là, car un

grand cercle de pierres entourait les restes d'un feu
éteint. Eleni, les mains dans les poches, se félicitait du
choix de Pedro, tout en regardant avec curiosité un
groupe qui venait d'arriver et installait des tentes non
loin de là.

Paul interrompit sa contemplation, en s'exclamant
d'un ton aigre :

— Pourquoi doivent-ils venir juste là ? il y a d'autres
endroits !

— Mais c'est le mieux situé, riposta Eleni.

— Nous étions ici les premiers, déclara-t-il avec
entêtement.

— Grand Dieu ! Paul, il y a suffisamment d'espace
pour tout le monde ! rétorqua Eleni, irritée par son
attitude puérile.

— Je n'aime pas leur allure. Ce grand homme, là-
bas, a un air sournois.

— Ce sont des gitans, Paul, Pedro me l'a dit. Ils
voyagent d'un point à un autre en chantant, en dansant… Ils disent aussi la bonne aventure, et cet homme
est un magicien. Je trouve que c'est merveilleux ! As-tu
déjà vu quelque chose de pareil ?

— Non ! Grâce au Ciel ! Des gitans ! ils sont connus
pour voler tout ce qu'ils peuvent.

— Ce sont des préjugés et des racontars, en vérité,
tu n'en sais rien, contra-t-elle.

— Il n'y a pas de gitans à Calgary, en effet !

— Mais il y a des musiciens qui jouent au coin des
rues et ramassent de l'argent dans leur chapeau. Te
souviens-tu de celui qui était devant le musée ? Tu as
reconnu qu'il était excellent et tu lui as même donné dix
dollars, alors ?…

— C'est bien ce que je disais, ils veulent tous de
l'argent, ils ne sont venus que parce qu'ils nous ont
repérés, constata Paul sombrement… Des étrangers,

des touristes, tu penses ! ils doivent déjà penser à tous les *sols* qu'ils pourront nous soutirer, et ce sont tes cheveux qui nous ont trahis, conclut-il amèrement.

— Je regrette, mais il m'est difficile d'en changer, jeta-t-elle sèchement. A moins que tu n'exiges que je porte une perruque ou les teigne en noir...

Sur ces mots, Eleni le laissa et partit chercher un coin plus tranquille. Comme Paul pouvait être exaspérant parfois ! se lamenta-t-elle avec agacement.

Les gitans étaient au nombre de cinq : Lord Mistico, le magicien ; sa femme Catalina, qui professait les arts divinatoires ; le jeune violoniste, Lotario et son épouse Cidinha ; Igor, enfin, à la fois acrobate, contorsionniste et jongleur. Ils voyageaient avec cinq mules, six ânes et trois chiens savants. L'imposante Catalina aux yeux verts possédait en outre un grand chat noir qui passait la plupart de son temps à dormir sur ses genoux. Eleni était positivement fascinée, par ces gens si hors du commun.

La représentation du soir débuta quand les étoiles commençaient à peine à clignoter dans le vaste ciel indigo. Les chiens ouvrirent le spectacle en dansant sur leurs pattes de derrière au son du violon de Lotario et de la flûte d'Igor ; Catalina dit quatre fois la bonne aventure ; des balles et des anneaux de couleur volèrent entre les mains du jongleur ; une quantité d'objets disparurent et réapparurent comme par enchantement dans des endroits bizarres, enfin, beaucoup de *sols* furent dépensés.

Pedro s'approchait avec deux timbales émaillées pleines de café fumant. Il s'assit sur un rocher à côté d'Eleni et les posa par terre devant eux, puis il y ajouta un gros morceau de sucre brun, un doigt d'eau-de-vie de canne et lui tendit le breuvage brûlant. Il passa ensuite la bouteille à Paul. Comme elle buvait prudemment une petite gorgée, Pedro lui expliqua :

— C'est de l'alcool de canne à sucre — un peu comme du rhum blanc — je vous en ai mis très peu parce que c'est *muy fuerte,* très fort.

Elle prit une seconde gorgée, puis une troisième et le regarda par-dessus sa timbale.

— C'est *muy* bon, fit-elle, en passant avec délectation sa langue sur ses lèvres. Et que vont-ils faire maintenant ? demanda-t-elle en montrant les artistes ambulants.

— Je crois qu'ils se préparent à danser sérieusement. Regardez, Lord Mistico a sorti son accordéon et Catalina, son tambourin. Le chat ne va pas aimer ça !

— C'est une splendeur, murmura-t-elle distraitement.

— Qui ?

— Mais le chat, voyons ! répondit Eleni en souriant.

Elle avait souvent écouté de l'accordéon, à Calgary, pourtant jamais encore elle n'avait entendu quiconque en jouer comme le faisait Lord Mistico cette nuit-là. Son touché magique sur le clavier d'ivoire faisait jaillir un flot de mélodies, parfois si entraînantes qu'elle et Pedro ne pouvaient s'empêcher de battre la mesure du pied et parfois si romantiques et passionnées que la jeune fille en frissonnait de plaisir.

Cidinha, vêtue de six jupes de couleurs différentes, fit d'abord lentement le tour du feu en frappant le sol de ses pieds nus. De lourds anneaux d'or brillaient à ses oreilles dans la lumière dansante. Peu à peu, son rythme s'accéléra et elle s'abandonna à la magie d'une tradition vieille comme le monde, pirouettant et bondissant avec une grâce extraordinaire. Posant son violon, Lotario courut se joindre à elle, et Igor, dans

l'allégresse générale, sauta à plusieurs reprises au-
dessus des hautes flammes claires.

Silencieux, Pedro se leva et disparut un moment dans
l'ombre des grands arbres auxquels les animaux étaient
attachés. Eleni nota à peine sa courte absence, mais
pendant un instant, l'accordéon fut silencieux. Observant Lord Mistico, elle remarqua qu'il semblait soulagé
quand Pedro, quelques minutes plus tard, reprit sa
place auprès d'elle.

— Catalina insiste pour que vous preniez part à une
danse au moins, sinon la malchance s'abattra sur vous.
Seuls les gens âgés en sont dispensés.

Pedro haussa les épaules et ajouta en faisant une
petite grimace d'excuse à Paul et à Eleni, démentie par
la malice de son regard :

— Que voulez-vous, c'est la tradition...

Eleni fixa Pedro d'un air interrogateur. Il répéta :

— Elle dit que vous devez danser. Il paraît que c'est
très bon pour la santé de votre âme.

— Ce ne sont que des bêtises ! lâcha Paul avec
humeur. En tout cas, ne comptez pas sur moi ! Je n'ai
aucune envie de m'exhiber.

Catalina lui lança un coup d'œil désapprobateur, tout
en caressant de ses mains blanches chargées de bagues,
le dos luisant et noir de son chat.

— Je... je ne crois pas que je pourrais le faire ainsi,
je veux dire en pantalon, expliqua Eleni avec une
logique qui lui semblait inattaquable.

— Et si on vous prêtait une jupe ? s'enquit Pedro en
souriant.

— Eh ! bien... peut-être, fit-elle en levant sur lui des
yeux incertains.

— Eleni ! Sincèrement, il me semble que ce serait
déplacé, intervint Paul, visiblement choqué.

— Ou…i, sans doute as-tu raison, convint-elle, gênée.

— Eleni! s'exclama à son tour Pedro. Votre pied a frappé le sol en mesure toute la soirée, je suis sûr que vous en mourez d'envie. Le ferez-vous si je vous accompagne? Pourquoi pas?

— Eh! bien, c'est entendu, accepta-t-elle. Mais pas avec ce jean.

En riant, il échangea quelques mots à Cidinha, puis se retourna vers elle :

— Vous pouvez aller choisir ce qui vous plaira, Cidinha a toute une collection de vêtements. Voulez-vous que je vienne avec vous?

— Non! rétorqua précipitamment Eleni.

— Bien, puisque tu es décidée à te ridiculiser, prends garde de ne pas tomber dans le feu, lui conseilla Paul joyeusement, soulagé de s'être tiré d'un mauvais pas. Heureusement qu'il ne s'agit pas d'un spectacle nautique, sinon tu te serais sûrement crue obligée de chevaucher un dauphin, ajouta-t-il, égayé par cette idée.

C'était la première fois qu'elle entendait son cousin plaisanter, songea Eleni. Sans doute cette soirée animée y était-elle pour beaucoup.

Elle lui fit une grimace et, emboîtant le pas à Cidinha, lui lança par-dessus son épaule :

— Tant pis! le malheur va s'abattre sur toi!

Eleni découvrit quelques instants plus tard qu'elle suivait avec facilité les mouvements fluides de Cidinha. Les trois jupes qu'elle lui avait empruntées voletaient autour de ses jambes nues, telles de gracieuses corolles. Jamais elle ne s'était autant amusée, jamais la musique ne l'avait grisée à ce point. Elle ne regrettait pas du tout d'avoir ignoré les conseils de Paul. Et tandis qu'elle évoluait, comme attirée par un irrésistible aimant, ses yeux revenaient sans cesse sur Pedro. Le jeune homme possédait un sens inné du rythme. Dans une sorte de transe, elle le regardait se mouvoir avec une extraordinaire élégance, mais aussi une sensualité troublante qui émanait de son corps mince, souple et musclé. Et quand il l'invita une nouvelle fois, elle accepta sans hésiter. Eleni calquait ses gestes sur ceux de Cidinha. La Gitane évoquait à la perfection le jeu de la séduction dans sa manière d'onduler, de se déhancher, de renverser la tête en arrière avec coquetterie. Tandis qu'Eleni se laissait aller, le regard noir et caressant de Pedro s'arrêtait langoureusement sur la ligne pleine de sa poitrine et de ses hanches, sur sa taille fine, sur ses jambes fuselées. Elle frémit comme s'il l'avait touchée. Reculant un peu trop vite, le cœur battant à se rompre, elle se rendit compte qu'il la suivait. Il la fixa intensément, la fascinant un instant puis, avec un geste possessif, l'enlaça. Il la fit pivoter et sa jupe fouetta ses cuisses. La dirigeant avec aisance, il la serra contre lui, glissa une de ses longues jambes entre les siennes et la fit pirouetter à nouveau. Par-dessus son épaule, elle aperçut Lotario, entourant la taille flexible de Cidinha, ployée en arrière avec tant de souplesse que ses longs cheveux noirs balayaient presque le sol. S'inclinant sur elle, son mari effleura sa bouche d'un baiser. Avant qu'Eleni ait pu deviner les intentions de Pedro, le jeune homme la renversait sur son bras et se penchait sur son visage. Quand ses lèvres chaudes s'emparèrent des siennes, un désir brûlant la bouleversa et elle ferma les yeux, prête à défaillir.

Paul semblait n'avoir rien vu. Etourdie, un peu haletante, elle n'osait regarder Pedro et une vive rougeur apparut sous son hâle. Elle aurait voulu revivre mille fois cet instant enchanté.

Effleurant légèrement du doigt une mèche de ses cheveux blonds, Pedro murmura doucement :

— Voulez-vous que nous dansions encore, Eleni ?

Bien que les mots fussent simples, son intonation lui fit penser qu'il l'invitait à beaucoup d'autres choses. Lui jetant un rapide regard, elle surprit comme un éclair de défi dans ses yeux brillants, troublés encore par le souvenir de ce qu'ils venaient de partager.

La tentation de s'abandonner à lui était forte. Eleni respira profondément, et trouva le courage de répondre d'une voix un peu rauque :

— Non, Pedro, merci, je crois que ce sera suffisant pour ce soir.

Elle fit précipitamment demi-tour et alla chercher refuge auprès de Paul.

— Tu ne danses pas mal, Eleni, mieux que je ne le croyais, la complimenta-t-il aimablement. Après cet exercice, tu dormiras à poings fermés. Je voudrais bien pouvoir en faire autant, conclut-il d'un air morose.

— Détends-toi et tu dormiras sûrement très bien, rétorqua Eleni, avec un peu d'impatience.

Son cœur battait toujours à un rythme effréné et elle avait l'impression que Paul pouvait l'entendre. Mais son cousin n'avait rien remarqué de son trouble, apparemment.

Du coin de l'œil, elle vit Pedro qui venait s'asseoir à ses côtés.

— Mon Dieu ! je serai content de rentrer à la maison, soupira Paul.

Il espérait qu'Eleni abonderait dans son sens mais elle demeura muette. Elle ne partageait pas du tout son avis...

Quand elle se réveilla à l'aube le lendemain, les gitans avaient disparu. Décidant de se comporter comme si l'épisode de la veille n'avait jamais eu lieu, elle demanda à Pedro d'un ton aussi naturel que possible pourquoi ils avaient plié bagage de si bon matin.

— Ils sont partis dans la nuit, répondit-il en lui souriant calmement.

Pedro aussi semblait avoir pris la même décision qu'elle et Eleni en fut rassurée.

— Dans la nuit ? s'étonna-t-elle.

— Oui, pendant que nous dormions.

— C'est étrange, ne trouvez-vous pas ?

Il haussa les épaules :

— Les gitans sont des gens bizarres, ils se déplacent comme le vent.

— Si vous les avez vus, vous n'étiez donc pas assoupi ?

— Non, *chica,* j'ai gardé les yeux bien ouverts pour être bien certain qu'ils ne vous emporteraient pas avec eux.

Il lui adressa un sourire charmeur qui la fit frissonner et elle comprit qu'il n'avait pas l'intention d'oublier le long et doux baiser qu'ils avaient échangé la veille.

— A quoi pensez-vous, *chica bella ?* Vos sourcils sont froncés...

Il riait silencieusement et avança la main pour caresser sa joue. Elle recula vivement.

Cette nuit-là ils arrivèrent à Yenasar, une exploitation, un ranch, plutôt qu'une ville, leur avait expliqué Pedro. Yenasar était également le nom de la maison du maître, une belle et vieille demeure, située dans une oasis particulièrement fertile. Ils furent autorisés à dresser leur camp non loin des sources chaudes qui cascadaient dans la vallée avant d'aller alimenter deux grands bassins, l'un couvert et l'autre à ciel ouvert. En contrebas coulait la rivière, serpentant paresseusement entre des bancs de sable.

— Beaucoup de gens vont se laver ou faire leur lessive dans ces bassins, mais si vous y allez maintenant, à l'heure du dîner, vous y serez probablement seule, dit Pedro à Eleni. Allons, décidez-vous, continua-t-il en la voyant hésiter.

Elle mit pied à terre, lui tendit les rênes de sa monture et leurs mains se frôlèrent, provoquant un exquis émoi chez Eleni.

Plus tard, s'assurant qu'il n'y avait personne, la jeune fille sortit de l'eau. Elle s'enveloppa rapidement dans une grande serviette, et passa ses mains dans ses cheveux mouillés. Examinant son reflet dans un miroir de poche elle vit qu'ils commençaient déjà à sécher et à onduler devant tandis que derrière, leur masse épaisse était encore trempée. Elle secoua la tête, et, soudain, dans la petite glace couverte de gouttes d'eau, elle aperçut un visage hâlé à demi-souriant et railleur.

Se retournant vivement, elle s'écria :

— Que faites-vous ici ?

Pedro fit danser un hameçon devant ses yeux et riposta :

— Je suis sur le point d'aller pêcher votre dîner, des truites arc-en-ciel.

Comme elle le considérait d'un air soupçonneux, il ajouta, faussement indigné :

— Nous en avons aussi, au Pérou.

Elle ne put se retenir de sourire, peu dupe de ses explications. La rivière était de l'autre côté de leur campement et il semblait bien qu'il se soit « trompé » de route. Haussant les épaules, elle se mit à fouiller sa petite valise, à la recherche d'une brosse, sans remarquer la façon dont Pedro la contemplait.

— Si vous m'attendez un instant, je vous accompagnerai, lui dit-elle.

La valise, posée en équilibre instable sur un rocher, glissa et son contenu hétéroclite se répandit sur le sol.

— Oh! non! marmonna Eleni avec désespoir.

Il se baissa aussitôt pour l'aider et la première chose qu'il ramassa fut le déshabillé arachnéen offert par Dora. Il se redressa, le tenant à bout de bras par une bretelle. Eleni, agenouillée par terre, leva les yeux vers lui et demeura muette, au comble de l'embarras.

— *Madre de Dios!* s'exclama Pedro, feignant la stupeur. Est-il possible que ce petit morceau de soie suffise à vous couvrir? Il a dû être tissé avec un seul fil!

Eleni se mit debout, les joues en feu.

— Naturellement, il me va très bien, riposta-t-elle sèchement.

— Je l'imagine aisément… Et pour qui est-ce, peut-on savoir? questionna-t-il soudain.

— Que voulez-vous dire?… Donnez-le-moi!

Eleni avança la main pour saisir le vêtement, mais Pedro se déroba prestement.

— Donnez-le-moi, répéta-t-elle, irritée.

— Une chose pareille n'est pas faite pour une femme, *bella,* mais pour un homme.

Son regard dubitatif allait d'Eleni au négligé, comme s'il se demandait vraiment s'il suffisait à la couvrir.

— Pedro, je vous en prie! jeta-t-elle en frappant du pied avec une exaspération croissante.

— Ne me dites pas que c'est destiné au *Señor* Tessier!… Ah! oui? continua-t-il comme si elle lui avait répondu affirmativement, je suppose en effet que ce doit être pour lui… l'a-t-il déjà vu?

— Cela ne vous regarde pas, Pedro, vous êtes odieux! Rendez-le moi immédiatement!

Ignorant sa colère, il poursuivit:

— Hum! Il faudrait qu'un homme soit fou pour ne pas vous faire la cour en vous voyant dans une

semblable tenue. Elle est particulièrement séduisante…
Même le célibataire le plus endurci n'y résisterait pas !
Cette exquise toilette ne serait-elle pas destinée à
rendre officiel ce qui ne l'est pas encore ? s'enquit-il
d'un air candide.

Furieuse, elle riposta :

— Vous… vous, que diriez-vous si j'allais fouiller
dans vos affaires ?

Des larmes de rage impuissante lui montaient aux
yeux.

— Oh, mais je voulais seulement vous aider,
déclara-t-il avec empressement sans pouvoir dissimuler
un sourire railleur… Mais je n'aurais jamais cru que de
tels artifices soient nécessaires, ajouta-t-il… pas avec
votre époustouflante beauté.

— Vous êtes un goujat ! s'exclama-t-elle, hors d'elle,
en lui tournant le dos.

L'instant d'après, deux mains brunes se posèrent sur
ses épaules et la forcèrent à pivoter. D'un doigt, Pedro
lui releva le menton puis il la serra contre lui.

— Vous n'avez pas le droit, bredouilla-t-elle, nous
nous connaissons à peine et…

— Nous avons beaucoup parlé, nous avons dansé
dans les bras l'un de l'autre et nous avons partagé un
baiser, lui rappela-t-il avec arrogance. Nous ne sommes
plus des étrangers. Les actions et les mots ne peuvent
jamais être effacés.

Il inclina la tête et ses lèvres effleurèrent les siennes
puis, aussitôt, il la libéra et disparut du côté de la rivière
en sifflotant joyeusement.

Eleni exhala un long soupir tremblant. Il avait réussi
à dissiper sa colère, mais elle se sentait désormais en
proie à une grande confusion et vaguement insatisfaite.
En toute honnêteté, elle devait s'avouer qu'elle avait
été déçue qu'il ne l'embrasse pas. Qu'il aille pêcher tout

seul, elle ne l'accompagnerait certainement pas !
décida-t-elle avec humeur.

Pedro se comportant de façon parfaitement naturelle
et insouciante, il lui était difficile de ne pas en faire
autant. Le matin suivant, elle avait abandonné son
attitude froide et distante, incapable de lui en vouloir
plus longtemps et de lutter contre son irrésistible
charme. Avant que le petit déjeuner ne soit terminé, ils
riaient de nouveau ensemble.

Au moment de reprendre leur route, Pedro les
prévint :

— Nous arriverons à Sal si Puedes à la tombée de la
nuit, mais ce sera un jour long et éprouvant. Au fur et à
mesure que nous nous acheminons vers l'autre vallée, il
fera beaucoup plus chaud.

Après Yenasar, le cours d'eau se changeait en
torrent. Il bondissait sur un lit incliné de galets polis
et de roches et se précipitait, impétueux et grondant,
dans la combe en contrebas. Ils descendaient toujours
plus et plus dans un paysage devenu aride. Parfois, ils
devaient mettre pied à terre pour guider leurs montures
le long de courbes dangereuses, bordées de précipices.
Pas un brin d'herbe, pas un arbre, seuls quelques
buissons rabougris, comme brûlés. Des lézards immo-
biles se chauffaient sur les rochers. L'air était sec et
torride. Impitoyable, le soleil flamboyait dans un ciel
bleu cobalt. Les chevaux avançaient péniblement, la
tête basse.

Paul arborait une expression morose. Il n'avait
prononcé que trois mots durant toute la matinée, et
marmonné que ce pays était un véritable enfer ! Pedro
avait répondu avec un haussement d'épaules :

— C'est la mauvaise terre.

Plus loin, ils trouvèrent des endroits où les autochtones avaient détourné l'eau de la rivière pour irriguer de minuscules plantations de bananiers. Il y faisait incroyablement humide, mais dans les maisons sombres et fraîches, étaient gardés de grands pichets de *chicha*, une bière locale fabriquée avec du maïs. Lors d'une halte, des enfants touchèrent timidement les cheveux blonds d'Eleni et grimpèrent sur ses genoux pour contempler, incrédules, ses yeux si clairs et si brillants. Ceux de Paul, d'un bleu-gris, échappèrent à leur curiosité, car il s'assit seul dans un coin, refusant de participer à la conversation se déroulant dans un joyeux mélange d'anglais, d'espagnol et de quechua. C'est là qu'Eleni apprit que le quechua avait été la langue des Incas.

Dans l'après-midi, leur route devint encore plus périlleuse, un vent sec et chaud s'engouffrait entre les hautes parois du canyon qui allait en se rétrécissant. Eleni suffoquait. Pedro une fois encore était descendu de son cheval pour le guider dans un passage difficile. Il se trouvait juste à côté d'elle, sa tête à la hauteur de son étrier.

— Tout va bien, Eleni ? s'enquit-il.

Elle fixait avec horreur le squelette d'un cheval, venu s'écraser là, au pied d'une pente abrupte, sur les rochers déchiquetés. Ses os brisés étaient déjà blanchis par le soleil. Elle se laissa glisser à terre et, saisie de nausée, appuya son front contre l'encolure chaude et humide de son alezan. En un instant, Pedro fut auprès d'elle ; il la prit dans ses bras et la berça tendrement en murmurant en espagnol des paroles qu'elle ne comprenait pas mais qui semblaient infiniment réconfortantes. Instinctivement, elle enfouit son visage au creux de son épaule et se serra davantage contre lui. Il continuait à la cajoler et à lui parler doucement à mi-voix en caressant ses cheveux.

— Je serai tout à fait bien dans une m-m-minute, finit-elle par balbutier en tremblant. Je ne suis pas lâ-â-che réellement, mais je n'ai pu supporter l'idée qu'une pareille chose pourrait arriver à *mon caballo*.

— Cela ne lui arrivera pas, nous ne le permettrons pas. Le pire est passé, Eleni. A partir de maintenant, tout ira bien, je vous le promets.

Pedro prit le cheval par la bride et le conduisit d'une main sûre au-delà du passage dangereux.

— Attendez-moi ici et reposez-vous, ordonna-t-il. Je vais chercher le *señor* Tessier. Peut-être ne remarquera-t-il pas le squelette... et ce sera beaucoup mieux.

Comme il s'apprêtait à rebrousser chemin, Eleni lui adressa un regard si chaud et si reconnaissant, qu'il revint vers elle et passa doucement son doigt le long de sa joue en plongeant ses yeux dans les siens. Il prononça encore une phrase en espagnol et, avec un sourire effronté, pivota sur ses talons et disparut de l'autre côté de l'éperon rocheux en travers de leur route.

Pedro avait dit vrai, le paysage devint peu à peu plus plaisant et le chemin s'élargit même assez pour leur permettre de reprendre leur ancienne formation. Au loin, ils apercevaient les cimes ondulantes de grands hévéas, comme un havre de verdure accueillant après la sinistre vallée qu'ils laissaient derrière eux.

Résonnant dans le silence environnant, on pouvait distinguer les voix de Pedro et Eleni qui terminaient le dernier refrain d'une comptine enfantine qu'ils avaient entamée pour tromper le temps. Paul maugréait derrière eux, n'arrivant pas à comprendre comment deux adultes pouvaient s'amuser avec de telles sornettes.

— Vous ne m'avez jamais dit où vous aviez appris ce chant par cœur, commenta Eleni.

— Au cours d'un de mes voyages aux Etats-Unis. Je

l'ai entendu un jour et il a suffi d'une fois pour que je m'en souvienne.

— Que faisiez-vous aux Etats-Unis ?

— Je vendais du café.

— Marchand de café ? répéta Eleni avec étonnement.

— *Si,* fit-il en souriant. Un jour, je vous raconterai. Maintenant, je vais partir en avant. Nous sommes à une heure de Sal si Puedes. Je vais annoncer votre arrivée au *señor* Ferraz pour qu'il soit prêt à vous recevoir.

— Il aime bien faire les choses, n'est-ce pas ?

— Oui, Eleni, en effet.

Avec un rire, il éperonna son grand cheval qui bondit en avant, heureux de sentir l'écurie.

Eleni conserva son allure régulière, Paul la suivait à une certaine distance.

La rivière qu'ils longeaient disparut dans un canal souterrain. Le paysage alentour était beau, ils traversaient à présent une large vallée fertile entourée de montagnes. Eleni accéléra légèrement le pas, et Paul se rapprocha un peu. Même les ânes trottaient plus allègrement. Dans un grand jaillissement d'eau, la rivière resurgit à l'extérieur, froide et limpide. Un peu plus loin, Eleni aperçut quatre hommes — des *peones* sans doute —, qui creusaient une tranchée. Elle s'engage finalement sur un petit pont de bois qui enjambait le cours d'eau et se trouva devant un épais mur en brique, couvert de plantes grimpantes, derrière lequel apparaissaient de grands papayers et des manguiers. Une lourde porte de bois était ouverte devant elle. Avant de la franchir, elle attendit que Paul l'ait rejointe.

— Nous y sommes, lui annonça-t-elle, les yeux brillants.

Paul poussa un soupir de soulagement, et ils pénétrèrent dans une cour d'écurie. Tandis que Paul mettait immédiatement pied à terre, Eleni jetait autour d'elle des regards curieux. Ainsi, ils étaient finalement arrivés à ce fameux Sal si Puedes !

Dans une remise ouverte, elle aperçut tout un attirail de selles, de harnais et d'outils. De grands tas de foin et d'herbe fraîche, engrangés non loin, sentaient bon. Des chevaux étaient attachés à des poteaux, certains broutaient, et de nombreux ânes clignaient des yeux d'un air ensommeillé dans la lumière de cette fin d'après-midi. Un grand portail menait à une cour intérieure, et l'on voyait monter dans le ciel clair et paisible une spirale de légère fumée grise.

— Eh! bien maugréa Paul, vas-tu te décider à descendre de cheval, ou bien comptes-tu rester ainsi jusqu'à l'hiver prochain?

Eleni lui adressa un coup d'œil courroucé et se laissa glisser jusqu'au sol, puis elle caressa l'encolure de l'animal et frotta ses naseaux veloutés.

— Tu voudrais peut-être lui donner un bain de mousse parfumée? ironisa Paul.

— Je connais quelqu'un qui a dû passer une mauvaise nuit et qui est de fort méchante humeur, chantonna-t-elle sans s'adresser à personne.

Un bref éclat de rire leur fit tourner la tête, et ils virent Pedro non loin de là qui les observait. Il avait dû prendre une douche car ses épais cheveux noirs étaient encore humides et il s'était changé aussi. Ses vieux *bombachas* avaient été remplacés par un léger pantalon de coton blanc. Il portait une chemise plus fine, très élégante et avait troqué ses sandales de toile contre des mocassins en cuir. Pedro était tout à fait différent ainsi; Eleni et Paul ne purent s'empêcher de le dévisager avec surprise.

— Soyez les bienvenus chez *moi*, Eleni et... *Señor* Tessier, dit-il en s'inclinant légèrement.

L'espace d'une seconde, la jeune fille crut avoir mal entendu. Avait-il bien dit « chez moi » ? s'interrogeat-elle, incrédule.

Pendant quelques instants, Eleni et Paul demeurèrent silencieux, comme frappés de stupeur, et puis Paul articula avec effort :

— *Señor Ferraz ?* Lucio Baptista *Ferraz ?*

— Pour vous servir. Pardonnez-moi cette mystification, ajouta-t-il en souriant, cela semble difficile à comprendre, mais j'avais mes raisons pour agir ainsi.

Paul semblait avoir été changé en statue et Eleni fut incapable de réprimer le fou-rire qui s'emparait d'elle, ce qui rendit son cousin encore plus furieux.

— Pedro — je veux dire, Lucio — parvint-elle à prononcer entre deux hoquets, j'avais cette impression...

Il posa ses yeux sur elle et son sourire s'accentua.

— Oui, vous vous doutiez de quelque chose depuis le début, je m'en suis bien rendu compte...

Elle s'avança vers lui, la main tendue et déclara :

— Comment allez-vous, Lucio Baptista Ferraz ? oncle Angus nous avait prévenus que vous étiez un peu étrange et il n'avait pas tort après tout. Quelles qu'aient été vos raisons, vous avez dû bien vous amuser.

— C'est vrai, admit-il en saisissant sa main et en la serrant.

— Un peu étrange ! un *peu* bizarre ? Comment avezvous *osé* nous jouer ce tour ? s'exclama Paul, ulcéré.

— Allons, *Señor* Tessier, riposta Lucio Ferraz en relevant légèrement les sourcils, cela ne vous a causé aucun mal que je sache...

Son ton était un peu froid et trahissait légèrement son impatience.

Si Lucio n'avait pas été leur hôte, Paul n'en serait certainement pas resté là. Il semblait faire un visible effort pour contrôler sa mauvaise humeur et Eleni ressentit pour lui un élan de pitié. Pour son cousin, cette révélation était vraiment le coup de grâce, après les tribulations des jours derniers.

— L'oncle Angus est-il également arrivé ici à cheval ? s'enquit-elle pour changer de conversation.

— Oui, et cela lui a beaucoup plu, peut-être parce que cette expérience est si différente de ce à quoi il est habitué.

— Il nous a chaudement conseillé de venir à Sal si Puedes, si vous nous y invitiez, je commence à comprendre pourquoi ! fit Eleni.

Paul, naturellement, ne voulait pas faire moins bien que son père. Graduellement son visage arbora une expression plus normale et il redevint presque aimable.

— Bien, *Señor* Ferraz, j'avoue que cela a été une… surprise, déclara-t-il en se raclant la gorge. Je ne peux pas imaginer ce qui vous a poussé à agir ainsi, mais enfin, on m'avait prévenu de votre… originalité, et je ne peux donc pas me plaindre, dit-il en parvenant même à lui adresser un pâle sourire.

— Vous devez avoir hâte de prendre un bain et de vous changer, observa courtoisement, Lucio, visiblement décidé à pardonner l'accès de colère de Paul. Entrez, je vous en prie, ajouta-t-il en faisant un geste de la main vers le grand portail qu'Eleni avait déjà remarqué.

— Oh ! c'est ravissant s'exclama Paul avec une surprise sincère devant le spectacle qui s'offrait à ses yeux. La propriété est beaucoup plus grande qu'elle ne le paraît de l'extérieur.

— Cette muraille en brique entoure complètement le terrain. Elle fut construite il y a très longtemps comme une protection contre les envahisseurs. De nos jours, elle n'est plus là qu'à titre ornemental, expliqua Lucio Ferraz en se tournant vers Eleni qui ouvraient des yeux émerveillés.

Le jardin, quoique très bien entretenu, avait conservé une sauvagerie naturelle qui leur donnait l'impression d'avoir pénétré dans une jungle luxuriante. Il y avait une profusion de fleurs oranges et violettes. D'étroits sentiers se perdaient ici et là entre des massifs fleuris et de grands arbres. Captée à l'extérieur, l'eau de la rivière jaillissait par un orifice bas pratiqué dans le mur et courait capricieusement dans ce paradis tropical. Un four en brique, vaste et carré laissait échapper la légère spirale de fumée qu'Eleni avait vue plus tôt. Lucio suivit son regard et expliqua :

— Il fait souvent beaucoup trop chaud pour cuisiner dans la maison, et ce four est commode. Un bœuf entier peut y être rôti les jours de fête.

Il lui désigna une petite ouverture en demi-cercle.

— C'est par là qu'on enfourne le pain. Luz utilise une espèce de pelle plate pour le glisser à l'intérieur. La température est variée de sorte que l'on peut cuire différentes choses en même temps.

— Vous avez aussi des vaches ? s'enquit Eleni, essayant de tout voir à la fois.

— Oui, ainsi que des moutons, des chèvres, des poulets et des oies. C'est une propriété qui se suffit à elle-même.

— Il le faut bien, n'est-ce pas ? intervint Paul, c'est si loin de... de...

— De toute civilisation ? compléta aimablement Lucio. Nous cultivons même notre propre café, ajouta-t-il, et produisons suffisamment de sucre pour nos besoins. Nous devons cependant acheter le sel à l'extérieur.

Il s'interrompit en souriant, avant d'ajouter :

— Mais pour le moment, je crois que vous seriez plus intéressés par le savon de Luz, que par autre chose.

— Luz fabrique le savon ? demanda Eleni avec étonnement. Comment peut-on en faire ? interrogea-t-elle, curieuse.

— On prépare un mélange de saindoux, purifié, et de potasse extraite de la cendre de bois. Le type de graisse détermine le genre de savon que l'on veut obtenir. On y ajoute des essences de fleurs et d'herbes pour le parfumer, et il est enrichi de différentes huiles, conclut-il.

— J'ai hâte de l'essayer ! s'exclama Eleni en riant. Faites-vous également votre dentifrice ?

Elle s'était rapprochée de lui et levait la tête pour le regarder, ayant complètement oublié la présence de Paul derrière eux.

— Oui, avec un peu de menthe du jardin...

Le sourire de Lucio s'accentua et se fit chaleureux tandis qu'il plongeait ses yeux dans les siens.

— Euh !... et si nous reparlions de ce savon, suggéra Paul, timidement.

Leur faisant signe de le suivre, Lucio les guida vers la maison.

La toilette d'Eleni fut ce soir-là d'un luxe incomparable. Elle disposait d'une salle de bains particulière dont le plafond, les parois et même la baignoire étaient recouverts d'une ravissante mosaïque dont les petits carreaux étaient peints à la main. La robinetterie de cuivre étincelait. Sur une commode en acajou avait été déposée une corbeille de fleurs fraîches qui dans la vapeur exhalaient un parfum lourd et entêtant. Allongée dans l'énorme baignoire remplie d'eau mousseuse et parfumée ; Eleni écoutait avec béatitude les oiseaux chanter dans le crépuscule. Un sourd grondement lui parvenait comme celui de très lointaines cataractes.

Le rez-de-chaussée de l'hacienda était dallé, mais au premier étage, où vivait Lucio, il y avait un superbe parquet en acajou, comme l'étaient d'ailleurs la plupart de ses meubles. La chaude couleur foncée se mariait harmonieusement avec les murs clairs. Eleni, d'abord étonnée de tant de splendeur, se rendit compte ensuite que cette essence croissait en abondance dans la jungle sud-américaine et que seule une chaîne de montagnes les séparait à présent de la forêt amazonienne. A Calgary, ce bois était considéré comme un luxe, mais ici, ce n'était que monnaie courante.

Après avoir mis les bijoux qu'elle portait généralement, de simples clips en diamant aux oreilles, un grenat qui lui venait de sa mère et un saphir ancien, cadeau de son oncle et de sa tante à l'occasion de son vingt et unième anniversaire, elle passa une robe de toile bleu pâle qui mettait en valeur sa taille fine et enfila d'élégantes sandales à hauts talons. Elle s'examina avec attention dans un grand miroir et décida de se maquiller légèrement. Après avoir vaporisé un léger nuage de parfum, elle fut prête à descendre.

Le lent regard appréciateur dont Lucio l'enveloppa la fit se sentir belle et féminine, et ses joues rosirent brusquement. Quant à Paul, son seul commentaire fut :

— Ah ! c'est tout de même mieux !

Elle lui sourit, mais ce fut Lucio qui prit son bras et la conduisit à la salle à manger pour le dîner.

Paul reprit la discussion banale et polie que l'arrivée de la jeune fille avait interrompue :

— Ainsi, vous avez votre propre générateur électrique ? Mais n'est-ce pas très compliqué de devoir transporter des litres de gaz ou de propane à travers ces montagnes ?

— Cette rivière que nous avons suivie, expliqua Lucio, forme plus loin une cascade, et nous disposons de trois turbines hydrauliques qui nous fournissent en électricité plus que suffisamment.

— Ah ! C'était donc cela ! intervint Eleni. Quand j'étais dans mon bain, tout était si calme que je pouvais entendre les oiseaux chanter et, dans le fond, il y avait ce grondement sourd, comme une grande chute d'eau. Je ne l'avais pas remarqué avant, peut-être parce que j'étais si... captivée par votre maison.

Au cours du repas, la conversation roula sur la propriété. Eleni avait déjà fait la connaissance de Luz, la cuisinière avenante et ronde ; de Ramón Garcia, son mari ; et de leurs sept enfants dont elle avait aussitôt oublié les noms. Ramón Garcia était un homme petit mais trapu ; il était bâti comme Hilario avec quelque chose de son maintien raide. Sa famille et lui-même étaient des *cholos* c'est-à-dire un mélange d'Indiens et d'Espagnols, comme Lucio. Angel, le majordome, était *zambo,* Indien métissé de sang noir. Il avait la carrure d'Hilario, mais était encore beaucoup plus grand que Lucio, et un peu intimidant à première vue. Ce soir-là, il servit le dîner.

Comme Eleni devait le découvrir plus tard, quoique Lucio ne s'occupât de la plantation que par intermittence, tout y fonctionnait comme un mécanisme bien réglé. Les décisions, sauf les plus importantes, étaient prises par Angel et, pendant les absences du maître, il était responsable de la demeure et des champs. Angel se laissait beaucoup guider par son humeur du moment. Parfois, il se joindrait à eux pour le dîner au lieu de le servir. Il semblait que Lucio accorde à chacun la liberté de faire ce que bon lui semblait, et son personnel était très satisfait. La vénérable Eustacia Laine, cuisinière chez les Tessier depuis des temps immémoriaux, et cerbère redouté de toute la maison, aurait certainement désapprouvé une telle attitude, songea Eleni avec amusement.

Quand ils se réunirent sur le balcon du premier étage pour prendre les liqueurs, Lucio s'excusa et sortit un moment. Paul en profita pour se rapprocher d'Eleni sur la banquette en osier qu'ils partageaient. Pendant un court instant, elle s'imagina qu'il voulait lui dire quelque chose d'aimable, mais se penchant vers elle, il déclara à mi-voix :

— Je n'arrive pas à comprendre pourquoi il nous a joué cette comédie. A quoi cela pouvait-il lui servir ? Cela ne me plaît pas... cela ne me plaît pas du tout ! marmonna-t-il. J'ai l'impression qu'il ne m'apprécie pas, alors que je désirais tellement que tout aille bien !

— On ne peut rien y faire, Paul, répondit-elle en prenant une petite gorgée de son brandy. Essaie de ne plus y penser ; après tout, c'était inoffensif.

— *Inoffensif ?* c'était stupide et enfantin, riposta Paul avec véhémence. Je ne le lui pardonnerai jamais. On ne se conduit pas ainsi en affaires.

— Rappelle-toi qu'oncle Angus estime beaucoup Lucio. Il n'aimerait pas que tu ne sois pas aimable avec lui. Tâche au moins de faire un effort.

Paul grommela quelques mots indistincts qu'elle ne chercha pas à saisir. Elle n'avait plus envie d'écouter ses éternelles doléances. C'était gâcher la douce et paisible beauté de cette soirée. Pendant un instant, elle souhaita désespérément qu'il en prenne conscience, qu'il puisse comprendre ce qu'elle ressentait, qu'il caresse sa main, et se montre un peu attentionné... Elle exhala un soupir et se gourmanda : elle n'était qu'une incurable romantique, Paul ne changerait pas, il valait mieux regarder les choses en face et en prendre son parti.

— Je crois que votre cousin m'en voudra éternellement laissa tomber Lucio ironiquement après que Paul eût pris congé d'eux de façon guindée.

Eleni pensa d'abord se dérober, puis répondit :

— Oh ! cela lui passera. Mais ne le... ne le...

— « jugez pas trop sévèrement », acheva-t-il. Vous m'avez déjà dit cela, Eleni. C'est entendu, pour vous, j'essaierai de ne pas le faire. Je suppose en effet que c'est un garçon très bien, puisque vous l'affirmez. Nous arriverons à nous entendre, d'une façon ou d'une autre.

Elle ne put s'empêcher de poser la question qui lui brûlait les lèvres :

— Pourquoi, Pedro — Lucio ? Pourquoi avez-vous agi ainsi ? Ce n'était pas qu'une plaisanterie, n'est-ce pas ?

— Non, j'avais de bonnes raisons pour le faire, mais je n'ai pas le droit de vous les dévoiler, du moins pas encore. Cela n'avait rien à voir avec vous. Acceptez-vous cette explication pour le moment ? s'enquit-il avec gravité.

— Puis-je pourtant vous demander encore autre chose ? Ne répondez pas si vous ne le voulez pas.

— *Si ?*

— Puisqu'il est si courant d'avoir un pistolet, pourquoi ne le portiez-vous pas dès le départ, à Trujillo ? Et le jour où vous êtes parti seul, sous prétexte de chercher un emplacement pour camper ? Quand vous êtes revenu, votre monture était trempé de sueur comme si vous aviez galopé des heures à un train d'enfer. Ce n'est pas logique. Et la nuit où nous avons dansé ? Qu'êtes-vous allé faire *réellement* sous les arbres, entre les chevaux et les ânes ?

Il sourit et secoua la tête. Ses yeux trahissaient un certain regret.

— Pour l'instant, me ferez-vous confiance ? finit-il par la prier.

Le cœur battant, elle murmura :

— Oui, bien sûr... bien sûr.

Il lui tendit la main. Elle hésita puis lui abandonna la sienne et ses yeux rencontrèrent ceux de Lucio. Personne ne l'avait jamais contemplée ainsi. Un étrange et délicieux émoi s'empara d'elle.

Il l'attira contre lui avec douceur, lui ôta son verre de la main, et le posa sur le rebord du balcon envahi de plantes grimpantes.

— Oh ! mais Pedro... attendez...

Le reste de sa phrase fut interrompu quand ses lèvres se posèrent passionnément sur les siennes. Elle tenta faiblement de le repousser, mais, il la maintenait étroitement contre lui, si étroitement, qu'à travers sa robe légère elle percevait la chaleur de tout son corps. Toute idée de résistance était oubliée tandis qu'elle était submergée par une vague de désir. Instinctivement, elle entrouvrit sa bouche renversa la tête en un geste d'abandon. Lucio l'embrassa encore et encore dans un doux frémissement de volupté... mais sans jamais exiger trop, sans jamais la brusquer. Ils savouraient chaque seconde comme s'ils avaient eu la vie entière devant eux pour s'aimer. Lucio exhala un long soupir et elle s'aperçut qu'elle avait inconsciemment noué ses bras autour de son cou.

— Oh ! Lucio, nous n'aurions pas dû, murmura-t-elle en tremblant, mais sans faire un mouvement pour s'écarter de lui.

Elle posa ses doigts sur sa nuque et caressa la masse épaisse de ses cheveux soyeux.

— Et perdre une si belle nuit ? chuchota-t-il dans son

oreille. Non, Eleni, vos lèvres sont faites pour les baisers, et vous êtes faite pour l'amour.

— Mais il y a Paul…

— *Si,* il y a votre *novio.* Et où est-il en ce moment ?

— Oh ! Je préfère ne pas penser à ce qu'il dirait s'il savait, gémit-elle en fermant les paupières avec désarroi.

— S'il est insensible à votre séduction, il ne peut tout de même pas s'attendre à ce que les autres hommes le soient aussi, riposta Lucio en déposant quelques baisers rapides au coin de sa bouche.

— Je suis sûre que nous avons tort, protesta-t-elle sans conviction.

— Vous oubliez que vous êtes libre, rétorqua-t-il. Jusqu'à ce que vous soyez mariée, il faudra vous habituer à ce que d'autres hommes vous désirent… et probablement après aussi.

— Mais je *vais* épouser Paul, et…

— Oui, bien sûr, la coupa-t-il d'un ton réconfortant.

Elle s'écarta un peu en arrière pour l'observer. Un sourire imperceptible flottait sur ses lèvres et démentait l'expression grave de ses yeux. Etait-il sérieux ou non ? Il était attirant, beaucoup trop attirant pour qu'elle reste aussi près de lui. Elle secoua la tête, et laissa retomber ses bras de chaque côté de son corps.

— Naturellement, vous épouserez Paul, répéta-t-il comme pour la rassurer.

— Il y a beaucoup de choses en vous que je ne m'explique pas, murmura-t-elle en se dégageant de son étreinte.

— En vous aussi, *mi bien,* il y a beaucoup de choses que je ne comprends pas.

Il ne la laissa pas s'écarter complètement, et glissa son bras sous le sien d'un geste si naturel qu'Eleni ne put s'y dérober.

4

— JE t'en prie, Eleni, laisse-moi, je n'ai pas besoin de toi ici.

Paul était penché au-dessus d'une longue table dans la librairie de Lucio et, à l'aide d'une pince de laiton, saisissait un des nombreux diamants qui scintillaient sur le plateau de velours noir. Il l'éleva près d'une petite lampe devant lui et fit lentement tourner la pierre dans la lumière. Graduellement, il la rapprocha de ses yeux, l'examinant avec une attention extrême, puis la fit tomber dans un verre d'eau posé à proximité, et l'étudia à nouveau.

— Lucio a dit qu'il ne vendait pas de doublets, alors pourquoi toutes ces vérifications ? Vraiment, il pourrait se sentir insulté ! Son intégrité est connue de tous, je ne te comprends pas ! s'exclama Eleni avec indignation. Tu ne trouveras pas de joint, j'en suis sûre !

Un doublet était la combinaison d'une pierre industrielle accolée à une pierre de valeur. Le joint, invisible à l'œil nu, ne se découvrait que si la pièce était plongée dans l'eau. Alors la réfraction des rayons lumineux passant à travers elle, ainsi que les deux couleurs différentes du dessous et du dessus trahissaient la fraude. Paul repêcha le diamant et pivota sur sa chaise, les sourcils froncés :

— Lucio n'est pas ici pour s'en apercevoir, et il n'y a pas de mal à vérifier. Je veux avoir une certitude absolue, ma responsabilité est grande, je dois acheter des gemmes de qualité parfaite. D'ailleurs, j'ai raconté à Luz que je voulais l'eau parce que j'avais soif.

Eleni, exaspérée, rétorqua !

— Tu dois vraiment prendre Lucio pour un pauvre d'esprit si tu t'imagines qu'il ne sait pas ce que tu es en train de faire ! Ton père t'a répété plus de cent fois que les négociants en diamants ne manquent jamais à leur parole. Dans leur métier, ils ne peuvent se permettre de mentir.

— Eleni ! Va-t'en, s'il te plaît ! Tu m'agaces ! je ferai les choses comme bon me semble et cela ne te regarde pas. Nous sommes ici pour joindre l'utile à l'agréable : le travail et les vacances. Parfait ! je me charge du travail, occupe-toi des vacances.

Eleni eut envie de le gifler, et s'ils avaient eu tous deux dix ans de moins, elle l'aurait certainement fait. Leurs discussions, du temps de son adolescence, dégénéraient souvent en violentes disputes, avec échanges de coups de pied, bleus et égratignures... Aujourd'hui, elle se tenait debout derrière lui, les poings serrés, le contemplant avec rancune, tandis qu'il se replongeait dans son examen, en faisant ostensiblement mine de l'ignorer.

Elle longea la table, regardant les plateaux où reposaient les pierres. Plus de la moitié étaient des diamants, le reste — lapis-lazuli, améthystes, aigues-marines, turquoises, topazes, tourmalines, chryso-prases, zircons — complétait cette impressionnante collection. Il y avait naturellement des émeraudes réparties sur trois plateaux. Les perles naturelles étaient en revanche en nombre restreint. Le tout représentait une fortune incalculable. Comment Paul pouvait-il être aussi soupçonneux, alors que Lucio avait eu l'élégance de le laisser seul devant ce trésor ? En plus, il se compliquait la tâche avec son verre d'eau quand, dans son cartable, il disposait d'un réfractomè- tre, grâce auquel il aurait pu vérifier tout ce qu'il voulait en un clin d'œil ; mais son cousin avait l'esprit de contradiction et il était vain de chercher à discuter ses décisions. Elle était sur le point de saisir un diamant, quand il s'interposa brusquement d'un ton sec :

— Comment ! Tu es encore ici ! Ne touche à rien, j'ai disposé ces pierres dans un ordre qui me convient et maintenant tu vas tout mélanger !

— Bien, bien ! s'exclama-t-elle, furieuse. Je crois que tes nouvelles responsabilités te sont montées à la tête. Souviens-toi, Paul, que tu n'as que six ans de plus que moi et non soixante, pour te conduire de cette façon !

Elle jeta la pince avec humeur et sortit en claquant la porte.

Eleni sursauta en se cognant presque contre Angel, debout, immobile, jambes écartées et bras croisés, la dominant de toute sa taille. Elle le regarda, interdite, pendant quelques secondes et pensa qu'il devait être posté là pour surveiller l'unique voie d'accès à la librairie.

— Angel, lui dit-elle, euh… ne suis-je pas autorisée à revenir ?

— Si, *Señorita,* vous, le *Señor* Tessier et Lucio, naturellement, pouvez aller et venir comme vous le voulez, mais si quelqu'un d'autre sortait, il serait en bien mauvaise posture, car cela signifierait qu'il est entré par la fenêtre.

Eleni sourit légèrement, ses appréhensions concer- nant l'imposant second de Lucio se dissipaient peu à peu.

— Savez-vous où je puis trouver Lucio ?

— Il est en bas, *Señorita,* en train de souhaiter la bienvenue aux voyageurs.

— Des voyageurs ? Ici ? Mais où peuvent-ils bien aller ?

Angel n'était pas bavard, comme elle l'avait déjà remarqué. Il pinça les lèvres et répondit :

— Ce sont des *garimpeiros, Señorita,* qui vont à la Marañon chercher de l'or.

— Ah ! vous voulez dire, des prospecteurs ?

— Oui, *Señorita.*

— Merci Angel, fit-elle en lui décochant un sourire éblouissant.

Puis elle tourna les talons et s'éloigna à la recherche de Lucio.

Elle le trouva dans la cour de l'écurie en compagnie de cinq *garimpeiros.* Chacun avait deux ânes, l'un pour être monté et l'autre pour transporter leurs affaires. Quand elle arriva, ils étaient occupés à répartir des provisions récemment achetées, et divers articles, dans un assortiment de paquets et de sacs. Si elle fut surprise de trouver dans le groupe un Japonais et un Américain, ils le furent encore davantage par son apparition. Ils la contemplaient fixement, oubliant toute politesse. Lucio toussota délibérément ; les trois Péruviens retirèrent alors leurs chapeaux avec précipitation et se courbèrent en de profonds saluts. Le Japonais s'inclina avec raideur à partir de la taille, et l'Américain s'exclama :

— Bonjour ! Mon Dieu, j'ai du mal à y croire ! Etes-vous vraiment réelle ?

Pour s'en assurer, il tendit la main avec l'intention de toucher ses cheveux blonds. Mais Hilario, rapide comme l'éclair, lui saisit le bras d'une poigne d'acier et interrompit son geste.

— Oh, Hilario ! protesta gentiment Eleni de sa voix musicale. Je suis sûre qu'il ne me voulait aucun mal.

Apparemment ni fâché, ni gêné, Hilario ne relâchait pas son emprise et le malheureux Américain le regardait, stupéfait. De la tête, Lucio lui fit signe de libérer le captif puis, de la façon la plus aimable du monde, continua les présentations — des prénoms uniquement.

— Alors, vous êtes américaine, fit l'homme, tout en se tenant à une distance respectable.

— Canadienne, je suis de Calgary.

Eleni lui sourit et aiguilla la conversation sur lui-même. Elle apprit ainsi qu'il avait vendu son bateau de pêche pour financer cette expédition. Elle était un peu étonnée de voir la puissance que l'or exerçait sur ces êtres. Le Japonais — qui parlait aussi anglais — avait abandonné sa carrière de médecin pour venir chercher fortune dans la boue et les sables de la Marañon.

— Mais que faites-vous ici, perdue à des kilomètres de toute civilisation ? lui demanda l'Américain. Ne me dites pas que vous allez prospecter également ?

— Non, sûrement pas, répondit Eleni en riant.

Et, jugeant plus prudent de ne pas mentionner les diamants et les émeraudes, elle lança :

— Je suis en visite chez le *Señor* Ferraz, un vieil ami de ma famille, expliqua-t-elle en échangeant un sourire avec Lucio.

Le regard scrutateur de son interlocuteur alla de l'un à l'autre et il émit un « ah !... je vois... » sur un tel ton qu'Eleni devina immédiatement que justement il se méprenait et avait tiré des conclusions erronées. Elle ne fit cependant rien pour le détromper. L'intervention d'Hilario avait sans doute créé l'impression que Lucio était pour elle beaucoup plus qu'un « vieil ami de la famille ».

— Bonne chance ! cria-t-elle quelques minutes plus

tard, alors que la petite troupe quittait en file la cour de l'écurie.

Ils s'éloignèrent avec un dernier signe d'adieu en agitant leurs chapeaux.

— Merci de ne pas avoir parlé des pierres, lui dit Lucio quelques instants après. Ce n'est pas un secret, mais moins on en sait et mieux cela vaut. Je n'aimerais pas que quelqu'un vienne « prospecter » par ici, ajouta-t-il avec une petite grimace.

Ses yeux se posèrent sur ceux de la jeune fille. Troublée, elle rougit et détourna vivement la tête.

— Que fait Hilario quand il est à la plantation ? lui demanda-t-elle d'un ton qu'elle espérait naturel.

Lui aussi avait disparu et ils étaient désormais seuls en compagnie des chevaux, des mulets et des ânes.

— Il est mon jardinier, déclara aussitôt Lucio.

Et, posant la main sur son épaule, il l'invita à le suivre dans le jardin enchanté.

— Votre jardinier, n'est-ce pas ? riposta Eleni, sceptique. Dites plutôt votre garde, comme Ramón et surtout Angel ! Je parie qu'ils sont champions de karaté et savent, en outre, lancer le couteau aussi bien que vous. Ce sont probablement aussi des tireurs d'élite.

— ... des tireurs d'élite ? répéta Lucio, étonné.

— Oui, je suis persuadée qu'ils ont suivi un entraînement spécial.

— Vraiment, Eleni, vous me stupéfiez ! répliqua Lucio avec un soupir éloquent. Très bien Eleni, comme, de toute façon vous vous arrangerez pour le découvrir un jour ou l'autre, je vous avouerai tout : il fut un temps ou Hilario, Angel et Ramón étaient des mercenaires, et très compétents, je vous l'assure. Angel a voyagé davantage que Ramón et Hilario, c'est pourquoi il parle l'anglais, et le français aussi. On pourrait s'imaginer... comment dit-on ?... qu'il n'est

qu'un impressionnant athlète sans cervelle, mais ce
serait une lourde erreur. J'ai eu un jour l'honneur de lui
sauver la vie et depuis, il est devenu mon homme de
confiance et mon meilleur ami. Quant à Hilario et à
Ramón, ce ne sont pas seulement des employés, ce sont
également des *amigos*. Je connais tous ceux qui vivent
sur ces terres — et c'est indispensable.

— Je vois... fit Eleni, songeuse. Parce que vous ne
devez pas uniquement vous soucier de vos pierres, mais
aussi de l'or, n'est-ce pas ?

Il tressaillit légèrement et répondit sèchement :

— Faut-il toujours tout vous expliquer ?... et maintenant, comment avez-vous découvert...

— Que l'or des mineurs est gardé à Sal si Puedes ?
c'est Janey qui me l'a appris.

Un grand sourire éclaira son visage et elle ajouta :

— Alors, c'est vrai ? Et moi qui croyais qu'elle
inventait des histoires !

— Oui, c'est exact, et d'ailleurs , cela ne m'enchante
guère. Mais jusqu'à ce que le gouvernement finisse de
construire sa Banque et offre des possibilités de
stockage sur le lieu de la mine, ma maison est le seul
endroit sûr et pas trop éloigné où il puisse être déposé.
Elle a été construite comme une forteresse.

— Et puisque le gouvernement a décidé de l'utiliser,
je suppose qu'il y aura mis des gardes ? comme Angel,
Hilario, Ramón et... vous-même ?

Lucio saisit son bras et grommela :

— Je vois que vous avez déjà eu un agréable petit
tête-à-tête avec Angel.

— Je ne dirais pas « agréable » précisément.

Elle lui adressa un sourire irrésistible et déclara :

— Personne mieux que moi ne sait garder un secret,
Lucio.

— Ce n'en est pas un, mais néanmoins votre discrétion serait appréciée. Plusieurs des paysans qui travaillent dans les champs sont en vérité des soldats. Etes-vous satisfaite ?

— Oui, merci Lucio. Je ne suis pas vraiment indiscrète, fit-elle en riant, j'aime seulement comprendre ce qui se passe. Y a-t-il déjà eu des tentatives de vol ?

— Non... et il n'y en aura pas. N'importe quel arrivant peut être repéré de très loin. Sur ces montagnes nues il n'y a pas de cachettes possibles. Le mur d'enceinte est très haut. Même un siège serait inutile car nous produisons notre propre nourriture et nous avons de l'eau. Si quelqu'un osait pénétrer ici, sans y être invité... pourquoi croyez-vous donc que cet endroit s'appelle Sal si Puedes ? Echappe-toi si tu le peux !... dans le passé personne n'en est jamais sorti vivant.

Eleni frissonna en dépit de la chaleur croissante du matin.

— C'est un lieu imprégné d'histoire, murmura-t-elle, mais il est si beau et si paisible qu'on peut difficilement imaginer qu'il s'y soit déroulé des scènes violentes.

De la main, elle toucha une mangue sur un arbre, petite encore, dure et verte, mais commençant déjà à jaunir.

La végétation exubérante du jardin était presque étouffante pour quelqu'un habitué à vivre dans une ville comme Calgary où la verdure était rare. Ici, des lianes s'enroulaient d'un arbre à l'autre et leurs grandes fleurs blanches, orange ou violettes, s'épanouissaient entre leurs branches et dans les épais feuillages.

— Hilario est un jardinier exceptionnel, soupira Eleni.

— Oui, il a un don spécial pour faire surgir un paradis au milieu d'un désert, convint Lucio.

— Réellement ? Etait-ce un désert ?

— Il n'y avait que les arbres, plantés par des

propriétaires précédents. Ils furent nombreux avant moi.

Ils s'engagèrent sur un autre sentier pour suivre le lit rocailleux du ruisseau. Dans un bassin tranquille, abrité par un éventail de fougères tropicales, flottaient de grands nénuphars jaunes et rosés.

— L'Hacienda et les murs ont plus de deux cents ans. Quand j'ai acheté la propriété, elle était presque en ruine. Personne ne l'avait habitée depuis des années. Elle est très isolée et la plupart des gens préfèrent vivre en ville.

— Vous aimez être seul ?

— *Si,* fit-il avec un bref sourire. Mes bureaux et mon atelier sont à Lima. J'y passe environ un tiers de l'année ; je consacre un autre tiers à des voyages d'affaires, et le troisième, à mon propre plaisir... sur la plantation.

Il lui jeta un coup d'œil :

— Puisque le *señor* Tessier est occupé, aimeriez-vous la visiter ?

— J'espérais que vous alliez me le proposer, répondit-elle joyeusement, je veux *tout* voir !

Lucio posa très légèrement sa main sur son épaule pour la guider vers un autre sentier et Eleni pensa que, finalement, elle était enchantée que Paul ait pris la décision de travailler tout seul.

Quand ils atteignirent un mur en brique, elle avait complètement perdu le sens de l'orientation. Ils s'arrêtèrent devant une petite porte de bois recouverte de plantes grimpantes.

— C'est un autre chemin pour arriver à la cour de l'écurie, commenta Lucio en s'effaçant pour la laisser passer.

Eleni se retrouva dans une sorte de petit commerce de campagne, encombré d'articles divers. Des boîtes de conserve et des aliments séchés étaient exposés sur des étagères en bois blanc. Contre le mur, s'alignaient des sacs de farine, de riz et de *chuñu,* légumes conservés suivant une ancienne méthode encore en vigueur.

— Dans les montagnes, lui expliqua Lucio, les pommes de terre sont déposées sur un lit de *yuyo* — d'herbe — on les laisse geler durant la nuit et le lendemain, on les écrase, un peu comme on le fait avec des raisins pour obtenir le vin. Le processus est répété jusqu'à ce qu'il ne reste aucune trace d'humidité dans la pulpe. De cette façon, elles pèsent très peu et se gardent longtemps.

Eleni observait tout avec intérêt. En même temps que le dentifrice et le savon de Luz, on pouvait se procurer de la crème à raser, des brosses, des rasoirs, des cordes, des pots et des casseroles, certains vêtements, des sandales, des onguents curatifs et des charmes. Les remèdes ancestraux voisinaient avec les modernes.

— J'ai monté ce magasin quand je me suis rendu compte qu'il était indispensable. Seuls les *garimpeiros* et la population locale l'utilisent. On peut difficilement dire que ce soit une affaire rentable, mais il rend service.

— La population locale ? Quelle population locale ? s'enquit Eleni, surprise.

— Vous ne vous souvenez pas des quelques petites plantations que nous avons traversées ? Celles qui sont plus près de chez nous que de Yenasar viennent se ravitailler ici. Et plus bas dans la vallée, il y en a encore quelques-unes.

A travers une porte à demi dissimulée dans un mur intérieur qui séparait le jardin de la ferme, ils débouchèrent dans la partie arrière de la cour. Dans une rangée de casiers, Eleni aperçut du grain pour la

volaille. Des bottes de foin et de paille étaient empilées
contre le mur de l'écurie. Non loin de là, des poulets
grattaient la poussière, des oies et des canards gros et
gras se dandinaient avec satisfaction le long d'une rigole
d'eau claire. Plus loin, s'étendait un vaste pâturage avec
des chevaux, quelques vaches laitières, des veaux, un
taureau, trois ou quatre moutons et un couple de
chèvres. De hauts eucalyptus agitaient leurs feuilles
odorantes dans la brise.

Eleni était enchantée. Joyeusement elle lança :

— Je me sens comme Alice au Pays des Merveilles !
C'est tellement différent du jardin, on a peine à croire
que c'est juste à côté.

Au fur et à mesure de leur promenade, Eleni songea
que la propriété ressemblait à une forteresse médié-
vale. Aujourd'hui encore, elle comportait un dédale
inextricable de sentiers, de passages, de croisements,
de culs-de-sac, où tout étranger se serait inévitablement
perdu.

Lucio lui désigna d'abondants vignobles voisinant
avec un vaste potager. Les paysans et leurs familles
vivaient dans des maisons de brique aux toits de
chaume. Le paysage était paisible, avec de grands
hévéas dans le fond et un ruisseau limpide qui courait
dans l'herbe verte. Chiens et chats paressaient au soleil.
Derrière, on entrevoyait le champ de coca. Percevant
son vif intérêt, Lucio l'y conduisit. Les arbustes de plus
d'un mètre de haut étaient plantés en rangées parfaitement régulières entre lesquelles avaient été creusées
des tranchées peu profondes destinées à l'irrigation.
D'un aspect délicat, ils portaient des feuilles très
claires, fines comme du papier, étroites et pointues qui
ne dépassaient pas quelques centimètres.

— Au moment de la récolte, lui expliqua Pedro, les
paysans les arrachent manuellement. Un bon travail-

leur peut en cueillir jusqu'à cinquante livres par jour,
mais c'est très dur, les mains deviennent calleuses, puis
se crevassent et saignent, c'est pourquoi chaque homme
reçoit un pot de l'excellent onguent de Luz. La plupart
des plantations emploient des journaliers ; quant à moi,
je préfère les sédentaires pour les raisons dont nous
avons parlé tout à l'heure. D'ailleurs, comme il y a
beaucoup d'autres cultures en dehors du coca, nous
pouvons les occuper tout au long de l'année. Ces
hommes ont été avec moi depuis le début, je leur offre
une nourriture saine, un salaire, de l'espace pour leur
famille, loin des taudis des villes, et naturellement un
mois de vacances par an.

Lucio sourit et haussa les épaules.

— Ils sont heureux et moi aussi, conclut-il.

— Et pour l'éducation ? Comment faites-vous ? s'enquit Eleni.

— Une des femmes a été institutrice autrefois. Elle
donne des cours dans l'hacienda. Quand les enfants
atteignent l'âge de treize ans, je les envoie à Huamachuco ou à Trujillo dans des écoles où ils peuvent
poursuivre leurs études, si leurs parents le désirent.

— Eh, bien ! Vous êtes vraiment bien organisé !
s'exclama Eleni avec admiration.

Et elle ne put s'empêcher de rire devant l'expression
de satisfaction enfantine que sa remarque avait fait
naître sur le visage de Lucio.

— Il me reste encore une question, lui dit-elle. D'où
proviennent toutes ces briques ?

— Mais nous les fabriquons, naturellement !

— Naturellement, répéta-t-elle, j'aurais dû m'en
douter ! Et où se trouve la fabrique ?

— A l'autre bout du champ de coca. J'ai habité là
longtemps, presque six ans en fait. Ce que vous voyez

est le résultat de six années de dur labeur pour tous, y
compris pour moi.

— Vous avez aidé à la fabrication des briques, vous
aussi ?

Amusé par son expression dubitative, il répondit :

— Mais bien entendu, un peu de travail manuel est
excellent pour la santé — m'a dit un jour mon frère —
et cela me détend et me fait oublier les « affaires ».

— Ainsi, vous avez atteint un heureux équilibre ?

— *Si,* dit Lucio tout en la conduisant vers un étroit
escalier creusé dans le mur d'enceinte.

— Mon Dieu ! s'exclama Eleni quand elle parvint au
sommet et se tint debout sur la muraille, haute d'environ six mètres.

A ses pieds, une falaise de granit tombait à pic dans
une rivière large et turbulente. Un paysage d'une
austérité grandiose s'étendait devant elle. De tous
côtés, des montagnes grises, escarpées, aux versants
arides, se succédaient sans fin jusqu'à l'horizon où l'on
apercevait encore, se détachant sur le ciel clair, la ligne
dentelée et bleutée de crêtes lointaines.

Lucio étudiait son visage tandis qu'elle contemplait
avec saisissement ce spectacle. Il murmura doucement :

— Devant une telle grandeur, on se sent bien petit,
parfaitement insignifiant...

Elle se tourna vers lui :

— Cela... cela remet les choses à leur place... nous
rend le sens des proportions, n'est-ce pas ? A l'intérieur
des murs tout est si sûr, si confortable, si civilisé, mais
ici..., fit-elle en laissant sa phrase en suspens.

— On prend conscience de la terre, de la nature et
du temps, termina Lucio pour elle. Un bon endroit
pour méditer, remarqua-t-il, un demi-sourire éclairant
son visage... Meilleur peut-être que le haut d'un pic
solitaire, parce qu'ici on peut comparer les deux

réalités. Plus tard, nous ferons une promenade le long de la muraille. Venez, je vais vous montrer maintenant une partie de l'hacienda que vous n'avez pas encore vue, ensuite il sera temps de prendre notre *almuerzo*, le déjeuner.

Des marches dissimulées descendaient jusqu'à la cave ou *sotano*. C'était une sorte de grande caverne humide et froide qui la fit frissonner. Eleni jeta un coup d'œil prudent autour d'elle, certaine que de fantastiques et indésirables créatures se cachaient dans les coins sombres. Quelques chandeliers éclairaient faiblement l'ensemble.

Sur des étagères à claire-voie était entreposé ce qui lui parut être une réserve de légumes pour au moins un an. Des rangées de bouteilles de vin s'empilaient dans des casiers jusqu'au plafond. Le long des murs, des tonneaux étaient disposés les uns au-dessus des autres. Un peu plus loin, dans une chambre beaucoup plus froide, étaient gardés le lait, la crème, le beurre et les fromages. Un puits avec une pompe à main était visible dans un coin. Eleni se pencha au-dessus de la margelle et regarda tout au fond l'eau noire comme de l'encre.

— Tout cela est très pratique, convint Eleni. Mais c'est aussi très sinistre. Des trolls vivent sûrement ici !

— Des trolls ? répéta-t-il en effleurant sa main.

— Oui ! d'affreux gnomes verts qui mangent les enfants pour leur petit déjeuner.

L'écho du rire sonore de Lucio se répercuta contre les parois de pierre.

— Je vous assure que je n'en ai jamais vu ici !

Néanmoins, elle se rapprocha craintivement de lui. Comme ils remontaient vers la lumière et la chaleur de midi, elle s'arrêta et, posant sa main sur son bras, chuchota :

— Qu'est-ce que c'est ?

Lucio, de toute évidence, n'avait pas eu l'intention de s'arrêter. Il s'agissait d'une porte en métal, neuve et brillante avec une fermeture qui ressemblait beaucoup à celle d'un coffre-fort.

— Est-ce là que l'or est entreposé ? s'enquit-elle, les yeux brillants de curiosité.

— *Si,* acquiesça-t-il, je vous montrerais bien la chambre, mais il n'y a rien à voir. La porte est ouverte. Dans une dizaine de jours, quand j'aurai reçu le trésor des mineurs, elle sera verrouillée ; maintenant, il n'y a que quelques sacs de jute traînant par terre. Comme je préfère les garder le moins longtemps possible, les pépites ne me sont envoyées, par porteur spécial, que vingt-quatre heures avant d'être chargées sur l'avion du gouvernement.

Eleni réfléchit et déclara :

— Cela signifie que les prospecteurs le gardent assez longtemps. Ils doivent avoir une grande confiance en leur porteur, ajouta-t-elle pensivement.

— Il sait qu'il ne vivrait pas plus d'une semaine s'il essayait de les voler. Les *garimpeiros* ont tendance à être violents. C'est leur vie qui les rend ainsi... ils font un travail épuisant et tiennent doublement à ce qu'ils ont gagné avec tant d'effort. Et à présent que vous connaissez mon *sotano* sur le bout des doigts, pouvons-nous continuer ?

— L'oncle Angus vous a-t-il aussi beaucoup interrogé ?

— Exactement comme vous, *chica,* mais pas avec vos manières douces, ajouta-t-il en riant.

— Oui ! Il a une façon de vous accabler de questions... convint-elle avec une étincelle de gaieté dans son regard bleu...

— Votre oncle est un tyran parfaitement charmant,

lança Lucio sur un ton de complicité affectueuse, comme s'ils se connaissaient depuis toujours.

Eleni soupira silencieusement, émue par son sourire, par la séduction de ce beau visage mince et hâlé.

De profondes vérandas, soutenues par des arcades envahies de plantes grimpantes, entouraient l'hacienda sur trois côtés. En traversant le vaste rez-de-chaussée, Eleni fut à nouveau frappée par l'élégante simplicité du beau dallage, des murs clairs et des poutres en acajou. Les fenêtres étaient nombreuses, mais étroites et en retrait, avec des volets de bois et un fin grillage métallique contre les insectes. Pas une seule vitre. Lucio avait expliqué :

— Nous n'en avons pas réellement besoin. Il ne pleut peut-être qu'une fois tous les dix ans ; en revanche, nous avons du brouillard. Dans la vallée, les hivers ne sont pas froids. Nous allumons quelquefois un feu et cela suffit.

Il lui avait montré le large hall qui servait de salle de classe, l'ancienne cuisine ; et les appartements du personnel où logeaient Hilario et Angel ainsi que Ramón Garcia et sa famille. Il y avait beaucoup de place pour tout le monde. Les murs épais conservaient à l'intérieur de la maison une température agréablement fraîche, alors qu'au-dehors, l'air tremblait sous un soleil brûlant.

Le déjeuner fut servi sur le balcon supérieur qui faisait entièrement le tour de l'étage. La chaleur torride était tenue en échec par les contrevents clos à travers lesquels ne filtrait que peu de lumière et par la profusion de plantes et de lierre qui tapissaient la façade. La table était dressée dans l'ombre verte de bananiers, de palmiers et d'hibiscus plantés dans de grandes jardinières. Derrière les barreaux d'une cage dorée, deux perruches examinaient les intrus de leurs petits yeux ronds, en penchant alternativement la tête de gauche à droite.

Dans ce décor exotique, le repas commença par un *cebiche*. Paul se refusa à y toucher dès qu'il apprit que c'était du poisson cru mariné dans du jus de citron avec des oignons, de l'ail, du piment rouge et du coriandre. Eleni, après en avoir prudemment essayé une toute petite bouchée, trouva la recette exquise. Comme Angel déjeunait avec eux en cette occasion, Lucio donna l'ordre à Consuelo — qu'il avait sèchement présentée comme une « invitée-travailleuse » — d'apporter à Paul un *salpicón,* jus de fruit de cola.

Consuelo était une magnifique jeune femme à la beauté latine et qui semblait croire que servir à table était en dessous de sa condition. Avec une moue impatiente, elle retira brusquement l'assiette de Paul et fit demi-tour. Les sourcils froncés, Lucio la suivit des yeux. Il échangea un rapide coup d'œil avec Angel et Eleni pressentit que quelque chose n'allait pas. Quand la Péruvienne réapparut avec la boisson de Paul, Eleni la dévisagea sans doute un peu trop curieusement et Consuelo soutint son regard avec insolence avant de faire volte-face. Elle n'avait pas cherché à cacher l'antipathie immédiate éveillée en elle par Eleni et la jeune fille devina vite que sa présence l'exaspérait car elle voyait en elle une rivale. Mais vis-à-vis de qui ? Cela demeurait encore obscur.

Reportant son attention sur Paul, elle l'interrogea pour savoir s'il progressait dans son travail.

— Jusqu'ici, j'ai choisi trois diamants, un de trois carats et deux de quatre. Vos pierres sont superbes, *Señor* Ferraz. Et ces émeraudes ! Eblouissantes !

— Lucio fit un léger signe de tête en remerciement.

— Je fais de mon mieux, murmura-t-il.

Après une pause, il continua :

— Je voudrais écrire un mot à votre père, *Señor* Tessier, pourrais-je vous prier de le lui remettre lors de votre retour à Calgary ?

Paul hésita imperceptiblement avant de lui répondre :

— Mais bien sûr, comptez sur moi.

Eleni avait perçu son hésitation, et deviné qu'il se demandait si ce mot le concernerait ou non. Durant le reste du repas, Paul déploya des efforts pour essayer de faire oublier sa conduite antérieure.

Angel ne participait pas à la conversation générale et ne s'adressait à Eleni que si elle le questionnait directement sur un sujet ou un autre.

Tout le monde termina rapidement son dessert — de petites crêpes fourrées d'un mélange de miel, de noisettes et de zeste d'orange — à l'exception d'Eleni qui dégustait lentement le sien avec gourmandise. Assis en face d'elle, Paul tambourinait sur la table avec impatience, agacé d'avoir à l'attendre. Il fixait sa cousine avec une visible exaspération.

Incapable de supporter davantage son manège, elle finit par lui dire :

— Paul, si tu veux retourner travailler, ne m'attends pas, je suis sûre que je vais m'attarder encore une demi-heure.

Soulagé, il se leva et prit congé en s'excusant.

Angel le suivit du regard avec une expression impassible.

— Je vous en prie, Eleni, prenez tout votre temps, c'est un plaisir pour moi de voir que vous aimez notre cuisine, lança Lucio.

Il y avait une imperceptible note sarcastique dans sa voix et elle se demanda si ce n'était pas une critique indirecte à l'adresse de Paul.

— C'est tellement meilleur si l'on ne se presse pas, avança-t-elle prudemment.

— Ici, nous ne nous hâtons jamais pour le déjeuner, fit-il en se penchant pour emplir à nouveau sa tasse de café et la sienne.

Un mince filet de fumée bleutée montait de son cigarillo et se perdait entre les feuilles vertes et fraîches des bananiers. Peu à peu, Eleni fut envahie par une insidieuse torpeur. Maintenant, les volets ne suffisaient plus à les protéger complètement de la chaleur. Le soleil s'infiltrait entre les claires-voies, balayant le parquet ciré. De gros ventilateurs ronronnaient doucement, et les perruches s'étaient endormies, la tête sous l'aile.

La paix environnante fut soudain troublée par l'arrivée de Consuelo qui se mit à débarrasser la table avec impatience et brusquerie. A travers ses cils, Eleni observait la jeune femme qui empilait assiettes et argenterie sans soin sur un plateau. Son beau visage olivâtre était marqué par une expression de rancœur et une certaine dureté malgré sa jeunesse. Juste avant qu'elle ne reparte, Lucio, silencieux jusqu'alors, lui adressa quelques mots rapides en espagnol. Les yeux noirs de Consuelo étincelèrent de colère, elle pivota sur ses talons et disparut avec raideur.

Lucio surprit sur lui le regard d'Eleni, il hésita une seconde, les lèvres serrées puis se détendit un peu et expliqua :

— Je lui ai déclaré que si elle ne pouvait pas faire son service un peu mieux, je l'enverrais travailler au potager. Je vais lui donner une dernière chance, c'est tout. Ma patience est grande, mais elle a ses limites.

Absorbé dans ses pensées, il fixa un instant maussadement le bout incandescent de son cigare, puis, relevant les yeux sur elle, il lui sourit. Il semblait

s'attendre à ce qu'elle le presse de questions comme
d'habitude, et contrairement à son habitude, Eleni s'en
abstint. Il se leva brusquement et décréta :

— Allons faire notre *siesta,* je ne tiens pas à la revoir
aujourd'hui, je risquerais de la renvoyer et ce ne serait
vraiment pas charitable.

Eleni regrettait de ne pas l'avoir interrogé, mais il
était trop tard, Lucio avait désormais envie de penser à
autre chose.

Pourquoi cette colère ? se demandait Eleni, perplexe. Que lui reprochait-il en dehors de son accès de
mauvaise humeur ? Et d'abord, que faisait-elle ici ?

Comme ils passaient devant Angel qui avait repris sa
garde devant la porte de la librairie, il lui jeta quelques
mots en espagnol, et malgré les connaissances som-
maires qu'elle avait de cette langue, Eleni comprit que
c'était un avertissement concernant Consuelo.

La jeune fille n'avait aucune idée de l'endroit où
Lucio la conduisait. Ils sortirent dans le jardin et prirent
un sentier inexploré. Sous les épais feuillages, l'air était
relativement frais et imprégné d'une odeur de vanille.
Marchant lentement aux côtés de son hôte, Eleni
réfléchissait. Tous les plans qu'elle avait dressés pour
son voyage au Pérou étaient bouleversés. Travailler
avec Paul, choisir les pierres... et finalement, ses
journées se passaient toujours en compagnie de
Lucio...

Dans un coin éloigné, si bien caché qu'il semblait que
personne ne pourrait le découvrir, Lucio s'arrêta. Eleni
s'immobilisa aussi, saisie par la vue inattendue d'un
immense bougainvillier d'un rouge orangé qui coulait
littéralement comme un torrent de feu et recouvrait une
pergola, dressée là, sur le sable blanc au bord du
courant. Entre quatre poteaux, on y avait installé un
hamac rustique. Une cruche en terre cuite, humide,

recouverte de fines gouttelettes était suspendue à un crochet et sur une petite table de bambou, placée entre deux chaises, reposait un plateau, des verres et une boîte de cigares.

Eleni épia Lucio à la dérobée, il paraissait si innocent qu'elle repoussa les soupçons qui l'avaient effleurée à la vue de cet abri retiré où tout semblait avoir été préparé pour eux. Rassurée, elle pénétra sous le toit fleuri pour essayer le hamac.

— C'est le paradis, dit-elle, en ôtant ses sandales et en s'étendant. Je commence à découvrir un autre sens à Sal si Puedes. Est-ce que vous aussi vous trouvez qu'il est difficile de s'en échapper ?

Après quelques secondes de silence, il répondit :

— Oui, parfois... mais j'ai d'autres intérêts.

Une lueur malicieuse s'alluma dans ses yeux, la mettant aussitôt sur le qui-vive. Il aurait été beaucoup plus convenable de s'installer sur une chaise, car c'était un pays où les gens étaient assez formels, songeait Eleni. Croirait-il qu'il y avait là une invitation au flirt ? Ou bien était-elle sotte d'avoir de telles pensées ? Guettant un changement d'expression sur son visage et n'en voyant point, elle fut rassérénée et commençait à se dire qu'elle avait trop d'imagination, quand elle le vit s'avancer vers elle. Il y avait assez de place pour deux. Non ! il n'allait pas faire cela ! se dit-elle alarmée... Lucio s'assit avec naturel sur le bord du filet et elle dût s'accrocher pour ne pas rouler contre lui. Enlevant à son tour ses chaussures, il étendit une jambe, puis l'autre, et s'étira voluptueusement auprès d'elle en soupirant de satisfaction. Eleni, pétrifiée, ne savait que faire. Bondir et s'en aller avec des airs offensés ? Ne serait-ce pas ridicule ? Apparemment, il se contentait d'être à côté d'elle et n'esquivait aucun geste déplacé. Il n'y avait rien de mal, au fond, dans l'idée de partager un hamac avec Lucio, à part le fait qu'elle le connaissait à peine depuis plus d'une semaine, qu'il était l'ami de son oncle et l'associé de son fiancé !

Souhaitant pouvoir être aussi calme que son compagnon, elle fixa le dôme fleuri au-dessus d'eux. Embarrassée, elle se demanda s'il allait se décider à parler.

Cet homme avait vraiment le pouvoir de la troubler profondément, songeait-elle. Sa présence, leur solitude à deux dans cette exquise retraite, créaient un climat romantique et grisant qui faisait battre son cœur plus vite. Tournant lentement la tête contre la toile rugueuse, elle observa Lucio, son beau profil aquilin, ses pommettes saillantes, sa bouche ferme et douce, et elle fut parcourue d'un délicieux frisson. Elle savait qu'il ne dormait pas, bien que ses paupières soient baissées. Il les releva soudain, et la fixa. Elle reçut le même choc qu'au premier jour lorsque, assise à la table du restaurant avec Paul à Trujillo, elle avait été comme hypnotisée par ses yeux noirs et profonds. Pendant quelques secondes, elle ne pensa plus à rien, perdue dans cet instant hors de l'espace et du temps. Puis, brisant le charme, elle humecta ses lèvres et lança d'une voix un peu rauque :

— Vous avez mentionné votre frère ce matin. Maintenant que vous n'êtes plus Pedro, pourriez-vous me parler de votre famille ?

— Vous êtes décidément une insatiable curieuse, riposta-t-il en riant comme s'il avait deviné ses pensées.

Eleni rougit devant son regard narquois et il reprit :

— Mes parents sont morts. J'ai un frère, Olavo, mon aîné de six ans... il a quarante-deux ans.

Un léger sourire flotta sur ses lèvres, il attendait des commentaires qui ne vinrent pas et continua :

— Olavo, étant donc l'aîné, vit sur les terres de la

famille avec sa femme Estella et sa nombreuse progéniture.

— Beaucoup d'enfants ?

— Plus que je ne m'y attendais, ils en ont six, et Candido, le plus âgé est déjà un chanteur plein de promesses. Il est aussi l'héritier et son père ne considère pas d'un bon œil cette vocation artistique.

— D'après ce que je comprends, vous n'approuvez pas Olavo, risqua Eleni.

— Comment le pourrais-je, puisqu'il a du talent ?

Eleni, mollement allongée, ses yeux bleus à demi fermés, attendait avec impatience qu'il continue.

— Je crois qu'il faut donner sa chance à ce garçon. Il y met tout son cœur et, s'il échoue sur cette voie, il sera toujours temps pour lui de s'occuper des affaires de la famille.

— Les affaires ?

— Le café, Eleni, ma famille le plante depuis des générations.

— C'est donc pourquoi vous en avez vendu à un moment donné ?

— *Si,* mais j'avais monté ma propre société, indépendamment de mon frère ; j'ai commencé par chercher un marché puis je suis allé discuter avec lui. Nous avons signé ensemble un contrat, j'ai trouvé des acheteurs pour son produit, et il continue à être mon fournisseur le plus important.

— Ah ! Vous vous occupez encore de cela ?

— Oui, mais j'ai cédé la moitié de mes actions à Candido, il est maintenant directeur général des Ventes et je ne suis qu'un simple commanditaire, conclut-il en souriant.

Il marqua une pause et remarqua :

— Mes pierres me prenaient beaucoup de temps, et puisque je préfère cette activité à l'autre, ce fut une solution idéale pour nous deux, elle lui permet de financer sa carrière de chanteur et de ne pas dépendre matériellement de son père.

Eleni lisait entre les lignes :

— Vous voulez dire que vous contribuez activement à la carrière de Candido malgré l'opinion de son père ? Y a-t-il des relations tendues entre vous ?

Lucio se mit à rire doucement et jeta :

— Quelle imagination vous avez ! Non, Eleni, je ne me servirais pas de Candido à de telles fins ni m'abaisserais jamais à vouloir exercer une vengeance.

Les yeux d'Eleni s'écarquillèrent et elle s'exclama :

— Une vengeance ?

— Comme Olavo ne lui offre aucun appui, je fais ce que je peux pour l'aider. Je suis fier de mon neveu, bien qu'il soit déroutant, incorrigible et irrespectueux avec ses aînés... et versatile, pour ne citer que ses péchés les plus véniels.

Ses yeux rieurs montraient que son opinion était en vérité moins sévère qu'il voulait le faire croire.

— Pourquoi pourriez-vous désirer vous venger d'Olavo, est-ce parce qu'étant l'aîné, il a hérité de tout et vous de rien ? insista Eleni.

— Que le plus âgé hérite est une chose normale et ne justifie aucune idée de revanche. Non, si j'en avais, ce qui n'est pas le cas, ce serait parce qu'il m'a refusé même ce qui était à moi. Il s'est approprié ce qui m'avait été laissé. Olavo s'est emparé de l'argent destiné à mes études supérieures, il m'a interdit l'accès de mon foyer et m'a abandonné dans le monde sans un centime. Inutile de préciser que j'ai survécu et assez bien, ajouta-t-il avec une lueur malicieuse dans le regard, mais vous comprendrez aisément que cette avidité m'ait quelque peu indisposé à son égard.

— Comment a-t-il pu tout s'approprier ?

— Quand mes parents sont morts, de façon subite, je me trouvais en pension aux Etats-Unis, Olavo a pris la succession, c'était naturel, et comme il avait l'entière responsabilité de la propriété, il pouvait y exercer un contrôle total. A l'époque, je n'avais que dix-sept ans. Pour que l'on fasse justice, j'aurais dû recourir aux tribunaux, et je n'ai pas voulu ternir l'honneur de ma famille par un tel scandale, pour quelques dollars.

— Pour quelques dollars ?

— Mais oui, l'argent n'est toujours que de l'argent, riposta Lucio avec un haussement d'épaules.

— Vous êtes-vous affrontés quand vous êtes revenu de votre pension ? Vous et votre frère, je veux dire ?

— Oui, juste après l'enterrement. Olavo estimait qu'il ne devait pas y avoir de malentendus, mais je ne me suis pas vraiment rendu compte de ses intentions avant plusieurs mois. A ce moment-là, j'ai préféré quitter la maison n'emportant que ce que j'avais sur moi, plutôt que d'être employé comme *peon* sur nos propres terres, avec Estella me surveillant de la fenêtre de l'hacienda. Voyez-vous, j'étais très orgueilleux en ce temps-là, et comme je n'avais qu'un an d'université derrière moi, mon seul bagage était ma fierté, conclut-il en la regardant intensément.

Eleni décida de ne pas le questionner sur Estella, pas encore. A la place, elle s'enquit :

— Que faisiez-vous comme études ?

— Médecine. Ce pays a besoin de docteurs. Alors pour payer mes cours, je suis devenu *vaquero,* cow-boy dans un ranch du Sud. Mais les choses ne se sont pas déroulées comme je l'espérais, cela arrive souvent dans la vie. J'ai pensé à différentes professions jusqu'au jour où j'ai rencontré un homme, acheteur de café de New York. A l'époque j'avais déjà commencé à collectionner des pierres et possédais une modeste sélection de

spécimens assez rares. Il s'est montré désireux d'en
acheter quelques-uns et, grâce à cela j'ai pu financer ma
première opération sur le café, et j'ai considéré mon
passe-temps sous un jour différent. Quelques années
plus tard, j'ai connu votre oncle et, depuis lors, nous
avons continué à traiter ensemble. En vérité, je lui dois
d'avoir pu convertir mon commerce de pierres en une
affaire réellement sérieuse. Il m'a beaucoup appris.
Votre oncle est un homme intéressant... et maintenant,
racontez-moi comment il a réussi à s'approprier le plus
beau joyau de Calgary, dit-il d'un ton plaisant en la
désignant d'un grand geste de la main.

— Oh ! c'est une longue histoire, soupira Eleni.

— Nous avons toute la journée, *chica*.

Elle se mit à rire et riposta :

— N'exagérons rien !... Quand j'avais environ quatre ans, j'ai perdu ma mère qui était en fait vaguement
apparentée à Angus. Ce dernier a alors voulu me
prendre chez lui. Sa femme ne pouvait plus avoir
d'autres enfants après Paul et, comme le disait oncle
Angus, mon père avait cette « folle idée » de m'emmener dans la brousse avec lui. Il avait accepté un poste de
pilote à Prince Rupert, une petite ville sur la côte nord
de la Colombie Britannique.

Enfin, il m'a emmenée avec lui en dépit de tout ce
qu'on a pu lui dire et j'ai grandi dans une cabane de
rondins, dans la forêt, près d'un lac. En été, Papa
mettait des flotteurs sous son avion et, en hiver, des
skis. Il ne voulait pas vivre en ville. Nous étions reliés à
la civilisation par une radio à ondes courtes.

— *Si ?* c'est ce que j'utilise ici, interrompit Lucio.

— En hiver, comme les routes étaient bloquées par
la neige, il était souvent forcé de partir et de me laisser,
alors j'adorais ce petit poste.

— Mais il ne vous abandonnait pas toute seule ? s'étonna Lucio.

— Oh ! non, il y avait Agatha, une vieille Indienne qui s'occupait de moi et de notre cabane. Je l'aimais beaucoup, elle me racontait des histoires merveilleuses. Son visage était si ridé que j'imaginais qu'elle avait deux cents ou trois cents ans. D'ailleurs, elle ne savait même pas son âge.

— Et pour vos études ?

— J'ai suivi des cours par correspondance. Quand je suis revenue à Calgary, j'étais en avance sur les autres enfants, dit-elle fièrement.

— Ainsi, vous avez grandi dans un lieu sauvage en compagnie d'une vieille Indienne et d'un poste de radio… étrange atmosphère pour une petite fille. Votre père devait être un homme très original. Peut-être est-ce la solitude de votre enfance qui vous fait comprendre et apprécier la mienne ici ? remarqua-t-il d'un air rêveur.

— C'est possible… oui.

Eleni soupira en se rappelant la forêt boréale, le lac immobile et bleu, l'hydravion à raies rouges et blanches, arrimé au bout de leur embarcadère.

— Qu'est devenu votre père ? s'enquit Lucio.

— Quand j'avais onze ans, il y a eu une forte tempête en hiver. Un cargo s'échoua contre la côte et fut coupé en deux. Il fut appelé pour aider à transporter l'équipage à terre avant qu'il ne coule complètement. Tout le monde était ramené, pensait-on, et puis on s'est aperçu qu'il manquait encore deux personnes. Mon père retourna jusqu'au navire pour les chercher, il ne revint jamais, et les deux hommes ne furent pas retrouvés non plus.

— Il est mort en héros.

— Sans doute, mais j'aurais préféré qu'il soit moins courageux et qu'il vive...

Elle demeura quelques instants silencieuse, et reprit :

— C'est alors qu'oncle Angus et tante Dora réapparurent dans ma vie. Les choses furent organisées si bien et si rapidement qu'en moins d'une semaine, j'étais à Calgary avec Agatha, car je ne voulais pas m'en séparer. Mon père dans son testament, leur demandait de me prendre en charge. Bien qu'ils aient été désolés de sa mort, ils étaient heureux de me retrouver. Ils n'auraient pu être plus gentils si j'avais été réellement leur fille. J'ai une immense dette de gratitude envers eux... Alors continua-t-elle, d'une cabane en rondins, et des cours par correspondance, je suis passée à un manoir et à une école privée. Dora s'est chargée de moi avec une sorte... d'avidité ravie, et m'a tenue si occupée que je n'ai pas eu le temps d'être triste. Elle m'a emmenée partout, m'a tout montré, m'a acheté de jolies robes de petites filles que je n'avais jamais portées auparavant et des poupées. Elle m'a appris ce qu'une sauvageonne comme moi devait savoir pour survivre dans une ville. Elle m'aurait irrémédiablement gâtée si Angus n'était pas intervenu avec fermeté. Paul a été merveilleux aussi. Il n'a pas été jaloux, il ne m'en a jamais voulu de devoir partager avec moi son père et sa mère. En fait, il m'a aidée à me sentir chez moi, parce qu'il me traitait avec le dédain ennuyé que les adolescents témoignent à leurs petites sœurs. Il n'était pas *trop* gentil, comprenez-vous ce que je veux dire ?

— Alors, parce que vous avez grandi auprès de votre cousin, vous allez devenir sa femme ?

Eleni tressaillit, ramenée à la réalité par cette constatation froide et un peu ironique. Elle ne savait pas très bien que répondre et sentait seulement que cette remarque l'avait vaguement irritée. Inconsciemment sur la défensive, elle jeta :

— Eh bien, il semble que ce soit une solution parfaite pour tout le monde ! Paul veut m'épouser, je veux épouser Paul ; Angus et Dora veulent que nous nous mariions. Que peut-on souhaiter de plus ? C'est un arrangement idéal qui satisfait tout le monde.

Eleni se redressa avec tant de vivacité que le hamac tangua de façon menaçante :

— Et d'abord, pourquoi me dévisagez-vous ainsi ?

— Je vous dévisageais ? Je vous en prie, excusez-moi, fit-il d'un air contrit avec un rire profond.

Les yeux à demi fermés, il la contempla paresseusement et laissa tomber :

— C'est tout à fait sensé de vouloir épouser votre cousin, *chica*.

Une sourde irritation s'empara d'elle. *Sensé !* Pourquoi faisait-il en sorte que cela sonne presque comme une insulte ?

— Je vais mouiller mes pieds, lui annonça-t-elle froidement.

Elle se laissa glisser du hamac et se dirigea vers le ruisseau. Eleni y pénétra jusqu'aux genoux. L'eau était glacée et elle dut relever précipitamment sa jupe en suffoquant un peu.

— Vous aviez trop chaud ? s'enquit-il d'une voix compatissante.

Appuyé sur un coude, il l'observait d'un œil amusé.

— En effet, acquiesça-t-elle avec désinvolture, la température est plus élevée ici qu'à Calgary.

Un frisson la parcourut. Avec lenteur elle revint vers la berge et s'assit sur le sable blanc en lui tournant délibérément le dos.

Quelques heures plus tard, Lucio leur proposa de faire une promenade le long de la muraille. Paul déclina l'invitation et Eleni partit donc seule avec leur hôte.

Quand ils eurent terminé leur tour, la nuit tombait et les étoiles brillaient. A l'ouest, la montagne n'était plus qu'une énorme masse sombre, mais à l'est, les crêtes étaient encore ourlées d'or et de pourpre, et les pics, coiffés de nuages roses.

— Il y aura de l'orage là-haut cette nuit, fit Lucio. Il doit déjà y neiger. En votre honneur, Eleni, nous aurons peut-être droit au tonnerre, plaisanta-t-il.

Au loin, dans le crépuscule, les fenêtres de l'hacienda ressemblaient à des lingots jaune pâle, les contrevents largement ouverts laissaient entrer la brise nocturne. La lumière la plus forte provenait de la librairie, et Eleni pouvait juste deviner à l'intérieur une petite forme sombre qui était Paul, penché au-dessus de la table. Après un instant, elle se rendit compte que Lucio l'observait.

— Comment peut-il y avoir un orage avec autant d'étoiles ? lui demanda-t-elle étonnée.

— L'orage restera sur les cimes. Ce sera une grande bataille entre le nuage et le rocher qui l'a emprisonné. Nous pourrons assister d'ici à ce spectacle dramatique.

La pointe d'humour dans son intonation lui donna envie de rire, et sa voix chaude la plongea dans une étrange faiblesse.

— Allez-vous me raconter une autre fable ? s'enquit-elle gaiement.

Il la récompensa d'un sourire éclatant.

— Inutile, vous êtes bien trop maligne. Non, *bella*, je vais maintenant vous étonner par mes connaissances de l'univers.

Avec naturel, il se plaça derrière elle, posa ses mains sur ses épaules, la fit se tourner légèrement et désigna le firmament.

— Ce que vous voyez là est la constellation du Sagittaire, dont les huit étoiles principales sont partiellement dissimulées par l'horizon. Ici, ces sept points brillants sont le Phoenix. Renversant la tête en arrière, elle sentit qu'elle touchait la poitrine de Lucio.

— Au-dessus de nous, continua-t-il, le Verseau, le onzième signe du Zodiaque... et le Capricorne, le dixième.

Il la fit pivoter un peu.

— Là, à l'ouest, se trouve la constellation de l'Aigle, murmura-t-il en regardant son visage levé.

Sa main caressante, se déplaça lentement, entoura sa taille et la pressa contre lui.

— Et voici Altaïr, un des corps célestes les plus lumineux. Juste au-dessus de nos têtes, les Poissons. D'un geste lent, il glissa ses doigts sous son menton pour l'obliger à se tourner vers lui, et plongea son regard dans les yeux d'Eleni, deux brillantes étoiles parmi une multitude d'autres. Soudain, le firmament disparut et il ne resta plus rien que la bouche de Lucio sur la sienne, douce, tendre, savourant ses lèvres, les caressant de longs baisers envoûtants. Il la tenait serrée contre lui avec précaution comme s'il avait craint qu'un geste trop brutal et passionné ne pût la briser.

Pendant le dîner, Eleni se demanda comment Paul pouvait ne pas remarquer quelque chose de différent. Elle avait envie de lui crier de se lever et de prendre enfin conscience de ce qui se passait autour de lui. Mais cela avait-il de l'importance ? comme Lucio l'avait dit, elle finirait par l'épouser. C'était un arrangement tacite qui satisfaisait tout le monde. A la dérobée, elle épia Lucio, détaillant son mince visage hâlé, son profil inca, la ligne volontaire de son menton...

Eleni détourna ses yeux et s'aperçut que Consuelo la

fixait avec une visible hostilité. Elle ne semblait pas apprécier que la jeune fille monopolise l'attention des trois hommes assis à la table. Même Angel qui paraissait encore plus immense à ses côtés, paraissait attendri par son expression candide ; Paul, de meilleur humeur après un après-midi de travail fructueux, semblait disposé à répondre à toutes ses questions. Quant à Lucio, il la contempla avec insistance pendant tout le repas.

Comme il l'avait prédit, il y eut un gros orage cet nuit-là. Eleni pensa que l'expression « spectacle dramatique » était tout à fait appropriée. Debout sur la terrasse de l'hacienda entre Lucio et Angel qu'elle avait eu la précaution d'inviter comme chaperon, elle était stupéfiée par le tableau qui s'offrait à eux. S'adressant à ses deux compagnons, silencieux dans l'ombre, elle s'exclama :

— Pour vous, cette vue est peut-être banale, mais pour moi, elle est vraiment féerique !

Les nuages s'étaient rassemblés au-dessus des plus hauts sommets et y demeuraient suspendus. Des roulements de tonnerre résonnaient d'une face rocheuse à l'autre, dans un sourd fracas, répercuté à l'infini par les échos. Et bien loin au-dessus de ce combat titanesque, des milliers d'étoiles scintillaient dans le ciel serein.

— Qu'est-il arrivé à Angel ? demanda soudain Eleni en s'apercevant qu'il avait disparu.

— Il est allé ouvrir les vannes. C'est indispensable car la rivière va beaucoup grossir en quelques heures et risquerait de les emporter sinon.

— N'est-ce pas dangereux ?

— Non, seulement si vous campez dans le lit du torrent...

Eleni se mit à souhaiter sincèrement qu'Angel ait pu rester un peu plus longtemps avec eux ; la proximité de

Lucio agissait sur elle comme un vin capiteux. La tiédeur de la nuit, l'homme immobile à ses côtés, concouraient à la troubler plus que de raison...

Inquiète, elle songea à se retirer, à fuir leur enivrante intimité... Juste à gauche de Lucio, elle apercevait l'éclat d'un grand feu autour duquel étaient groupés des paysans et, se mêlant au tonnerre, lui parvenaient les mystérieuses notes d'une flûte de Pan. Pourquoi n'iraient-ils pas s'asseoir auprès de tous ces gens ?

Les doigts de Lucio effleurèrent son bras nu et il proposa de façon inattendue :

— Voulez-vous que nous allions rejoindre Angel ? Vous devez avoir envie de savoir comment fonctionne notre système d'eau.

Malgré elle, un silencieux soupir de déception s'échappa de ses lèvres. Il était si déroutant ! Il l'embrassait toujours au moment où elle s'y attendait le moins. En frissonnant, elle se demanda où tout cela allait les mener.

5

Trois jours plus tard, alors que Consuelo desservait la table, elle renversa brusquement une tasse de café bouillant sur Eleni. Devant l'expression furieuse de Lucio, elle fit un bond en arrière, terrorisée. Repoussant sa chaise, le jeune homme se précipita vers Eleni. Il la souleva, la mit debout et, d'un geste rapide et sec, lui arracha sa jupe de haut en bas.

— Ah !... gémit-elle, quand le tissu brûlant et mouillé fut décolé de sa peau nue.

La soutenant fermement d'une main, Lucio attrapa de l'autre quelques serviettes.

— Vite, Paul, le seau à glace ! ordonna-t-il.

Paul, d'abord pétrifié par la surprise, lui obéit rapidement.

Des gouttelettes de sueur perlaient sur le front de la jeune fille.

Lucio plongea une serviette dans l'eau glacée et l'appliqua sur ses cuisses. Il lança durement quelques mots en espagnol à Consuelo, qui disparut en pleurant, suivie par Angel.

— Amenez le seau plus près, Paul, le pressa Lucio, agenouillé devant Eleni.

Saisissant le récipient sur la table, Paul se pencha et

le maintint à la hauteur de ses genoux. Tournant la tête, il prit soudain conscience de la tenue légère de sa cousine. Il écarquilla les yeux, reposa hâtivement son fardeau par terre et se redressa. Pendant quelques secondes, il contempla Lucio occupé à changer constamment les compresses, puis il ouvrit la bouche comme s'il était sur le point de parler, et la referma.

Eleni se mordait la lèvre pour ne pas crier, tandis que les mains de Lucio pressaient sur ses jambes les linges froids et bienfaisants. Elle commençait à frissonner légèrement à cause de la réaction. Angel réapparut soudain, tenant entre ses mains un grand bol plein d'une solution vert clair qu'il plaça à côté de Lucio, puis il posa une pile de serviettes sur la chaise restée libre. Après en avoir trempé une dans le liquide, Lucio l'appliqua doucement sur les vilaines marques rouges qui étaient apparues sur les cuisses d'Eleni. Paul, indécis, ne savait que faire.

— Oh! soupira Eleni, est-ce que cela me soulagera?

— Je la ferai fouetter! gronda Lucio sans lui répondre directement.

Eleni, alarmée par son ton mordant, protesta:

— Non! je vous en prie... c'était un accident!

— Ce n'en était pas un, rétorqua-t-il d'une voix frémissante de colère.

Eleni le considéra avec étonnement. Relevant la tête, il jeta à Angel:

— Le *Señor* Marshall devra la reprendre la prochaine fois qu'il viendra!

— Quel est ce produit? s'enquit Paul tandis que Lucio préparait une nouvelle compresse.

Personne ne lui répondit et Angel s'adressa à son ami:

— Ross sera ici bientôt, dit-il.

Les yeux d'Eleni allaient de l'un à l'autre. Marshall ? Ross ? *Ross Marshall ?* Etait-ce possible ?

— Quel est ce liquide ? insista Paul, méfiant.

— Du jus d'aloès, répliqua impatiemment Lucio et, se tournant vers Angel, il continua à mi-voix :

— Je ne permettrai pas qu'il se décharge sur moi de ses responsabilités. Je l'ai nourrie suffisamment long-temps. Arrange-toi pour qu'il le comprenne bien.

— Il n'a pas le choix. Il tient à conserver son travail de courrier.

Ceci fut prononcé si rapidement et si bas qu'Eleni l'entendit à peine.

— De l'aloès ? répéta Paul d'un air soucieux. Et à quoi cela sert-il ?

— C'est un remède contre les brûlures, expliqua brièvement Lucio.

Paul s'approcha d'Eleni et lui toucha le bras.

— Comment te sens-tu ? s'enquit-il avec sollicitude.

— Beaucoup mieux, merci, avoua-t-elle d'une voix encore un peu tremblante.

Lucio souleva le linge et inspecta les brûlures. Les traces écarlates avaient considérablement pâli.

Il hôcha la tête avec satisfaction et déclara :

— Bien ! J'ai pu intervenir à temps.

Il murmura de façon que Paul ne l'entende pas :

— Ah ! *mi bien,* comme je regrette qu'on vous ait fait du mal dans ma maison !

Il leva son beau visage soucieux vers elle et la contempla intensément.

Eleni baissa les yeux, troublée par la chaleur de son regard.

Après avoir glissé sous ses pieds mouillés une épaisse serviette de toilette, il sécha doucement ses jambes et, avec des gestes légers, appliqua un onguent sur sa peau. Ses mains très brunes sur les cuisses plus claires de la

jeune fille, allaient et venaient en un geste caressant.
Immobile, les sourcils froncés, Paul n'avait pas l'air
d'apprécier les méthodes de Lucio.

— Et maintenant, que faites-vous ? protesta-t-il.

— Ceci est un médicament extrait de la même
plante, *Señor* Tessier, révéla calmement Lucio.

— Et si c'était inefficace ?

— Cela me fait du bien en tout cas, intervint Eleni.

— J'ai suivi des études de médecine pendant un an,
pouvez-vous en dire autant ? riposta Lucio en essayant
de maîtriser son impatience.

— Mais un docteur...

— Ecoutez, *Señor* Tessier, je suis ce qui ressemble le
plus à un *medico* dans toute la région, voulez-vous me
faire confiance ?

— Eh bien, rétorqua Paul d'un ton vexé, si les
choses sont ainsi, il le faudra. Ne pensez pas que je ne
vous sois pas reconnaissant, je suis simplement inquiet.

— C'est bien naturel, *Señor* Tessier, répondit Lucio
d'une voix conciliante, mais je vous serais obligé si vous
me laissiez prendre soin d'Eleni.

La jeune fille, heureuse de voir que Paul se préoccu-
pait tant à son sujet, déclara :

— Ne t'inquiète pas, Paul, ce n'est qu'une brûlure
superficielle.

Il la regardait avec anxiété et, la voyant sourire, son
visage se détendit un peu. Mais ses yeux s'arrêtèrent de
nouveau sur ses cuisses dénudées et sur leur hôte, qui
agenouillé devant elle, lui murmurait d'un ton caressant
des paroles en espagnol. Son expression s'assombrit et
il demanda sèchement :

— Puis-je vous être encore de quelque utilité ?

— Non *Señor,* merci de votre aide, fit Lucio avec
fermeté.

Paul hésita, et marmonna finalement :

— Bien… dans ces conditions, je vais voir si je peux encore travailler quelques heures de plus ce soir.

Il se hâta de sortir et Eleni le suivit des yeux avec étonnement. Pourquoi était-il si empressé de partir ? Elle ne se sentait aucunement indécente. Très souvent, à la piscine, elle avait porté des maillots bien plus révélateurs que sa tenue.

Quand un peu plus tard, après avoir changé de vêtements, elle revint au salon, Eleni trouva Lucio et Angel engagés dans une conversation animée qui lui fit regretter de ne pas mieux comprendre leur langue. Dès qu'elle entra, Lucio se leva, vint rapidement à sa rencontre et lui prit la main.

— Eleni, puis-je vous dire encore combien je suis désolé ?

Il y avait dans son intonation une sincérité qui la toucha.

— Je vais parfaitement bien, le rassura-t-elle, ce n'était qu'un petit accident.

Quand elle vit ses yeux se durcir, elle ajouta :

— Je préfère croire que c'en était un, Lucio, vous pouvez penser ce que vous voulez.

Elle avait envie de tirer un trait sur toute cette affaire. Lucio inclina la tête, mais elle sentit qu'il n'était pas convaincu.

— Un brandy sera sans doute le bienvenu, proposa Angel en lui tendant un verre.

— Merci, Angel.

Se tournant vers Lucio, elle lui demanda, désireuse de changer de conversation :

— J'aurais besoin d'une perle très spéciale pour une cliente de Calgary. Cela m'aiderait tellement si vous pouviez m'en procurer une.

— Très bien, *chica,* je ne vous parlerai plus de l'incident, admit-il sèchement. Venez dans mon bureau, je vous montrerai ce que je peux vous proposer.

Avant de le suivre, elle s'exclama :

— Quels jolis tapis vous avez, Lucio ! Je suis sûre que Dora les adorerait. Me direz-vous où je pourrais m'en procurer ?

Tissés à la main, en laine de mouton, ils étaient de couleurs vives, avec des mosaïques de fleurs, des oiseaux exotiques et des soleils.

— Je ferai en sorte que vous en ayez un avant de partir, lui promit Lucio en s'effaçant pour la faire entrer dans son bureau privé.

Un peu plus tard, désignant une perle, elle déclara d'une voix pensive :

— Celle-là... je crois ? Oui, celle-là.

Assise devant sa table ancienne, dans son profond fauteuil de cuir, Eleni tourna la tête pour le regarder, debout auprès d'elle. Une lampe à abat-jour vert projetait une flaque de lumière sur ses mains. Le reste de la pièce demeurait dans l'ombre.

— C'est celle qui a le moins de valeur, remarqua Lucio.

— Oui, mais c'est la plus grosse et son orient est un peu jaune, la couleur préférée de Mme Lister. La taille le lui plaira et la forme irrégulière satisfera son insatiable besoin de toujours posséder quelque chose d'original.

— Vous arrivez à bien juger vos clients, constata Lucio en souriant.

Eleni haussa les épaules et rétorqua :

— Il le faut, sans quoi l'oncle Angus ne serait pas satisfait. Il est très exigeant... mais vous le savez aussi bien que moi.

— Paul semble avoir hérité certains traits de carac-

tère de son père, laissa tomber Lucio d'une voix
indifférente.

— Oui... quelques-uns en tout cas, acquiesça Eleni
distraitement, les yeux fixés sur sa découverte.

— Voulez-vous la mettre de côté pour moi? Je
laisserai à Paul le soin de s'occuper de la question
financière, je sais qu'il le préfère ainsi.

— Puisque vous le connaissez si bien, vous n'aurez
pas de surprises désagréables une fois que vous serez
mariés, lança soudain Lucio.

Il appuya une main sur le bureau et la regarda droit
dans les yeux comme s'il attendait une réponse.

Eleni tressaillit. Fallait-il que quelle que soit leur
conversation, il en revienne toujours à ce même sujet?
Elle humecta ses lèvres, et répondit avec une légère
irritation :

— Oui, avec Paul, j'ai éliminé ce risque.

Comme il continuait à la dévisager, elle continua
d'une voix agitée :

— Malgré ce que vous avez dit l'autre jour au sujet
de l'amour, je commence à croire que, dans la pratique,
votre attitude est parfaitement cynique.

— Il se peut que vous ayez raison, concéda-t-il.
Peut-être la réalité a-t-elle détruit en grande partie mon
idéalisme... mais vous? Où donc est le *vôtre?* Vous qui
envisagez un mariage de raison!

— Il s'agit justement de cela, mon idéal *est* la raison.

— Rêvez-vous aussi de façon sensée?

Comme elle demeurait muette, il enchaîna :

— Mes rêves au moins ne sont pas influencés par la
raison.

— A quoi bon rêver quelque chose que l'on ne
pourra jamais avoir? rétorqua-t-elle avec exaspération.

— Et que voulez-vous, *mi bien?* lui demanda-t-il
avec une soudaine douceur en la fixant avec intensité.

Comme hypnotisée par ses prunelles sombres, elle prit soudain conscience que Lucio pourrait être la réponse à tous ses désirs les plus fous. Cet homme fascinant saurait lui faire découvrir des mondes nouveaux, délicieux, songea-t-elle avec un frisson d'anticipation. Un insidieux émoi s'empara d'elle et elle rougit.

Dissimulant son trouble, elle lui répondit d'un ton léger en désignant un grand piano placé devant la fenêtre :

— En ce moment précis, je voudrais vous entendre jouer un morceau... Vous ne m'avez jamais dit comment vous aviez réussi à le transporter jusqu'ici...

Il saisit immédiatement son message et déclara :

— Il était déjà là quand je suis arrivé. Je n'ai eu qu'à le faire réparer. Qu'aimeriez-vous écouter ?

— Qu'interprétiez-vous ce matin ? s'enquit-elle en se levant.

— J'espère que je ne vous ai pas dérangée, fit-il, inquiet.

— Mais non, au contraire ! C'était une façon délicieuse d'être réveillée. Comment s'appelle cette mélodie ?

— Je l'ai écrite.

Sa main glissa sur le clavier d'ivoire jauni, et il ajouta :

— C'est au sujet d'un rêve, et cela fera partie du répertoire de Candido. Nous sommes tous un peu musiciens dans la famille, voyez-vous.

Les premiers accords résonnèrent dans la douce pénombre de la pièce.

— Olavo avait fait des études pour être concertiste, et Estella possède une très belle voix. Candido est le fruit de leurs deux talents.

— Estella ? Cette union est-elle en partie responsable d'avoir détruit votre idéalisme ?

Eleni n'avait pu se retenir de formuler la question.

— C'est possible, avoua-t-il sans paraître s'en étonner. Elle a été ma *novia,* mais le destin est intervenu et Estella a épousé l'héritier de la propriété, comme le lui conseillait sagement sa famille. Elle aussi a fait un mariage de raison.

Eleni fronça légèrement les sourcils et questionna :

— N'est-elle pas heureuse ?

— Assez, j'imagine. Elle a obtenu ce qu'elle désirait.

— Alors, non seulement Olavo s'est approprié votre part d'héritage, mais il vous a volé votre fiancée aussi ?

Devant son indignation, le sourire de Lucio s'élargit graduellement.

— C'est ce que je croyais à cette époque, mais il ne me l'a pas prise, c'est elle qui est partie. Et le temps guérit toutes les blessures, n'ayez donc pas l'air si choquée, pour moi, Eleni.

Elle posa une main sur le piano, en songeant à Ross Marshall.

— Oui, soupira-t-elle, on finit toujours par oublier, même si cela semble impossible sur le moment.

Elle s'arrêta brusquement sous le regard inquisiteur qui la fit rougir, et se hâta d'ajouter :

— Je voulais simplement dire que j'étais de votre avis.

— Ah !

Il plaqua quelques accords.

— Lucio ?…

Non, elle ne pouvait se résoudre à lui parler de Ross.

— Vous vous intéressez à beaucoup de choses. Ce soir, je découvre que vous êtes également un compositeur, fit-elle à la place.

— C'est mon nouveau passe-temps, maintenant que l'autre est devenu une affaire sérieuse.

Il fixa ses lèvres et déclara d'un air faussement candide :

— J'aime beaucoup varier les plaisirs.

Malgré elle, Eleni devint écarlate.

Pourquoi fallait-il toujours qu'elle donne un autre sens à ses paroles ? pensa Eleni, furieuse. Elle était une fois de plus victime de son imagination débordante.

Elle haussa imperceptiblement les épaules et décida de lui poser la question qui lui brûlait les lèvres :

— Lucio, je crois que vous avez mentionné le nom de Ross Marshall, tout à l'heure...

— *Si*, le connaissez-vous ?

— Je n'en suis pas sûre... peut-être. L'homme auquel je songe à une trentaine d'années, il est assez grand, large d'épaules, avec des cheveux très blonds épais et bouclés et des yeux gris.

— *Si*, il semble qu'il s'agisse bien de la même personne. C'est un de vos amis ? s'enquit Lucio.

— Il a travaillé avec nous à Calgary, précisa-t-elle sans se compromettre. Quelle coïncidence, n'est-ce pas ? Il a donc été victime lui aussi de la fièvre de l'or !

— Etait-ce lui que vous cherchiez à Huanchaco ?

— Non, mentit-elle.

Elle baissa les yeux et continua d'un ton volontairement indifférent :

— Consuelo est-elle ou était-elle sa... compagne ? Vous avez dit qu'il en avait la responsabilité.

Lucio fit courir ses doigts légers sur le clavier, paraissant ne pouvoir se résoudre à lui répondre, puis il posa ses mains sur ses genoux et se tourna vers elle.

— Ce n'est pas une bien belle histoire, êtes-vous certaine de vouloir l'entendre ?

Eleni, cherchant à dissimuler sa dévorante curiosité, lança négligemment :

— Mais certainement, pourquoi pas ?

— Oui, d'une certaine façon, commença Lucio, Consuelo était la compagne de Marshall, bien qu'il n'ait pas eu l'exclusivité de ses faveurs si vous voyez ce que je veux dire. Ils vivaient ensemble dans une cabane près de la mine...

— Et cela ne le gênait pas qu'elle soit si... si généreuse de ses charmes ? interrompit Eleni, embarrassée.

— Non. Là-bas, ces choses sont courantes. Mais plusieurs autres femmes, attirées par l'appât du gain et exerçant la même profession sont arrivées à la Marañon, et j'imagine que Consuelo n'a plus eu le même succès. Elle a alors décidé de s'enrichir d'une manière plus rapide et a commis le péché impardonnable entre tous : elle a volé de l'or. Naturellement, on l'a prise sur le fait et elle a été sévèrement battue.

— B... battue ? balbutia Eleni avec effroi. Est-ce que Ross lui-même ?...

— Non, mais il a assisté au châtiment.

— N'a-t-il pas essayé de l'aider ? s'enquit Eleni, saisie d'un malaise.

— Il n'avait pas le choix. S'il était intervenu, il aurait été considéré comme un complice. Consuelo n'a reçu qu'une sévère correction, mais lui, il aurait été tué. Ils l'ont rouée de coups jusqu'à ce qu'elle perde connaissance, et puis Ross l'a amenée chez moi parce qu'il ne savait plus quoi en faire.

En proie à une violente nausée, Eleni porta sa main à son front.

— Je vous avais prévenue, cette histoire n'est guère agréable, murmura Lucio avec douceur. Elle est ici depuis trois mois et il est maintenant grand temps qu'elle s'en aille. Dans une semaine, Ross arrivera avec le chargement. Il devra prendre une décision, elle ne

peut pas être simplement rejetée, ni renvoyée à la
Marañon.

— Ross apporte-t-il l'or une fois par mois ? s'enquit
Eleni.

— Oui, acquiesça Lucio. Parce qu'il est le meilleur
tireur. Il est généralement accompagné de deux
hommes. Les mineurs se relaient dans cette fonction.
Ils détestent perdre leur bien de vue, voyez-vous.

— Ross, un tireur d'élite ? s'étonna Eleni. Peut-être
ne parlons-nous pas de la même personne, en fin de
compte.

— J'ai constaté que le *Señor* Marshall n'était pas
aussi plaisant qu'il en avait l'air. Ainsi il comptait bien
sur moi pour se décharger de Consuelo, mais je vais le
détromper... quoique...

Il marqua une pause et leva sur elle des yeux
pétillants de malice.

— Je viens de penser que ce ne serait pas une
mauvaise idée de l'envoyer chez Olavo comme femme
de chambre. Oh ! elle pourrait lui causer tant d'ennuis,
ajouta-t-il en se frottant les mains, de plus en plus
diverti par cette perspective.

— Non ! non ! Lucio, s'écria Eleni, alarmée. Aban-
donnez cette idée, je vous en supplie. Pensez à Estella !

— Estella ? Elle a ses enfants et ses bijoux. Olavo ne
l'intéresse plus beaucoup.

— Lucio, pour l'amour du Ciel ! Vous avez dit que
vous ne vouliez pas vous venger. Vous ne pouvez pas
être aussi cruel ? s'exclama-t-elle avec emportement en
regardant son visage rieur. Ce serait... monstrueux :

— Rassurez-vous, finit-il par déclarer, je n'aime pas
mon frère, mais au fond je ne lui veux aucun mal.

Ses yeux brillaient encore d'amusement. Il ajouta en
se levant et en la prenant par la main :

— Je vous ai peinée ! Je ne voulais pas vous raconter

cette histoire. C'est la dure réalité et vous êtes si innocente, Eleni. Vous avez toujours été protégée par Angus, Dora et Paul, vous ne savez pas réellement ce que sont la pauvreté, l'avidité, la mesquinerie. Peut-être que vos yeux saphir y sont pour beaucoup. Qui pourrait se résoudre à tromper quelqu'un d'aussi confiant que vous ? Contrairement à Paul, je ne voudrais pas que vous changiez en aucune façon... Nous sommes devenus trop sérieux, lui dit-il, en changeant de ton, allons, je vais vous faire écouter les chansons de Candido et vous me donnerez votre avis.

Il se dirigea vers un placard encastré dans le mur et en ouvrit les battants d'acajou, dévoilant ainsi un impressionnant équipement de stéréo, avec un magnétophone. Lucio était un homme qui ne faisait pas les choses à moitié même quand il s'agissait d'une passe-temps, remarqua-t-elle.

— J'en ai pour une minute, assura-t-il.

Appuyant sur une touche, il disposa une série de cassettes pour un embobinage arrière rapide et tourna divers boutons. Pendant ce temps, l'esprit d'Eleni vagabondait ; elle réfléchissait à ce qu'il lui avait dit au sujet de sa vie si préservée... En tout cas, Ross, lui, n'avait pas hésité à la tromper. Il faudrait qu'elle demande à Paul quand ils repartiraient pour Calgary. Probablement d'ici un jour ou deux, il semblait si pressé de terminer son travail. Elle n'aurait pas l'occasion de voir Ross, mais elle pourrait lui laisser un mot. Cela serait tout aussi bien. De toute façon, elle n'avait plus tellement envie de le revoir après ce que lui avait révélé Lucio... *Quitter Sal si Puedes*... Eleni prit brusquement conscience que c'était une pensée presque douloureuse. L'endroit aurait-il exercé sur elle sa magie ? « Echappe-toi si tu le peux... » elle n'avait pas envie de partir, pas encore et n'éprouvait pas pour

Calgary le même attachement que Paul. Elle voulait que ses vacances au Pérou durent aussi longtemps que possible. Dieu sait si elle y reviendrait jamais...

La voix de Lucio la tira de sa rêverie.

— Candido et moi travaillons ici chaque fois que nous le pouvons. C'est calme et Olavo refuse d'y venir. Mon neveu est à Chicago en ce moment, espérant signer des contrats avec des acheteurs de café. J'ai plus confiance en ses talents de vendeur qu'il n'en a lui-même, fit-il en souriant.

— La première chanson que je vous ferai entendre est la *Ballade d'Amour*. Savez-vous que Sal si Puedes a été envahi de musiciens pendant une semaine ?

— Vous avez invité tout son groupe ici pour enregistrer ? lui demanda-t-elle étonnée.

— *Si,* Eleni, des enregistrements pour les compagnies de disques.

Le magnétophone se mit en marche et Lucio, s'avançant vers elle, la prit par la taille et l'entraîna sur un rythme sud-américain langoureux, sans lui donner le temps de refuser.

— Vos brûlures doivent aller beaucoup mieux puisque vous pouvez danser, lui dit-il poliment.

— Je les avais même oubliées, répondit-elle en renversant la tête en arrière pour le regarder.

— Eleni, vous êtes légère comme une plume, et j'ai peur que vous ne vous envoliez si je ne vous serre pas un peu plus fort dans mes bras, souffla-t-il d'une voix rauque.

Etroitement enlacés, ils se laissaient porter par la musique sensuelle comme dans une espèce de rêve enchanté.

— Je comprends ce que vous avez voulu dire au sujet de Candido, déclara Eleni légèrement à bout de souffle. Il faut qu'il ait sa chance. Sa voix est splendide, on ne croirait jamais qu'il s'agit d'un amateur. Que raconte la chanson ?

Lucio se contenta de sourire et Eleni se hâta d'ajouter :

— Peut-être vaut-il mieux que je ne sache pas ?

— Vous progressez beaucoup en espagnol, *mi bien,* un jour vous comprendrez.

Elle le fixa d'un air soupçonneux et rétorqua :

— Pourquoi ai-je l'impression que vous ne parlez pas seulement de la chanson ?

Il rit doucement et protesta :

— Vous vous trompez ! Ne prêtez pas attention à moi, pour un instant, j'avais oublié combien vous étiez sensée.

Eleni allait répliquer mais il scella sa bouche d'un baiser passionné. Blottie dans ses bras, elle oublia tout, hormis la présence de Lucio, sa force et sa chaleur. Quand il releva la tête, ils se contemplèrent quelques secondes, éblouis et bouleversés, puis Lucio glissa son autre bras autour de sa taille et la serra fougueusement contre lui. De ses lèvres, il effleura son front, ses paupières, et descendit en traçant un sillon de feu sur sa peau satinée. Eperdue, Eleni étouffa un gémissement et noua ses bras autour de son cou, enfouissant ses doigts dans la masse soyeuse de ses cheveux noirs. Murmurant des mots en espagnol, il déboutonna sa blouse et dénuda ses épaules. Soudain, il se figea. Eleni revint péniblement à la réalité.

On frappait avec insistance. Avant que la voix de Paul ne leur parvînt, assourdie, derrière l'épais battant d'acajou, Eleni savait déjà que c'était lui.

— *Señor ?* Monsieur Ferraz ? Lucio ?

Les coups redoublaient.

— Oh ! mon Dieu ! souffla Eleni, en proie à la panique.

Lucio réajusta prestement son corsage sur son épaule et se dirigea vers la porte.

— Lucio, chuchota-t-elle, affolée, il est entièrement déboutonné dans le dos, il va penser que...

— Que j'étais en train de vous déshabiller, et il n'aurait pas tort, coupa-t-il paisiblement.

La main sur la poignée, il se retourna vers elle et lui lança malicieusement :

— Ne vous montrez que de face !

— Vous êtes ici ! s'exclama Paul. Je commençais à croire qu'il me faudrait vous chercher dans le jardin. Savez-vous où est Eleni ? Sa chambre est vide, qu'a-t-il pu lui arriver ? Ah ! te voilà, s'exclama-t-il avec soulagement en la découvrant soudain, appuyée contre le piano. Heureusement ! je m'inquiétais.

Paul s'approcha d'elle.

— Comment te sens-tu ? Pas d'effets secondaires ?

— Non... non, balbutia-t-elle, je suis parfaitement bien.

Les joues enflammées, les cheveux en désordre, elle essayait de dissimuler l'éclat de ses yeux derrière ses paupières baissées, ce que Paul interpréta comme un signe de timidité. Lucio, derrière lui, savait mieux à quoi s'en tenir et la scrutait d'un air complice et amusé.

— Cet incident est complètement oublié, continua-t-elle hâtivement. N'y pense plus, Paul.

Son regard allait de l'un à l'autre, Eleni souhaitait désespérément que son cousin fasse demi-tour et s'en aille. La tête lui tournait un peu.

— Ah, me voilà rassuré ! Je suis content de vous avoir trouvé là tous les deux. Tout à l'heure, j'ai pensé...

Il marqua une pause et attendit. Le cœur d'Eleni battait à se rompre. Elle redoutait ce qu'il allait dire. Non, il était impossible qu'il n'ai pas remarqué son émoi, ses cheveux en désordre et ses yeux brillants ! Son pouls battait toujours au rythme syncopé de la salsa. Candido était très bon, *trop* bon même, songea-t-elle. Elle ne se serait jamais abandonnée aussi facilement avec une autre musique…

— Oui… continua Paul, j'ai pensé que je ne pouvais pas quitter le Pérou sans voir la Marañon.

— Qu… oi ? fit Eleni, ahurie.

— Je veux y aller, Eleni, tu dois le comprendre, je suis un joaillier, un orfèvre. Toute ma vie j'ai manié de l'or, je l'ai travaillé, acheté, vendu, et aujourd'hui je sens le besoin d'en connaître la source.

Paul était soulevé par l'enthousiasme.

— Imagine, des gens l'extraient tout simplement à la rivière ! J'en rêve depuis des jours. Il *faut* avoir vu cela… et c'est tout près d'ici.

— Mais tu es déjà allé à Barkerville, parvint-elle à rétorquer paisiblement.

— Une ville fantôme dans les Rocheuses ? jeta-t-il avec dédain. Ce n'était pas pareil !

— Bien, tu as donc terminé ton travail ici ?

— Oui, en grande partie. Mais n'avais-tu pas dit que tu voulais quelque chose ? J'espère que tu n'as rien choisi d'extravagant, car je veux encore acheter certaines émeraudes.

— Attends un peu ! s'exclama-t-elle avec vivacité, Mme Lister est *ma* cliente et elle aura *sa* perle.

— C'est entendu, mais c'est tout !

Paul accepta si rapidement qu'Eleni pensa qu'il était bien décidé à aller jusqu'à la Marañon, et essayait ainsi d'obtenir son approbation. Elle n'était nullement contrariée à l'idée de visiter la mine, bien au contraire, la perspective d'une expédition dans la jungle, avec tous les risques que cela pouvait comporter, excitait son goût de l'aventure, et puis leur départ serait ainsi repoussé, mais elle ne pouvait s'empêcher d'être un peu irritée en constatant que Paul n'hésitait pas à prolonger leur séjour quand cela lui convenait, alors qu'il n'avait pas accepté de « perdre » — comme il le disait vingt-quatre heures quand elle le lui avait demandé.

— Eh ! bien, je t'ai dit que tu pouvais l'avoir, n'es-tu pas contente ? protesta-t-il.

Elle le regarda, les sourcils froncés.

— Je n'ai aucune objection contre ce voyage, je suis simplement étonnée que tu sois disposé à refaire aussi vite des kilomètres à cheval.

— Je le supporterai, répliqua-t-il d'un ton vexé.

— Bravo ! *Señor* Tessier, approuva Lucio, dont les yeux brillaient de malice. Et combien de temps pensez-vous consacrer à cette excursion ?

Paul hésita :

— Je... ne sais pas. Quel est votre avis ?

Il fit quelques pas et s'arrêta devant le placard encastré :

— Vous permettez ? demanda-t-il.

— Ceci est mon équipement hi-fi. L'autre armoire contient un bar, expliqua Lucio. Je vous en prie, servez-vous... Pour ce qui est du voyage, poursuivit-il, il faut calculer deux jours aller et autant pour le retour. Savez-vous que vous aurez besoin d'un guide ?

Profitant de l'inattention de Paul, il se plaça derrière Eleni et se mit à reboutonner discrètement son corsage. Pétrifiée, elle ne bougea pas.

— J'espère que vous ne comptez pas emmener Eleni, ce n'est pas un endroit pour une femme, assura-t-il. Elle pourrait être la cause d'affrontements sans fin entre ces hommes brutaux et solitaires.

— Je suis sûr que vous exagérez, fit Paul, en se retournant, un verre à la main. Elle ne va pas faire des avances à aucun de ces messieurs. Grand Dieu ! Elle est ma fiancée, après tout !

— Il suffirait qu'elle sourit à l'un d'eux un peu plus qu'à un autre, jeta sèchement Lucio. Vous ne semblez pas avoir exactement conscience de l'atmosphère qui règne dans ce milieu.

— Nous ne sommes plus au Moyen Age, ironisa Paul.

— Vous n'avez pas encore vu la Marañon ! décréta simplement Lucio.

Paul réfléchit pendant un court instant.

— Non, convint-il finalement. Eleni viendra avec moi, je préfère la surveiller. Je suis beaucoup plus tranquille quand je ne la perds pas de vue. Papa serait vraiment désolé si quelque chose lui arrivait. Et après l'incident de ce soir...

Il y eut plusieurs secondes de silence un peu tendu.

— Mais il n'est pas question que tu me laisses ici, Paul ! Je veux t'accompagner, déclara fermement Eleni.

Elle ne devait pas rester à Sal si Puedes, seule avec Lucio, la tentation serait trop grande. Il fallait qu'elle y échappe quand il était encore temps. Leurs relations devenaient chaque jour plus profondes, Eleni ne povuait résister au charme dévastateur de Lucio et bientôt, elle ne répondrait plus d'elle...

— Je serais ravie de connaître la Marañon, insista-t-elle.

— C'est bien ce que je craignais, soupira Lucio d'un air résigné. Très bien, nous irons tous, et nous emmènerons Angel. A nous trois, nous réussirons peut-être à impressionner les *garimpeiros*. Je leur inspire le respect et ils ont peur d'Angel.

— Pourquoi ? demanda Paul en fronçant les sourcils.

— La plupart de ses ancêtres étaient des Indiens

Machinguenga. Et cette tribu possède une redoutable réputation.

— Ah ? Et pour quelle raison ? questionna Paul.

— Demandez-le-lui, personnellement, fit Lucio.

— Peu importe ! s'écria Paul avec bonne humeur. Et merci de nous accompagner.

Il adressa un bref sourire à son hôte.

— Je n'ai jamais vu cette sorte d'exploitation. Ce doit être très dur.

— En effet, acquiesça Lucio avec son doux accent espagnol. C'est un travail absolument épuisant.

— Voyons... fit Paul en comptant sur ses doigts. Que penseriez-vous de cinq jours au total ? quatre pour le voyage aller et retour et vingt-quatre heures là-bas ?

— J'aime dormir à la belle étoile, commenta Lucio avec un sourire.

— Je suis tout à fait d'accord, dit Eleni brusquement comme si elle venait d'être tirée d'un rêve.

Il lui semblait difficile de croire qu'après plus de deux ans, elle allait se retrouver face à Ross. Un sourire ironique erra sur ses lèvres. Peut-être était-ce le moment de vérifier si le temps guérissait réellement toutes les blessures...

— Alors c'est décidé ! déclara Paul avec un visage rayonnant.

Il était loin d'être aussi radieux le lendemain matin. Lucio ne manifestait aucune hâte et Eleni s'attardait le long du chemin « en s'extasiant sur chaque marguerite » bougonnait-il. Quelques mules transportaient leurs paquets, et ils grimpaient à pied le flanc escarpé de la montagne.

— Mon Dieu, Eleni ! s'exclama-t-il, exaspéré. Dois-tu vraiment t'arrêter et respirer chaque fleur ? Il ne s'agit pas d'une expédition de botanique !

— Il y en a vraiment de ravissantes, lui répondit-elle sans se troubler.

Ses yeux croisèrent ceux de Lucio, vifs et taquins et le souvenir de leur étreinte de la nuit dernière revint l'assaillir. Elle ne put réprimer un frisson de plaisir et de crainte à la fois. Elle se doutait bien de ce qu'il recherchait maintenant : Lucio voulait prolonger leur séjour aussi longtemps que possible. C'était la raison pour laquelle il avait accepté de si bon gré l'idée de cette expédition.

— Combien de temps vas-tu continuer à examiner ce coquelicot ? Ecoute, Eleni, il y en a beaucoup d'autres plus loin, implora Paul, qui faisait tout son possible pour ne pas exploser.

— *La señorita es despaciosa,* commenta gaiement Lucio. Allons, venez avant que votre cousin ne se fâche sérieusement.

— Comment l'avez-vous appelée ? s'enquit Paul d'un air soupçonneux. Ecoutez, Ferraz, je ne vous permettrai pas...

— Je l'ai appelée Miss Lambine, répondit Lucio en lui adressant un petit sourire railleur, avant d'entraîner Eleni rapidement à sa suite.

— Oh ! dans ce cas...

Paul esquissa un moue d'excuse, avant d'ajouter :

— Comment avez-vous dit ? J'aimerais bien m'en souvenir pour une autre occasion.

Eleni lui adressa un regard courroucé.

— Non, *bella*, décréta fermement Lucio, ce soir vous ne dormirez pas à la belle étoile. Nous sommes très près de Marcobal et les mineurs y vont pour boire, je ne voudrais pas que l'un d'eux trébuche sur vous durant la nuit.

— Pourquoi devons-nous nous arrêter ici ? Il fait

encore jour et, à ce rythme-là, nous n'arriverons jamais, protesta Paul.

— *Señor* Tessier, nous atteindrons la Marañon demain, comme je vous l'ai promis ; ne vous inquiétez pas. Si vous devez discuter avec moi à chaque pas, vous pouvez y aller tout seul, répliqua sèchement Lucio.

Paul laissa échapper un soupir.

— Bien, bien... ne vous fâchez pas, j'ai seulement hâte d'atteindre le but ! Si tu ne t'étais pas arrêtée toutes les cinq minutes, ajouta-t-il en se tournant vers Eleni, nous serions probablement déjà à Marcobal !

— Oh ! tais-toi, Paul, lui répondit-elle avec bonne humeur.

— Euh !...

— Euh ? c'est tout ? Généralement, tu as toujours le dernier mot, remarqua-t-elle en riant. Qu'as-tu donc ce soir ?

Derrière eux, Angel qui préparait un feu, laissa échapper un petit rire.

— Mon Dieu ! ce que tu peux être agaçante ! Je me demande à quoi mon père pensait quand il t'a envoyée ici !... Marcobal se trouve un peu plus haut, après ce n'est qu'une longue descente dans la forêt — du moins c'est ce que vous m'avez expliqué — alors, pourquoi ne pouvions-nous pas y coucher ce soir ? insista lourdement Paul.

— Si vous voulez absolument dormir à Marcobal, eh ! bien, *vayase !* fit négligemment Lucio en lui indiquant de la main le sentier à suivre. Nous nous y retrouverons demain matin. Peut-être aurez-vous l'amabilité de nous commander notre petit déjeuner avant que nous n'arrivions ?

Le rire involontaire d'Eleni, doux et perlé, fusa dans le silence. Elle considérait son cousin avec des yeux amusés et affectueux. Pauvre Paul, toujours aussi impatient ! songeait-elle, amusée.

— Enfin, au moins je sais me résigner quand je suis vaincu, soupira-t-il.

Il s'immobilisa brusquement et lança :

— Chut ! Quel est ce bruit ?

— Lequel ? demanda Lucio.

— Cet... aboiement, précisa Paul en regardant de tous côtés. Je suis sûr que j'ai entendu aboyer, reprit-il. Que peut faire un chien dans un endroit pareil ?

— Oh ! cela ? C'était un ours, répondit paisiblement Lucio.

Sans se presser, il se dirigea vers une des mules et décrocha un fusil accroché au harnachement.

Tandis qu'Eleni tendait l'oreille, Paul s'était rapproché du feu crépitant et scrutait l'aride paysage d'un regard inquiet.

— Les ours sont-ils gros au Pérou ? s'enquit-il d'une voix volontairement indifférente.

— L'*ucumari* n'a pas l'habitude de manger les gens pour son dîner, si c'est ce qui vous inquiète. Il est plutôt petit, marron ou noir, avec des taches beiges, et il adore les cœurs bien tendres de palmier. Généralement, il niche dans les arbres.

— Dans les arbres ? s'exclama Eleni. Oh ! il doit être adorable !

Paul émit un grognement de dérision.

— Que voulez-vous ? chuchota Eleni avec effroi en voyant Lucio se glisser sous sa tente.

Elle serra son sac de couchage autour d'elle. Il n'était qu'une forme sombre à peine visible dans la demi-obscurité. Il rit doucement et continua d'avancer sur ses genoux et sur ses mains.

— Je vous ai apporté quelque chose pour chasser les

cauchemars, *chica*, après tout ce que vous avez entendu ce soir !

Sa main se glissa sous son duvet.

— Que faites-vous ? souffla-t-elle, alarmée.

— Je mets la plume d'un condor géant sous votre lit, expliqua-t-il avec un grand sérieux. Soulevez-vous.

— Mais...

— Si vous allez crier à l'aide, il fallait le faire plus tôt, maintenant, on ne vous croirait plus, dit-il d'une voix moqueuse.

Il s'assit sur ses talons.

— Les ronflements d'Angel semblent avoir captivé Paul. J'ai pensé qu'ils vous dérangeaient peut-être. Ne me demandez pas comment il arrive à émettre de tels sons, je serais incapable de vous renseigner. Apparemment, tous les Machiguengas ont cette tare. Quelque imitation rituelle du jaguar, je suppose. Certaines personnes sont terrifiées la première fois qu'elles entendent un homme adulte « ronronner » de la sorte. Le *Señor* Tessier n'a pas eu l'air d'y prêter attention.

Ayant réussi à la distraire, il s'installa plus confortablement et étendit ses longues jambes, comme s'il avait l'intention de rester longtemps.

— J'ai d'abord été étonnée, admit Eleni, mais après quelques minutes, j'ai trouvé cela très agréable avec le feu qui crépitait... j'aurais pu l'écouter indéfiniment, cela me plongeait dans une sorte d'hypnose...

Elle se tut, frappée par une soudaine pensée : pourquoi chuchotait-elle dans le noir avec Lucio ? Rien ne semblait plus avoir de sens depuis quelques jours...

— Je ne crois pas que j'aurai besoin de cette plume, rendez-la à son propriétaire, plaisanta-t-elle.

— Il y a longtemps qu'il n'est plus ici, gardez-la, elle vous portera bonheur. Dites-moi, fit-il en changeant brusquement de sujet, votre cousin n'a pas eu l'air

enchanté ce soir en apprenant que le *Señor* Marshall
était dans les parages.

Au ton de sa voix, Eleni comprit qu'il s'agissait d'une
question. Elle hésita avant de répondre :

— Il a dû être surpris plus qu'autre chose. Il n'avait
pas la moindre idée que Ross se trouvait au Pérou, et
comme ils n'ont jamais beaucoup sympathisé, c'était
donc en outre une surprise désagréable.

— Ah ! oui, et Paul n'apprécie pas les situations
inattendues, n'est-ce pas ? Comme la vie en est pleine,
il ne doit pas s'amuser beaucoup !

Eleni sourit involontairement à cette remarque qui
contenait, elle devait se l'avouer, une certaine part de
vérité. Voyant qu'il était venu seulement dans l'intention de bavarder, elle se détendit un peu.

— En tout cas, reprit-elle avec sévérité, vous avez
vraiment de l'aplomb de vous introduire ici, comme si
c'était une chose naturelle ! Paul est à deux pas ! Il se
demande sûrement déjà pourquoi vous tardez autant.

— Le *Señor* Tessier ne m'a pas vu entrer, répliqua
Lucio d'une voix innocente, et d'ailleurs, pourquoi s'en
irriterait-il ? J'avais envie de vous voir et je suis venu,
c'est tout. Rien de plus simple. Mais j'aimerais pourtant, fit-il soudain d'une voix altérée, communiquer
avec vous d'une autre façon, avec un autre langage.

Sur ces mots, il se rapprocha d'elle de façon inquiétante.

— Oh ! non, Lucio !

Les doigts d'Eleni essayaient en vain de repousser la
main qu'il venait de glisser sous sa taille souple.

— Arrêtez, ou j'appelle, menaça-t-elle d'une voix
faible.

— *Amor mio,* il est trop tard pour crier, chuchota-t-
il, en enfouissant son visage dans la masse de ses
cheveux parfumés.

Il défit prestement les boutons de son pyjama et effleura sa gorge palpitante, explorant avec adoration chaque parcelle de sa peau satinée.

— Lucio ! êtes-vous fou ? haleta Eleni.

Il se souleva légèrement et tirant sa pâle chevelure en arrière, l'attira contre lui. Prononçant des mots incohérents, il la serra contre lui à lui couper le souffle.

— Je vous en supplie... eut-elle encore la force de murmurer.

Il s'empara fougueusement de sa bouche et elle sut alors qu'elle ne pourrait pas résister davantage au désir brûlant et presque douloureux qui s'éveillait au plus profond d'elle-même et l'emportait comme une lame de fond. Bouleversée, consentante, elle abandonna toute résistance et répondit avidement aux caresses de Lucio qui l'entraînaient vers un monde inconnu, étourdissant.

Un cri guttural poussé par Angel les fit brusquement revenir à la réalité. Lucio réagit immédiatement. Il s'écarta d'Eleni et ordonna :

— Ne bougez surtout pas !

— Que se passe-t-il ? chuchota-t-elle, effrayée.

— Nous avons de la visite, fit-il, d'un ton bref avant de disparaître.

La nuit retentit soudain de vociférations et de cris. Eleni s'extirpa précipitamment de son sac de couchage et s'approcha sans bruit de l'ouverture de sa tente. Elle perçut le bruit d'une discussion animée en espagnol qui lui était complètement incompréhensible. Elle pensa qu'une véritable rixe allait éclater. Paul, Angel et Lucio étaient groupés près du feu avec trois ou quatre étrangers. Un homme en guenilles était soutenu par deux compagnons, sa tête dodelinait contre sa poitrine. Impassible, Angel tenait son fusil à la main, le canon pointé vers le bas. L'attention d'Eleni se reporta sur le corps inerte, elle vit avec effroi et stupeur que du sang coulait de la tête hirsute et qu'une tache rouge s'élargissait sur le pantalon de l'inconnu. Avec un petit sanglot de panique, elle se hâta d'enfiler son jean, ce n'était certainement pas le moment d'être en pyjama !

Après quoi, les choses se passèrent si rapidement qu'Eleni se retrouva, presque sans savoir comment, en train de descendre la montagne aussi vite qu'elle le pouvait avec Lucio qui maintenait une allure infernale. Derrière eux, le blessé dont le nom était Meza, gémissait sur un brancard de fortune fabriqué à l'aide de sa tente. Deux de ses compagnons le transportaient avec autant de précaution que le permettait leur hâte. Grondant et jurant, ils manœuvraient la litière improvisée entre les rochers et les sentiers escarpés, conscients que leur camarade risquait de mourir à tout instant.

Eleni accéléra le pas pour se rapprocher de Lucio. Il prenait des raccourcis, tandis que les mineurs, derrière, restaient sur le sentier pour éviter de trop secouer le blessé.

Plus tôt, après une brève consultation autour du feu, il avait été décidé qu'Eleni ne se rendrait pas à la Marañon. D'après ce qu'elle avait pu comprendre, des pluies torrentielles avait fait grossir la rivière, et des fièvres contagieuses faisaient leur apparition. Lucio estimait qu'Eleni courait un risque trop grand, en y allant, et, ignorant le souhait de Paul, décréta qu'il ramenait la jeune fille à Sal si Puedes.

Avant de partir, Eleni avait donc rédigé un mot rapide à l'intention de Ross. Elle l'avait confié à Angel en lui faisant promettre de n'en souffler mot à Paul. Après s'être assuré que cela ne concernait en rien Lucio, Angel le glissa dans sa poche et lui promit de le lui remettre en main propre.

Lucio, fixant son sac au dos, jeta un coup d'œil sur le visage d'Eleni, et lui dit d'un ton rassurant :

— Il vivra, *chica*. Meza est gravement blessé, mais il vivra. Allons, dépêchons-nous, et surtout, suivez-moi bien.

Eleni tentait de maintenir son allure sur celle de Lucio et aurait certainement atterri plus d'une fois sur des bouquets de chardons, si le bras solide et rapide de son compagnon ne l'avait rattrapé à temps. S'arrêtant un instant, ils regardèrent ensemble les progrès que faisaient les deux mineurs.

— La vie ici n'est pas aussi calme que je me l'imaginais, fit-elle hors d'haleine.

— Non, de temps en temps, la fièvre de l'or éclate, répondit Lucio, laconique.

Ils se remirent en route.

Parvenus à l'entrée du chemin qui menait à l'hacienda, Lucio, sans ralentir son pas, tira sur la corde d'une cloche et, quand ils arrivèrent devant la maison, Hilario, Ramón et Luz les attendaient déjà. Les deux hommes portaient des fusils et Luz, derrière eux, ajustait hâtivement sa robe de chambre. Lucio leur donna rapidement des ordres en espagnol, et ils disparurent tous dans des directions différentes. Des paysans furent envoyés au-devant des hommes qui transportaient Meza afin de les relayer. Et tandis que les enfants continuaient à dormir paisiblement, la demeure se mit à bourdonner d'activité. Les lumières jaillirent de toutes parts des marmites d'eau furent posées sur le feu. Dans la grande cuisine, un large banc de pierre fut brossé et vigoureusement savonné, puis recouvert d'une épaisse couverture et d'un drap blanc.

Vingt minutes plus tard, Eleni stérilisait des instruments chirurgicaux tandis que Lucio se lavait les mains dans l'évier. Meza reposait sur la table d'opération improvisée, ses vêtements avaient été découpés, et il était immobile ; de grosses larmes perlaient au coin de ses yeux. Quand Eleni s'était penchée au-dessus de lui, il avait d'abord été effrayé. La vision de ses cheveux d'or l'avait convaincu qu'il s'agissait d'un ange et il s'était un instant cru mort. Elle avait eu toutes les peines du monde à le calmer, mais ensuite il ne voulait plus lâcher sa main, même après la piqûre calmante qui lui avait été administrée.

Tandis que Lucio pansait, cousait, bandait, préparait un plâtre pour son poignet cassé, nettoyait et désinfectait ses plaies, Luz lui tendait ce dont il avait besoin, anticipant ses ordres. Eleni tamponnait et épongeait du mieux qu'elle le pouvait avec une seule main.

L'heure la plus fraîche, juste avant l'aube était déjà passée. Meza, sous l'effet de tranquillisants, reposait paisiblement, couvert de bandages. Ce fut seulement à cet instant qu'Eleni se rendit compte de son état d'épuisement. Elle résista aussi longtemps qu'elle le put, aidant aux dernières opérations de nettoyage après l'opération, mais la vue d'un bol rempli de cotons ensanglantés lui souleva le cœur et elle courut dehors s'appuyer contre un pilier de la véranda pour inspirer fébrilement un peu d'air frais. Avec lassitude, elle appuya sa tête sur son bras et ferma les yeux.

La vague de nausée se dissipa presque immédiatement, elle ne perçut plus que la fatigue de cette nuit blanche et des courbatures. Elle ouvrit les paupières et contempla le jardin, s'imprégnant de sa sérénité dans la paix du soleil levant. Quand elle put enfin ordonner ses pensées, la première idée qui lui vint à l'esprit fut qu'elle serait désormais en tête à tête avec Lucio. Malgré tous ses efforts pour éviter cette situation, elle s'était produite comme si le destin en avait jugé autrement. Ils avaient quatre jours devant eux durant lesquels ils seraient entièrement seuls. Eleni aurait voulu ne pas être en proie à une telle émotion à cette perspective. *Quatre jours !* se répéta-t-elle au comble de l'excitation. Tant de choses pouvaient se passer... Elle ne voulait plus songer à Paul ni à Calgary et...

Quand Lucio sortit sur la véranda, elle le sentit immédiatement mais ne bougea pas. Il s'approcha d'elle et passa légèrement un bras autour de sa taille. Malgré sa fatigue évidente, il émanait de lui une sensation de vitalité, de puissance et de tranquille assurance qui impressionna Eleni.

Pendant un instant, le silence de l'aube les enveloppa et la jeune fille savoura le charme de cet instant.

— Merci pour tout ce que vous avez fait, Eleni, murmura-t-il doucement. Vous êtes beaucoup plus forte que vous n'en avez l'air. Mais vous devriez aller vous reposer maintenant, *mi bien*.

Repoussant une mèche de ses cheveux, il l'embrassa tendrement sur le front.

— Vous dormirez quelques heures, venez, je vais vous aider à vous coucher, fit-il en l'entraînant vers la maison.

Le cœur d'Eleni se mit à battre à un rythme saccadé.

Malgré ses appréhensions, Lucio ne tenta pas de la séduire... jusqu'à ce qu'elle s'endorme dans son bain. Des coups redoublés frappés contre la porte la firent se redresser, confuse et étourdie, au milieu de la vapeur et de la mousse. Se hâtant, et riant en silence, elle chercha un drap de bain pour s'en envelopper et alla ouvrir. Lucio lui avait déclaré en espagnol très précis que si elle n'était pas sortie immédiatement, c'était lui qui allait entrer !

— Allons, calmez-vous, je suis ici, fit-elle toute souriante.

Ses cheveux rassemblés en un chignon sur le haut de sa tête par deux épingles glissaient et cascadaient sur ses épaules nacrées. D'une main, elle chassa une boucle tandis que de l'autre, elle maintenait la serviette serrée contre son corps. L'expression de Lucio la fit instinctivement reculer, un désir passionné se lisait dans ses prunelles sombres.

En balbutiant, elle murmura d'une voix tremblante :

— Tout va bien, vous pouvez aller vous reposer maintenant.

Il enfonça ses mains dans les poches de sa robe de chambre entrouverte sur sa poitrine. Il ne portait qu'un pantalon de pyjama.

— Le fait d'être ici seule avec moi vous rend-il nerveuse ? lui demanda-t-il, sans bouger d'un pouce et en posant sur elle un regard tendrement ironique.

— Laissez-moi, Lucio, supplia-t-elle. J'essaie seulement d'être raisonnable.

Elle regretta aussitôt d'avoir choisi ce mot. La vérité était qu'une brûlante fièvre la consumait et annihilait sa raison dès qu'elle était en sa présence.

— Ah, Eleni ! Un jour vous découvrirez qu'être raisonnable ne satisfera jamais votre nature véritable.

Il caressa sa joue et sortit.

Un peu plus tard dans l'après-midi, alors qu'ils se reposaient sous la pergola, Lucio demanda paresseusement :

— Pourquoi votre cousin n'aime-t-il pas Ross Marshall ?

Eleni exhala un soupir. Pourquoi Lucio mentionnait-il toujours son cousin dans leurs conversations ?

— Il n'était pas satisfait de lui professionnellement parlant, répondit-elle. Bien que Ross fût un excellent orfèvre, il ne finissait jamais son travail à temps, égarait des pièces, arrivait en retard. C'est le type de comportement que Paul ne peut absolument pas supporter...

En outre, il soupçonnait qu'il y avait quelque chose entre Ross et moi.

— Est-ce vrai ?

— J'en ai déjà trop dit, murmura-t-elle confuse.

— Ou pas assez !

— Je n'en ai jamais parlé à personne, Lucio, en vérité, il n'y a presque rien à raconter.

— Raison de plus pour le faire, riposta-t-il, impitoyable.

Eleni demeura silencieuse quelques instants puis entama son récit. Rapidement, elle décrivit leur première rencontre au magasin, leur travail côte à côte, la sympathie croissante qu'ils éprouvaient l'un pour l'autre, leurs discussions de plus en plus longues, et comment elle devait sortir avec Ross en cachette pour ne pas peiner Paul et ses parents qui n'appréciaient pas leur nouvel employé.

Tandis qu'elle parlait, Eleni évitait soigneusement de mentionner ses sentiments à l'égard de Ross.

— Je pensais, continua-t-elle, qu'un jour ou l'autre il faudrait que je leur avoue la vérité, mais je retardais cet instant le plus possible... Je devais aller passer trois semaines de vacances au Mexique avec une amie. A cette époque, Ross ne travaillait déjà plus pour nous, je n'ai jamais su si l'oncle Angus l'avait renvoyé ou s'il était parti de son propre gré. Il avait décidé d'aller au Pérou et me suppliait de profiter de mon congé pour l'y accompagner. Il prétendait qu'ainsi, en vingt jours, nous pourrions apprendre à mieux nous connaître. Cela vous semblera sans doute insensé, Lucio, mais, alors, cette proposition me paraissait raisonnable et je me répétais qu'il était inutile de préoccuper ma famille pour quelque chose qui n'aurait peut-être pas de suite.

— O...ui, bien sûr, marmonna Lucio.

— Mon amie et moi avons mis sur pied tout un plan

pour que Dora, Angus et Paul me croient avec elle à Acapulco où nous devions en principe nous rendre. Le jour précédant notre départ...

— Vous deviez l'aimer, Eleni ! Vous n'en avez soufflé mot, mais vous deviez être follement éprise pour envisager une telle chose ! l'interrompit Lucio.

— J'avais... j'avais perdu la tête en effet. Quoi qu'il en soit, cet après-midi-là, je suis restée chez ma camarade. Ross est venu, je lui ai remis de l'argent pour mon billet d'avion, plus une petite réserve « pour qu'elle soit sous bonne garde », disait-il. Nous nous sommes occupés des passeports et nous avons décidé de nous retrouver à l'aéroport le jour suivant.

Le lendemain, j'y suis allée, et j'ai attendu pendant des heures, assise sur ma valise. Voilà, c'est la fin de l'histoire, je vous avais dit qu'il n'y avait pas grand-chose à raconter, conclut-elle d'une voix mélancolique.

— Comment ? Vous voulez dire qu'il n'est pas venu ?

— Je ne l'ai jamais revu et n'ai plus entendu parler de lui depuis lors. Je lui avais remis toutes mes économies, deux mille dollars. Pour moi, c'était une fortune.

Eleni secoua les épaules avec une feinte indifférence et reprit :

— Tout ce que je veux c'est récupérer mon argent. Il ne m'aimait pas, c'est entendu, mais il m'a escroquée, il s'est servi de moi. Je ne cherche pas à me venger, Lucio, je désire simplement rentrer en possession de ce qui m'appartient.

Elle fit une pause et ajouta sur un ton un peu amer et railleur :

— Etant donné les circonstances, j'étais soulagée que cette merveilleuse aventure avec Ross Marshall soit demeurée secrète. A présent, trois personnes sont au courant, mon amie, moi et... vous.

— Et lui, ajouta sombrement Lucio.

— Beaucoup plus tard, j'ai découvert qu'il était en effet parti pour le Pérou. Aujourd'hui, quand j'y pense, je m'en veux terriblement d'avoir été aussi stupide !

— Cela a dû être pour vous un réveil très rude, remarqua Lucio pensivement.

— En effet, j'ai payé très cher ma crédulité, fit-elle avec ironie.

— Maintenant, je comprends pourquoi vous êtes attirée par la perspective d'un mariage tranquille.

— Oh ! non, Lucio ! s'exclama-t-elle précipitamment. Ross n'a absolument rien à voir avec cela. J'ai de l'affection pour Paul, je le connais, il m'inspire confiance, et je sais que *jamais* il ne m'abandonnerait dans un aéroport, acheva-t-elle en se contredisant involontairement.

Eleni se racla la gorge et fit des efforts pour se redresser et s'asseoir dans le hamac.

— Il a beaucoup de bonnes qualités, affirma-t-elle encore comme pour chercher à se convaincre.

— Oui, je vois, répondit Lucio sur un ton un peu sarcastique. Un mari fidèle et prévenant et un père consciencieux... un père consciencieux du moins.

Malgré elle, Eleni s'enquit :

— Que signifie ce « du moins » ?

Lucio haussa les épaules.

— Pouvez-vous me dire quelles sont les prévenances et les attentions dont il vous a entourée durant ce voyage ?

Il demeura silencieux auprès d'elle, les bras croisés sous sa nuque.

— Il était très préoccupé, plaida Eleni. D'habitude,

il ne se comporte pas ainsi. Vous ne le connaissez que superficiellement. Ici, il n'est pas dans son élément.

A part elle, Eleni devait s'avouer que leurs fiançailles semblaient être la dernière des préoccupations de Paul. Tante Dora, avec ses brillantes idées, avait fait fausse route cette fois-ci. Ou bien était-ce elle, Eleni, qui ne s'était pas conduite comme il le fallait ? Mais n'avait-elle pas prévenu sa tante qu'elle ne comptait pas jouer les séductrices pour essayer de pousser Paul dans une voie qu'il n'était peut-être pas encore disposé à prendre ? Que pouvait-elle faire sinon attendre ? Et puis, Eleni rêvait d'une seule chose : savourer chaque minute qu'elle passait en compagnie de Lucio, graver à jamais dans sa mémoire chaque minute de ce merveilleux intermède…

Les heures succédaient aux heures sous le soleil brûlant. Meza récupérait lentement. Ramón et Hilario s'étaient relayés à son chevet. Lucio encourageait son malade, venait plaisanter et discuter avec lui. Dans l'arrière-cuisine, Luz s'affairait et, du dehors parvenaient les cris et les rires de ses enfants qui jouaient à l'ombre des grands arbres. C'étaient des instants de rêve qui coulaient paresseusement, et pourtant trop vite.

Quand la nuit tombait, les longues soirées chaudes appartenaient à Lucio et Eleni seuls. Il la courtisait dans le véritable sens du mot ; subtilement et sans hâte, avec tendresse et prévenance. Peu à peu, Eleni était consciente du lien puissant qui les unissait. Lucio savait l'émouvoir… l'aimer. Il était si différent de Paul.

Le dernier soir, les paysans préparèrent un feu de joie « en l'honneur » d'Eleni et une grande fête s'organisa. Un cochon de lait rôtissait au-dessus des flammes, doré et croustillant. Le vin coulait généreusement.

Tout le monde bavardait avec animation. Puis vinrent les chansons, les danses, les histoires sans fin. Des bâtonnets de bois de santal jetés dans le feu, dégageaient une épaisse fumée bleue et parfumée qui éloignait les insectes.

Eleni pensait qu'elle s'amusait trop, que tout était *trop* merveilleux. Elle et Lucio étaient traités comme des amants et non pas comme un hôte et son invitée, cela, elle l'avait bien remarqué. Tout le monde semblait savoir que leurs rapports avaient changé. Etait-ce si évident ? et dans ce cas, qu'arriverait-il quand son cousin reviendrait ? Heureusement, personne ne se doutait de ses fiançailles avec Paul sinon le personnel de Lucio l'aurait considérée comme une femme déloyale. Eleni n'éprouvait pourtant nulle honte et s'en étonnait. Elle se sentait légère... joyeuse, excitée et avide de vivre. Mais cela aurait une fin hélas, se rappela-t-elle avec un serrement de cœur.

Certains des hommes les plus vieux, assis autour du feu, mâchaient des feuilles de coca. Ils avaient de petites gourdes semblables à celles utilisées pour le maté, mais avec des bouchons plats en argent, munis d'une sorte de tenon qu'ils enfonçaient en cadence à l'intérieur en un bruit régulier qui semblait ponctuer le chant de la flûte de Pan, s'élevant, pur et mystérieux, vers le ciel mauve.

— Qu'y a-t-il dans ces gourdes ? chuchota Eleni à Lucio.

— *Cal* ou *Llipta,* la cendre alcaline de la tige de *quinoa.* L'alcali aide à libérer les minuscules quantités de cocaïnes contenues dans les feuilles. C'est une coutume ancestrale, remontant très loin dans le temps. Le goût peut être agréable quand on s'y habitue. Voulez-vous essayer ?

Elle hocha la tête en signe de consentement.

— Ce n'était même pas la peine de vous le demander, fit-il, tandis qu'un grand sourire éclairait son visage
brun. C'est dans votre nature, vous voulez tout connaître, n'est-ce pas Eleni ?

Il la dévisagea intensément dans la lumière dansante
des flammes, puis s'éloigna pour se procurer le nécessaire.

Il n'eut pas besoin de lui expliquer comment procéder. Elle plia le coca en un petit paquet et l'introduisit
dans une joue et imita soigneusement les gestes qu'elle
venait d'observer. Elle tapa le tenon mais quand elle le
retira, elle n'y vit rien, et leva sur Lucio un regard
interrogatif et déçu.

— Vous devez lécher d'abord, lui expliqua-t-il.

Le rire se devinait dans sa voix. Elle lui obéit aussitôt
et recommença son manège plusieurs fois de suite.

Elle eut bientôt l'impression que sa langue avait
doublé de volume et que sa bouche engourdie était
pleine de ces feuilles astringentes et vertes. En voyant
son expression perplexe, Lucio se mit à rire doucement.

— Vous verrez, dit-il, vous en avez suffisamment
mâché pour obtenir le même effet que vous feraient
trois tasses de café très fort.

Se partageant la gourde, ils tapaient et mastiquaient
avec les autres. Après un moment, Lucio déclara :

— Maintenant, crachez.

— Pardon ? ?

— Crachez.

Il sourit malicieusement et s'enquit :

— Les « ladies » du Canada ne crachent pas ?

— Eh ! bien, oui, des noyaux de cerises, des pépins
de melon…

— C'est le même principe. Crachez toutes les feuilles et rincez-vous la bouche à l'eau claire.

— Entendu, mais je ne peux pas le faire ici, devant tout le monde !

Ils se levèrent et Lucio l'entraîna vers les hauts eucalyptus pour procéder à l'opération. Alors qu'ils s'apprêtaient à revenir auprès du feu, Lucio l'attira dans ses bras. La nuit était pleine du chant des criquets et des grenouilles. Elle ne chercha pas un instant à le repousser mais lui rendit son étreinte avec ferveur.

Beaucoup plus tard, de retour à l'hacienda, Eleni s'efforça sincèrement d'être raisonnable. Elle lui souhaita une bonne nuit, le remercia pour la merveilleuse soirée et s'enfuyait presque vers le refuge de sa chambre, quand il lui demanda :

— Vous allez vous coucher ? Déjà ?

Sans le regarder, elle savait que ses sourcils étaient relevés de cette façon exaspérante qu'il avait de se moquer gentiment d'elle chaque fois qu'elle décidait d'opérer une retraite prudente.

— Oui, Lucio, jeta-t-elle par-dessus son épaule d'une voix ferme, bien décidée à ne pas se laisser fléchir.

— Ah ? Eh bien, bonne nuit. Quant à moi, je vais aller regarder les cactus.

Eleni ralentit son pas, pivota, et répéta d'un ton incrédule :

— Des cactus ? Mais nous en voyons toute la journée !

— Mais ceux-ci sont très spéciaux. Ils ne fleurissent que la nuit sous la lumière de la lune. J'ai surveillé les boutons et je suis sûr que le moment est venu. Ces fleurs éphémères ne durent souvent que quelques heures.

Eleni pensa en soupirant que Lucio était vraiment diabolique. Si elle ne l'accompagnait pas et attendait le retour de Paul, elle perdrait sans doute ce spectacle si rare. Et puis son cousin refuserait sans doute de venir avec elle.

— Etes-vous trop fatiguée ? questionna Lucio avec douceur.

— Non, pas le moins du monde. Vous aviez raison, à propos du coca : j'ai l'impression d'avoir absorbé un litre de café !

Elle l'épia à la dérobée. La perspective de cette promenade était attrayante et si elle ne faisait qu'un rapide aller et retour, peut-être que...

Les fleurs de cactus, d'un blanc argenté sous la clarté lunaire, valaient en effet la peine de se déplacer. Leurs pétales odorants, étroits et longs, formaient un bouquet autour d'un pompon d'étamines soyeuses poudrées de pollen jaune.

Son compagnon ne fit aucun geste pour la prendre dans ses bras. Ils reprirent lentement le chemin de l'hacienda. Mais Eleni sous-estimait Lucio.

Il la guidait vers un des nombreux sentiers, comme il le faisait toujours. Elle les différenciait difficilement, surtout la nuit, et ne put cacher sa surprise lorsqu'ils se retrouvèrent soudain devant la pergola.

Une lanterne, accrochée à la place de la cruche, diffusait une lueur douce qui transformait ce refuge en une sorte de grotte mystérieuse, tapissée de velours pourpre.

Sur la table de bambou était disposé un appétissant buffet composé de sandwichs et de minuscules petits fours. Deux soupières en argent reposaient sur des dessous de plat en cuivre. A la vue de ce décor si romantique, Eleni poussa un soupir. Lucio lui tendait piège après piège et elle y tombait chaque fois. Comment résister aussi ?

La promenade lui avait ouvert l'appétit, et cela

semblait si difficile maintenant de faire demi-tour. Elle s'approcha avec curiosité et souleva un couvercle.

— C'est de l'eau !? s'étonna-t-elle.

— *Si*, dit-il.

Et il se mit aussitôt en devoir de préparer un étrange breuvage. Il versa dans leurs verres une dose de ce qu'il appelait *alcohol puro,* y ajouta des morceaux de sucre roux, le jus d'un citron fraîchement pressé, un peu de zeste et, enfin, une généreuse rasade d'eau bouillante. C'était divin !

Eleni était aussi à blâmer que lui pour ce qui arriva ensuite. Elle avait eu maintes occasions de se lever et de partir, mais elle n'en avait pas eu le courage.

Par prudence, la jeune fille avait préféré ne pas s'allonger sur le hamac pour éviter tout contact avec Lucio. Avec délice, elle goûta tous les mets proposés puis décida d'aller se rincer les doigts. Elle alla s'accroupir près du ruisseau puis elle sentit plus qu'elle ne l'entendit Lucio venir derrière elle. Il s'agenouilla à côté d'elle et ce qu'elle lut dans ses yeux sombres la fit frissonner.

— Lucio, le de-dessert est sur la table, balbutia-t-elle d'une voix troublée.

— Pourquoi croyez-vous que je veuille un dessert ? demanda-t-il en se rapprochant d'elle.

Elle recula de quelques centimètres et murmura :

— Tant que vous ne voulez pas de *moi* comme dessert…

— Je l'ai déjà pris, *mi bien*. Avez-vous oublié que nous avons partagé le fruit de la passion ?

— Ah oui ?… Je ne savais certainement pas ce que je faisais alors, fit Eleni en cherchant à éviter ses lèvres.

Mais il la saisit entre ses bras et la renversa sur le sable blanc.

Au contact de son corps chaud, viril et musclé, elle

fut aussitôt emportée dans un tourbillon d'émotions et de brûlant désir. Chaque baiser, chaque caresse embrasait en elle un feu délicieux qui la consumait tout entière. La tendresse, la douceur de Lucio avaient cédé la place à une farouche ardeur qui enflammait la jeune fille. Leurs étreintes devenaient plus pressantes... plus sensuelles. Le jeune homme était plus exigeant et donnait libre cours à sa passion. Lentement, depuis leur danse à Yenasar avec les gitans, leurs relations avaient changé, subtilement, s'intensifiant pour atteindre les sommets de l'extase.

Lucio se souleva légèrement sur un coude et déboutonna jusqu'à la taille sa robe légère. Ses mains, ses lèvres, explorèrent chaque parcelle de sa peau nue et frémissante, provoquant chaque fois en elle une explosion de sensations voluptueuses. Eleni livrait une terrible bataille elle-même : son corps désirait Lucio mais sa raison lui rappelait l'existence de Paul, et elle ne pouvait s'abandonner complètement.

— *Amor Mio*, chuchota-t-il contre son oreille.

Il s'écarta tout d'un coup. Sa voix était rauque et dure, insupportablement dure.

— Alors, Eleni ? De qui rêverez-vous quand vous irez vous coucher ? De moi ou de Paul ? Désirez-vous être dans ses bras ou dans les miens ?

Il se redressa davantage, et poursuivit impitoyablement :

— Et quand vous serez sa femme et qu'il ne vous aura pas satisfaite, à qui penserez-vous ? A moi ? Ou à un autre *amante* pour combler votre solitude...

Avec un air railleur, il effleura du bout du doigt la pointe de son sein et la jeune fille ne put retenir un gémissement rauque. Jamais elle ne s'était sentie plus vulnérable. Que pouvait-elle lui répondre ?... Une seule réalité s'imposait à elle : Eleni était tombée

éperdument et irrévocablement amoureuse de Lucio.
D'un geste brusque, elle s'arracha à lui et reboutonna
sa robe en tremblant. Sans un mot, elle s'enfuit en
courant.

Un peu plus tard, bien en sécurité dans le havre de sa
chambre Eleni songeait à Paul. Si tranquille, si
confiant. Certain qu'elle l'attendrait aussi longtemps
qu'il le faudrait. Etait-il indifférent ou aveugle ? Etait-il
si accoutumé à la présence d'Eleni à ses côtés qu'il ne
pouvait imaginer un autre homme dans sa vie ? Et
quelles étaient les intentions de Lucio ? Une simple
aventure avec lui ne l'intéressait pas. Dans ses bras, elle
avait vraiment eu l'impression qu'elle lui était très
chère… Mais où cela menait-il ? Comment pouvait-elle
envisager de renoncer à tout ce qui lui était familier, à
ses projets et à sa famille, simplement à cause d'un
homme qu'elle ne connaissait même pas trois semaines
plus tôt ?

La forte attirance qui les liait pouvait s'atténuer du
jour au lendemain songea-t-elle en se rappelant Ross.
Alors, que lui resterait-il ? Si elle repoussait Paul,
jamais il n'accepterait de la reprendre. Pouvait-elle tout
risquer ainsi ? Paul était sûr. Il n'était peut-être pas
romantique, mais il serait toujours là, franc et loyal.
Paul n'avait pas de secrets pour elle, tandis que Lucio
était… mystérieux. Oh ! mais Lucio ne l'aurait jamais
abandonnée dans un aéroport ! Dans le fond de son
cœur, elle en avait la certitude. Et que se passerait-il s'il
avait raison et qu'après avoir épousé Paul, elle se
retrouvait insatisfaite et frustrée ? Oui, que se passerait-il alors ?

6

ELENI prit beaucoup de temps pour s'habiller ce matin-là. Elle se maquilla très légèrement et vaporisa sur sa nuque un léger nuage de parfum. Après la façon dont ils s'étaient séparés la nuit dernière, elle ignorait quel serait l'accueil de Lucio. Son charme envoûtant et ses manières très civilisées ne suffisaient pas toujours à dissimuler le côté coupant de son caractère et son implacable volonté. Ses réactions imprévisibles la déconcertaient. Il pourrait, par exemple, ne pas la toucher de la journée ou, au contraire, la prendre dans ses bras et l'embrasser aussitôt qu'il la verrait. Selon lui, l'amour pouvait éclore et se manifester n'importe quand et n'importe où... Jetant un dernier regard incertain au miroir, elle carra ses épaules d'un air décidé. Elle n'allait pas rester dans sa chambre toute la matinée ! D'un pas vif, elle sortit à la recherche de Lucio. Son cœur battait à se rompre tandis qu'elle traversait le hall en direction du balcon où le café était généralement servi. La seule pensée de l'apercevoir la plongeait dans un émoi indescriptible. Lucio l'avait ensorcelée...

La première personne qu'elle vit fut Ross Marshall, confortablement installé dans un fauteuil de rotin. La surprise la figea sur place. Ross se leva d'un bond, poussa un cri de triomphe, se précipita vers elle. Il la saisit entre ses bras, la fit tournoyer et l'écrasa finalement contre sa poitrine.

— Mon ange ! Oh, ma chérie ! s'exclama-t-il en exultant.

— Un instant, Ross ! cria une voix furieuse.

Paul, les deux mains appuyées sur le rebord de la table, était rouge d'indignation.

— Relâchez-la immédiatement, ordonna-t-il d'un ton mordant.

Elle vit que Lucio dévisageait son cousin avec stupeur, visiblement désarçonné par sa violente réaction. Quant à Angel, il arborait un large sourire.

— Vous êtes toujours la plus jolie fille du monde ! Et vous n'avez pas grandi d'un centimètre, ajouta-t-il en riant.

— Je vous en prie, Ross ! parvint-elle à articuler, en essayant de le repousser. Je ne peux pas respirer, laissez-moi.

— Non, jamais, plus jamais ! Oh ! comme vous m'avez manqué durant tout ce temps !

— Marshall ! rugit Paul, hors de lui, je vous ordonne de la lâcher, *immédiatement !*

Ross tourna légèrement la tête et le considéra d'un air narquois, puis il reposa doucement Eleni à terre.

— Vous auriez pu vous contenter de lui serrer la main, déclara Paul d'une voix glaciale.

— Désolé, rétorqua Ross. Je préfère faire les choses à ma façon.

— Pas avec ma fiancée en tout cas, certainement pas !

Autour de la table personne ne bougeait.

Ross s'empara alors de la main gauche d'Eleni, fit remarquer l'absence de bague à son annulaire et, avant

qu'elle ne puisse protester, porta cérémonieusement
ses doigts à ses lèvres.

— Qu'en pensez-vous ? demanda-t-il ironiquement à
Paul. Est-ce plus dans votre style ?

— Je vous ai déjà dit, Marshall, de garder vos
distances, siffla Paul, les mâchoires serrées.

— Allons, allons, messieurs, fit Lucio d'un ton
conciliant, ce n'est pas le moment de vous quereller.
Eleni n'a même pas encore pris son petit déjeuner.

Tout le monde se rassit. Eleni prit place entre Lucio
et Paul.

Dans le silence tendu, elle questionna :

— Tu viens juste d'arriver Paul ? Tu es revenu plus
tôt que je ne m'y attendais.

— Après avoir vu la mine, j'ai voulu rentrer immédiatement, maugréa-t-il en lançant un regard sombre à
Ross.

— En effet, intervint Angel, et Marshall a décidé de
nous accompagner avec l'or.

Il désigna du menton deux sacs de jute posés sur la
table. Eleni, avec toute cette agitation, ne les avait
même pas remarqués.

— Vous êtes en avance, observa Lucio à l'adresse de
Ross. L'avion n'arrivera que dans quatre jours.

— Je sais, rétorqua ce dernier. Je suis venu plus tôt
pour Eleni. Je n'allais pas la laisser repartir sans la voir !
Vous n'avez pas changé, murmura-t-il à son intention,
en la dévisageant avec une impudence qui la fit rougir.

Lucio et Paul la fixaient aussi.

— Dès que nous serons de retour à Calgary, déclara
sèchement Paul, Eleni aura sa bague de fiançailles. J'ai
choisi un diamant dans la collection de Ferraz. Trois
carats et demi.

— Oh ! non, Paul, protesta-t-elle impulsivement.

Ce n'était vraiment pas le moment indiqué pour une déclaration !

— Naturellement tu l'auras, insista Paul. Ne t'inquiète pas, il ne sera pas trop gros pour ta petite main, j'ai déjà un modèle en tête.

— Et qui fera la bague ? s'enquit Ross avec ironie. Eleni peut-être ?

— Pourquoi pas ? répondit-elle avec agitation.

— Je vous propose de m'en charger, ironisa Ross. Ainsi vous serez certain qu'elle ne sera pas déçue.

Paul maugréa quelques paroles incompréhensibles dans sa tasse de café.

— Raconte-moi ton expédition, lui demanda Eleni, désireuse que la conversation prenne un autre tour. Pourquoi tout le monde semblait-il si bouleversé par la pluie ?

Ross lança avec assurance :

— Eleni, mon trésor, je vous raconterai tout dès que nous aurons pris notre petit déjeuner, je meurs littéralement de faim.

— Je peux lui expliquer ce qu'elle veut, jeta Paul avec humeur. Je n'ai pas besoin de votre aide.

— Ah ? Vous n'êtes resté que vingt-quatre heures et vous voilà déjà devenu expert ? Félicitations, Tessier, jeta Ross d'un ton railleur.

— Je ne pense pas qu'elle veuille un compte rendu, minute par minute ! riposta Paul.

Lucio offrit à Eleni une assiette de brioches et de petits gâteaux, mais elle avait perdu l'appétit. Il se pencha vers elle et lui dit à mi-voix tandis que les deux hommes continuaient à discuter avec âpreté :

— Quand les pluies tombent sur la Marañon, *bella,* ce sont des épées.

— Des épées ? Vous voulez dire des hallebardes ?

— Oui, des hallebardes, acquiesça-t-il en riant, je

me trompe parfois avec ces expressions imagées...
Quand cela se produit, enchaîna-t-il, le courant et les
remous font qu'il devient impossible de déterminer à
qui l'or appartient, et les mineurs deviennent dangereux... Avez-vous bien dormi ? s'enquit-il brusquement.

Sous son regard caressant, elle fut soudain envahie
par un délicieux émoi qui fit battre son cœur.

Elle murmura :

— Oui et non... et vous ?

Les yeux de Lucio s'arrêtèrent sur ses lèvres.

— Oui et non, chuchota-t-il à son tour. J'ai fait un
rêve particulièrement intéressant, ajouta-t-il malicieusement.

Elle savait qu'il valait mieux en rester là. Mais elle ne
put résister et lui demanda innocemment :

— Quel rêve ?

— Rougissez-vous facilement ? plaisanta-t-il.

— Eleni ! M'écoutes-tu ?

La voix de Paul semblait lui parvenir de très loin.

— Comment ? Oh ! pardon. Que disais-tu ? balbutia-
t-elle.

— As-tu, oui ou non, envoyé à Ross une note lui
demandant de venir ici ? gronda-t-il.

— Non... je veux dire que je ne lui ai *pas* demandé
de venir.

— Je savais que je ne devais pas vous croire, Ross,
fit Paul d'un ton triomphant.

— Oh ! mais voici la preuve.

Ross lui tendit un petit bout de papier froissé et Paul
posa sur Eleni des yeux terriblement accusateurs.

Elle exhala un soupir de lassitude. Pourquoi avait-il
fallu que Ross mentionne ce pli à Paul, alors qu'elle
l'avait prié de ne pas le faire.

— J'ai envoyé un message, expliqua-t-elle, mais je ne l'ai pas appelé.

— Vraiment ? Et pourquoi le lui as-tu envoyé ? Peux-tu m'éclairer ? fit-il sarcastique.

— Parce que j'avais quelque chose à lui communiquer.

— Quoi ? Que peux-tu avoir à lui dire ? explosa Paul en reposant brusquement sa fourchette sur la table.

Il était évident que Ross se délectait de cette discussion.

— Ce n'est rien d'important Paul, rien qui puisse te déranger, mais c'est une affaire *privée* et elle le restera, conclut-elle avec fermeté.

Son regard direct défia Paul d'insister. Il hésita un instant et baissa les yeux.

Ross avait les paupières à demi fermées, un sourire en coin relevait sa bouche, il ressemblait à un chat à l'affût et elle se sentit soudain extraordinairement heureuse qu'il soit parti avec ses deux mille dollars plutôt qu'avec elle. Son regard froid et calculateur balaya le sentiment de déception qui l'accablait depuis deux ans. S'ils avaient été seuls, elle lui aurait dit de garder l'argent jusqu'au dernier centime, et l'aurait remercié du fond du cœur de lui avoir évité ainsi de commettre une irréparable erreur. Son soulagement était si intense que, sans s'en rendre compte, elle lui sourit. Et Ross, étonné, battit des paupières.

Eleni remarqua que Paul virait à l'écarlate.

— Raconte-moi ton voyage, se hâta-t-elle de lui demander d'une voix aimable et apaisante. En es-tu satisfait ?

— Il aurait été très intéressant si ce n'avait été pour M. Marshall, répondit-il d'un ton rageur.

— Je ne vous ai jamais été très sympathique, n'est-ce pas ? intervint Ross.

Eleni soupira et se tourna vers Lucio qui buvait nonchalamment son café.

— Je ne crois pas qu'une trêve soit décidée immédiatement, murmura-t-elle.

Paul avait toujours été jaloux de Ross, mais jamais de façon aussi évidente. Pourquoi était-il furieux ? Que lui avait raconté Marshall ? Elle aurait voulu qu'il se contrôle davantage, et surtout qu'ils cessent de discuter à son sujet. Ross jouait cruellement avec Paul, il lui décochait des remarques empoisonnées tout en adressant à Eleni des coups d'œil complices. Ce spectacle semblait amuser Lucio et il ne faisait rien pour y mettre fin.

— Assez ! taisez-vous tous les deux ! hurla soudain Eleni en se dressant.

Ils la regardèrent, bouche bée, muets de stupeur.

— Vous ne saviez pas que je pouvais crier aussi fort, n'est-ce pas ?

Elle se tourna vers Angel et ajouta :

— Avez-vous dû supporter cela durant ces deux derniers jours ?

— Oui Miss, fit-il avec ironie, tout le temps !

— Je vous plains sincèrement ! compatit Eleni.

Changeant délibérément de conversation, elle lui demanda :

— Peut-on voir l'or ?

Les tasses et les plats du petit déjeuner furent repoussés et Angel vida au milieu de la table l'un des sacs de jute. Des sachets de plastique, de petits paquets noués dans des mouchoirs sales se répandirent sous leurs yeux. Eleni avait peine à croire qu'ils représentaient le fruit de tant de mois d'un labeur épuisant. Angel s'approcha d'elle, dénoua un vieux tissu orange et lui montra dans une enveloppe transparente la poussière d'or. Il y avait dans le fond un morceau de

métal de la taille d'un noyau de cerise. Il déclara
gravement :

— Fernandez est riche maintenant. Il pourra aller
chez le dentiste.

Il s'en suivit une conversation générale au cours de
laquelle Ross et Paul observèrent une trêve.

— Et quand l'avion viendra, disait Ross, je signerai
un...

— Comment ? l'interrompit Paul, un avion ? que
voulez-vous dire par un *avion* ?

Ross le dévisagea d'un air narquois et riposta :

— Vous savez... avec deux ailes, un moteur, et
généralement un pilote à bord ?

Paul le regarda en fronçant les sourcils, mais ne
daigna pas lui répondre. Il se tourna vers Lucio et
lança :

— Je croyais que vous aviez dit qu'il n'y avait pas
d'autres moyens d'arriver ici, et maintenant je découvre que c'est faux !

Eleni vit que Paul recommençait à rougir de colère.

Paresseusement, Lucio expliqua :

— Il ne vole qu'à certaines dates. Si j'avais su que
vous étiez disposé à passer deux semaines à Trujillo,
j'aurais pu m'arranger pour que vous le preniez. Vous
n'arriveriez que dans quatre jours au lieu d'être sur le
point de repartir. Cela vous aurait-il davantage
convenu ?

— Non, bien sûr que non, soupira Paul bruyamment. Mais si vous m'avez obligé à voyager à cheval
pendant plus d'une semaine, alors qu'il existait un autre
moyen de..., dit-il d'une voix menaçante... Comment ?
continua-t-il, vous voulez me faire croire qu'il n'y a pas
d'appareils à louer ? quand il y a forcément un terrain
d'aviation près d'ici !

— Ne vous mettez pas dans cet état, *Señor* Tessier,

pria calmement Lucio. Ce terrain est réservé à des fins officielles, et il n'y a pas d'avions à louer, pas réellement.

— Pas réellement ? C'est-à-dire ?

— Il veut parler de Santes, intervint Ross. On ne peut pas compter sur un homme comme lui.

— Pourquoi ? Son engin n'est pas en état de marche ?

— Non, répondit Lucio, il ne s'agit pas de cela, il dispose d'un hélicoptère dernier modèle, le problème a une autre source... Santes lui-même.

— Il ne sait pas piloter correctement ? s'écria Paul.

— Non, là n'est pas la question, répliqua patiemment Lucio.

— Eh ! bien, quoi alors ? J'aurais donné une fortune pour éviter ces neuf jours de voyage !

Lucio expliqua :

— Santes a découvert un filon. Après quoi, il s'est acheté ce beau jouet. D'ici peu, il cessera probablement de fêter son incroyable chance et pourra se remettre à travailler, mais pour l'instant, on ne peut louer ses services que quand il n'est pas plongé dans un coma éthylique.

— Il est trop ivre pour voler ? jeta Paul avec stupeur.

— La plupart du temps, oui. Actuellement, il a disparu et personne n'arrive à le retrouver.

— Mon Dieu ! maugréa Paul, ces choses n'arriveraient jamais à Calgary.

— En êtes-vous bien sûr ? demanda Lucio en souriant.

— Enfin, soupira Paul, au moins nous n'aurons pas besoin de revenir à Trujillo par le même chemin. Nous pourrons prendre cet appareil. Ils nous accepteront, n'est-ce pas ? demanda-t-il à Lucio d'un ton inquiet.

— Cela pourra être arrangé, en effet, acquiesça-t-il.

— Quand je pense à toutes mes meurtrissures et à mes courbatures ! marmonna Paul. Si je pouvais trouver ce Santes, je me chargerais de lui éclaircir les idées ! Quel pays ! Je me demande comment quoi que ce soit peut fonctionner. *Mañana, mañana !*

Paul secoua la tête avec désenchantement.

Eleni envisageait ce retour avec beaucoup de tristesse. Elle évitait de regarder Lucio. Non, elle ne voulait pas rentrer à Calgary ! Comment avait-elle réussi à tomber si éperdument amoureuse ? Et surtout, *comment* pourrait-elle expliquer cette folie à son oncle et à sa tante ?

— Hé ! Eleni !

Paul agita sa main devant son visage.

— Réveille-toi !

— Retire tes doigts immédiatement, ou je les mords, répliqua-t-elle en lui assénant une petite tape sur la main.

Ross se mit à rire, et déclara :

— Vous allez épouser un ange du ciel, Paul...

— Cela ne vous regarde pas, rétorqua-t-il sèchement. Eleni, écoute-moi quelques instants : nous embarquerons sur cet avion, nous ne resterons pas un jour de plus qu'il n'est nécessaire, et ne rêve pas d'un autre voyage à cheval ! je te connais, je suis certain que tu aimerais refaire le même trajet et dans les mêmes conditions !

— Une fois de plus, tu as raison, riposta-t-elle d'une voix gentiment moqueuse.

Elle se leva de table et ce fut le signal du départ. Angel disparut quelque part dans l'hacienda, Lucio s'enferma dans son bureau avec Ross pour discuter et remplir les imprimés gouvernementaux, et elle demeura seule avec Paul.

— Comment va Meza? lui demanda-t-il après une courte pause.

— Il va beaucoup mieux. Il se remet rapidement.

— Ah! c'est bien... Désolé que tu n'aies pu m'accompagner, Eleni.

Elle haussa les épaules, et rétorqua :

— Il est inutile de t'en préoccuper maintenant.

— Euh... Eleni?

— Oui?

— Eloigne-toi de Ross, veux-tu? C'est un personnage peu recommandable.

— Je voudrais que tu cesses de te préoccuper à son sujet, fit-elle. Ross n'est rien pour moi. Il se moque de toi, Paul, et tu te laisses berner.

— Tout ce que je te demande, c'est de le tenir à distance, insista Paul avec entêtement.

Il se tut un instant.

— Bien. Je vais te laisser, il faut que j'aille me changer et prendre un bain. A tout à l'heure, Eleni.

Un peu déroutée, désœuvrée, elle se pencha sur le balcon et cueillit machinalement une fleur de chèvrefeuille qu'elle écrasa entre ses doigts. Bientôt, elle serait de retour à Calgary. Après viendrait la bague de fiançailles et, plus tard, le mariage...

Après tout, peut-être était-ce mieux qu'ils partent le plus tôt possible. Elle s'était attachée à Lucio beaucoup trop vite. A Sal si Puedes, le monde réel semblait se trouver à des années lumière. De retour chez elle, ses sentiments pour lui seraient sans doute différents, elle l'oublierait comme elle avait oublié Ross.

Mélancoliquement, elle se dirigea vers l'escalier qui menait au jardin. Juana commençait déjà à fermer les volets pour protéger la maison de la chaleur. Eleni entendit Ross qui l'appelait doucement et elle se retourna.

— Vous alliez faire un tour ? demanda-t-il.

— Oui, j'y pensais.

— Bien, alors je vous accompagne.

Il regarda autour de lui et s'enquit :

— Où est Paul ?

— Il prend un bain, répondit-elle brièvement.

— Parfait ! s'exclama Ross.

— N'êtes-vous pas censé vous occuper de cet or ? fit Eleni d'un ton sec.

— Oh ! cela peut attendre. D'ailleurs, j'en ai chargé Lucio. Il est en train de remplir tous les imprimés.

Il tendit la main vers elle, et lança :

— N'avons-nous pas à discuter d'une certaine affaire, ma chérie ?

Elle ignora son geste et continua son chemin, choisissant un sentier qui menait vers les champs. Ouvrant le portail du jardin pour elle, il brisa finalement le silence embarrassant, en déclarant :

— J'ai quelque chose qui vous appartient, et je crois que le moment est venu de vous le rendre.

— Oh ? Vous avez mis du temps à vous en rendre compte, riposta Eleni d'une voix coupante.

— Vous avez raison d'être fâchée, Eleni, mais à l'époque, je pensais agir pour notre bien à tous deux.

— Je vous en prie, Ross, ne prenez pas la peine de m'expliquer, coupa-t-elle.

— Je voulais aller au Pérou parce que j'avais entendu parler de la mine. Je savais que si je vous emmenais avec moi, il me faudrait deux fois plus de temps pour faire fortune, alors j'ai pensé que je partirais seul, gagnerais une fortune et vous ferais venir ensuite. Comprenez-vous ?

— Oui, mais il est inutile de...

Il l'interrompit vivement.

— Tout a été plus long que je ne me l'imaginais et je

n'ai pas pu vous rembourser aussi vite que je l'espérais. Vous ne doutez pas que j'ai toujours eu l'intention de le faire n'est-ce pas ? Voyez-vous, Eleni, je considérais cette somme comme une sorte d'emprunt pour notre avenir commun, et je pensais vous mettre au courant quand vous viendriez me rejoindre.

Il lui adressa un sourire charmeur.

— Je comprends parfaitement, rétorqua Eleni, mais ces explications sont superflues et ne m'intéressent pas. Tout ce que je voulais, quand je vous ai écrit ce mot, c'était récupérer mon argent. A présent, même cela m'est indifférent.

— Comment pouvais-je rivaliser avec Paul ? Mes revenus étaient misérables ! Il me fallait une concession, Eleni, et je suis venu ici pour en obtenir une. J'ai travaillé pendant deux ans sans gagner un centime.

Il baissa la voix et ajouta :

— Heureusement, depuis quelques mois, les choses ont changé, et ceci est pour vous, conclut-il en lui glissant une enveloppe dans la main.

Elle posa les yeux sur son visage hâlé. Le soleil tropical avait décoloré ses cheveux. Ils étaient désormais presque aussi blonds que les siens. A part cela, il n'avait pas beaucoup changé. Il était un peu plus rude, peut-être. Toujours aussi séduisant qu'avant. Un homme séduisant qui vivait dangereusement. Elle se rendait compte aujourd'hui à quel point il avait été déplacé dans le magasin de l'oncle Angus. Elle ouvrit l'enveloppe et, comme elle s'y attendait, trouva de l'argent à l'intérieur.

— Comptez-le, la pressa Ross.

— Quatre mille dollars, déclara-t-elle quelques secondes plus tard. Ross, comment avez-vous réussi à obtenir de l'argent canadien ici ? le questionna-t-elle, surprise.

— Ne vous avais-je pas assurée que j'avais toujours eu l'intention de vous rembourser ? fit-il en souriant, sans répondre à sa question.

— Mais vous ne me devez pas tant !

— Vous avez attendu deux ans, considérez cela comme les intérêts d'un investissement. Ce n'est que justice, fit-il, en passant sa main dans ses cheveux bouclés.

Elle le considéra avec étonnement, puis décréta :

— Je ne veux que mes deux mille dollars, pas un centime de plus.

— Acceptez au moins les autres comme un cadeau ! N'ai-je pas toujours aimé vous en faire ? ajouta-t-il en caressant son bras et en se penchant pour étudier son visage.

Elle recula d'un pas et jeta sèchement :

— Il n'en est pas question.

— Vous avez vécu beaucoup trop longtemps avec vos parents, Eleni. A présent vous devriez songer à votre indépendance. Seriez-vous encore vexée de la façon dont je suis parti ? Vous savez que je n'aime pas les adieux. Vous n'êtes pas fâchée pour cela, tout de même ? Ah ! je vois ! Consuelo est venue vous raconter des histoires...

— Elle m'a à peine adressé la parole, répliqua Eleni.

— Mais vous êtes au courant ?

— Oui, je le suis, et cela ne m'a pas bien disposée à votre égard !

— Eleni, vous prenez tout trop au sérieux ! Quant à Consuelo, j'avais espéré qu'elle plaise à Ferraz, mais je me suis trompé ! soupira-t-il... Savez-vous que j'ai été abasourdi en voyant Paul ! J'étais persuadé d'avoir une hallucination. Quand je lui ai demandé de vos nouvelles, il m'a assuré que vous étiez à Calgary et, naturellement, je l'ai cru jusqu'à ce qu'Angel me remette votre message. Rien au monde n'aurait pu m'empêcher de venir, ma chérie.

Eleni rendit à Ross les deux mille dollars.

— Merci, lui dit-elle, je n'espérais vraiment plus rentrer en possession de tout cet argent.

Ross roula les billets dont elle ne voulait pas, les glissa dans un tube et le mit dans sa poche.

— Je suis heureuse de vous avoir vu, fit-elle d'un ton poli.

— Et moi aussi ! Très heureux !

Il s'approcha d'Eleni et lui saisit le poignet.

— Attendez, Ross, vous vous méprenez !

— Non, mon trésor, c'est au Canada que je me suis trompé, il y a deux ans. Je n'aurais jamais dû vous laisser avec votre cousin...

— Mais vous l'avez fait, lança soudain la voix furieuse de Paul.

Il claqua le portail derrière lui et se dirigea vers eux.

— Nous avions une conversation amicale, mon cher... si vous permettez... Il lâcha Eleni et fit face à Paul.

— Non, je ne permets pas, coupa Paul d'un ton cinglant. Eleni ne veut pas avoir affaire à vous, elle me l'a dit, laissez-la en paix. Vous avez perdu la partie depuis longtemps.

— Vraiment ? fit Ross d'un air narquois. Alors pourquoi êtes-vous si préoccupé ?

— Ecoutez, Marshall, je pourrais bien vous donner une bonne correction, quoi que vous en pensiez.

— Réellement ? loin de la protection de votre père, railla Ross. Eh ! bien moi, je pourrais vous envoyer à l'hôpital dans un triste état si j'en avais envie.

— J'en ai assez de vous deux ! explosa Eleni, exaspérée.

Elle pivota et repartit par où elle était venue.

L'atmosphère fut assez tendue pendant le déjeuner. Tout le monde était trop poli, seul Lucio se conduisait avec naturel comme toujours. Angel servait.

— Je suis étonné que votre oncle vous ait permis de venir, dit Ross à Eleni. Généralement, il est plutôt avare.

— Il a pensé que j'avais droit à des vacances, répondit-elle. Paul se charge du travail.

— Alors, votre père vous a finalement autorisé à vous éloigner un peu de la maison ? jeta Ross à l'adresse de Paul.

Cette remarque mit fin à la trève. Eleni soupira d'impatience et jeta un coup d'œil à Lucio pour voir sa réaction. Il ne semblait pas du tout gêné. Répondant à son regard, il cligna de l'œil et indiqua la porte d'un imperceptible mouvement de tête. Tandis que les deux hommes recommençaient à se disputer, elle repoussa sa chaise et sortit subrepticement. Lucio la rejoignit quelques secondes plus tard. Il glissa un bras autour de sa taille et la guida vers une autre porte qui s'ouvrait sur le jardin.

— Ils sont si occupés à se lancer des injures que nous devrions pouvoir faire notre *siesta* tranquillement, lui dit-il en souriant.

Le cœur d'Eleni battit plus vite.

— Leurs relations ont-elles toujours été aussi cordiales ? continua Lucio d'une voix amusée.

Elle sourit, et avoua :

— Jamais à ce point. C'est étrange, parce que c'est Paul qui avait embauché Ross.

— Avez-vous pu lui parler finances ? s'enquit Lucio.

— Oui et, grâce à Dieu, nous en avions terminé avec ce chapitre quand Paul nous a surpris ensemble. Il voulait me donner quatre mille dollars au lieu de deux mille !

— *Si ?* Alors vous devez vraiment être très importante à ses yeux, car la générosité n'est pas précisément la qualité principale du *Señor* Marshall. Les avez-vous acceptés ?

— Bien sûr que non ! s'exclama Eleni avec indignation, je ne veux rien de lui !

— Peut-être devriez-vous l'expliquer à Paul et apaiser ses angoisses.

— Je l'ai fait, il n'a pas l'air de me croire.

— Sans doute n'a-t-il pas confiance en Marshall, je ne le blâme pas !

— Moi non plus. Nous sommes donc trois, déclara Eleni d'un ton acerbe.

Lucio éclata de rire. Elle l'épia à la dérobée, ne sachant pas exactement pourquoi elle était irritée, ni pourquoi il riait.

— En tout cas, Marshall à raison sur un point : vous êtes adorable Eleni — trop adorable pour être laissée seule — et, pour moi, vous êtes la femme la plus belle du monde.

— Oh ! Lucio, souffla-t-elle en s'immobilisant et en fermant les yeux.

Sa main sur son bras nu la fit frissonner. Il l'attira lentement vers lui et posa avec douceur ses lèvres sur les siennes.

— Ne pensez plus à eux, Eleni, chuchota-t-il d'une voix un peu rauque. Venez avec moi, *mi bien,* ne songez qu'à nous, qu'à l'instant présent.

Il l'embrassa encore avec une sorte d'avidité qui se confondit avec la sienne.

— Demain viendra suffisamment tôt, *amor mío.* A chaque jour suffit sa peine. Vous pouvez me faire confiance. Il n'y a personne d'autre ici que vous et moi.

— Mais Lucio...

— Non, je refuse de vous écouter.

Il la saisit fermement par la main et l'entraîna sur le sentier qui conduisait à la pergola.

— Ces derniers jours qui nous restent nous appartiennent, je ne permettrai pas à votre cousin ou à Marshall de nous les gâcher.

— Mais, Lucio, Paul est mon fiancé! protesta Eleni faiblement.

— L'est-il?

Il s'arrêta net au moment où ils allaient pénétrer dans leur refuge sous les fleurs.

— L'est-il? répéta Lucio avec une telle violence qu'Eleni recula d'un pas.

Comme il avançait vers elle, elle continua à l'éviter jusqu'à ce qu'elle heurte le bord du hamac.

— Vous a-t-il demandé de l'épouser? insista Lucio d'un ton impérieux.

Ses yeux noirs étincelaient.

Elle essaya de fuir encore, mais le filet l'en empêcha et, perdant l'équilibre, elle y tomba assise.

— Répondez-moi, Eleni, lui ordonna-t-il.

— Non, il ne l'a pas fait, souffla-t-elle en le regardant craintivement.

— Alors, poussez-vous, *chica,* et laissez-moi un peu de place.

Un sourire éblouissant éclairait son visage.

Ils se retrouvèrent à nouveau tous ensemble pour le dîner. Cette fois-ci, Angel était à table avec eux. Moulée dans un fourreau de soie cannelle très sobre avec un profond décolletée, Eleni captait l'attention des quatre hommes qui l'entouraient. La lumière douce des bougies qui brûlaient dans les hauts candélabres d'argent, répandait sur ses cheveux comme une poussière d'or.

L'après-midi passée en tête à tête avec Lucio lui avait donné un éclat particulier. Ses yeux étaient lumineux en dépit de la situation plutôt troublante dans laquelle elle se trouvait. Dîner en compagnie d'un ancien soupirant, d'un homme qui était presque son fiancé et celui dont elle était follement éprise, était une épreuve déconcertante.

Paul avait adopté une attitude si digne et si courtoise qu'elle avait du mal à réprimer son envie de rire. Ross l'examinait hardiment, tout en lui adressant des sourires charmeurs. Quant à Lucio, il paraissait parfaitement détendu.

Il profitait de la situation, attisant adroitement sans en avoir l'air l'antipathie que Paul et Ross se professaient mutuellement. Une légère allusion, un mot bien placé, suffisaient à réveiller leur irritation quand elle menaçait de s'apaiser. Eleni lui adressa plusieurs regards courroucés auxquels il ne répondit que par un sourire innocent.

Ce spectacle semblait divertir grandement Angel.

Vers la fin du dîner, Ross demanda avec indifférence à Lucio :

— Cela vous serait certainement égal de garder Consuelo un mois de plus, n'est-ce pas ?

Ce fut Angel qui répondit d'un ton sec.

— Elle devra partir avant que vous ne retourniez à la Marañon. Elle est restée à Sal si Puedes beaucoup trop longtemps. Vous avez déjà prolongé son séjour ici deux fois, c'est suffisant.

— Mais comment ? Je ne peux pas abandonner la mine maintenant ! s'écria Ross avec colère.

Il regarda Lucio mais celui-ci ne souffla mot.

— Consuelo ? murmura Paul d'une façon telle

qu'Eleni le dévisagea avec surprise. Votre maîtresse, je suppose, d'après ce que j'ai entendu dire.

Il lui sourit aimablement.

— S'est-elle révélée un peu... comment dirais-je ?... difficile ?

Ils n'allaient pas recommencer ! pensa Eleni avec impatience.

Un peu plus tard, alors que Lucio la conduisait vers le côté sud du balcon, elle fit mine de s'indigner :

— Comment avez-vous pu agir ainsi ? Mais vous êtes machiavélique ! Je suis certaine que vous étiez un horrible petit garçon ! ! Ils sont sûrement en train de se disputer à nouveau.

— Ils adorent cela, rétorqua Lucio, sinon pourquoi continueraient-ils ?

— C'est vous qui en êtes enchanté, lui reprocha-t-elle, mi-rieuse, mi-fâchée.

— Et voyez, comme cela fonctionne bien, dit-il.

Ils firent quelques pas et jetèrent un coup d'œil à la table. Paul et Ross étaient encore assis de chaque côté d'Angel, occupés à échanger des paroles acerbes et injurieuses. En riant doucement, Lucio entraîna Eleni plus loin.

— Avec un peu de chance, *bella,* nous serons tranquilles le reste de la soirée.

— Il y a des moments Lucio, où vous me rappelez Pedro, avec vos machinations diaboliques, ne put-elle s'empêcher de lui dire, amusée.

— Il paraît qu'il y avait dans notre famille un pirate espagnol, chuchota-t-il sur un ton confidentiel. Olavo s'en sert comme d'un ogre pour effrayer ses plus jeunes enfants. Je tiens peut-être de lui...

Ses yeux brillaient de malice.

— Ne trouvez-vous pas très étrange que Paul soit aussi jaloux de Ross Marshall et pas du tout de moi ?

Ils s'étaient arrêtés. Elle s'appuya contre la balustrade et leva les yeux vers lui :

— Je crois que c'est parce qu'il envie inconsciemment Ross. Dans le fond, il aurait voulu lui ressembler,
et il croit que je pense pareil que lui.

— Alors comme il ne m'apprécie pas trop, enchaîna
Lucio en riant, il suppose que vous ne devez pas être
attirée par moi.

— O...ui, c'est probable, concéda-t-elle.

— Les Dieux doivent me protéger, lui dit-il en lui
souriant. Le fait de vivre avec vous depuis si longtemps
a rendu votre cousin étrangement aveugle en ce qui
vous concerne, comme si vous étiez une espèce de
projection de lui-même et non un être indépendant
autonome. Est-ce cela que vous désirez ?

Sa main se posa sur sa taille et glissa doucement le
long de sa hanche dont il suivit lentement le contour en
un geste possessif.

— Non, Lucio, ce n'est pas ce que je veux. Je veux...
Elle baissa les yeux, troublée, et se tut.

Son cœur battait si fort qu'il lui semblait que Lucio
devait l'entendre.

— Quand votre mariage aura-t-il lieu ? s'enquit-il
avec une feinte indifférence.

— Oh ! Je l'ignore, et cela m'est égal ! cria-t-elle
impulsivement.

Elle se reprit et balbutia, honteuse :

— Sûrement pas avant lon-longtemps !... Il y a une
chose que ce voyage aura rendue claire, c'est que ni l'un
ni l'autre nous ne sommes encore prêts à nous marier.
Cette idée de nous fiancer officiellement au Pérou n'a
finalement causé que des problèmes. Avant, Paul et
moi étions au moins amis, et nous passions de bons
moments ensemble. Maintenant que nous sommes
censés être plus que cela, que cette sorte de relation

fraternelle a cessé, il semble que nous ne puissions...
que nous...

— Peut-être pourrais-je vous aider, fit Lucio en
l'enlaçant étroitement.

— Que voulez-vous dire ? lui demanda-t-elle d'une
voix soupçonneuse en levant les yeux vers lui.

— Peut-être puis-je arranger les choses, suggéra-t-il
en l'attirant tout contre lui.

Eleni, perplexe, le regarda avec des yeux un peu
égarés. Sa voix mélodieuse était plus voilée que d'habitude quand elle lança :

— Je ne vois pas comment !

— Faites-moi confiance, *mi bien,* fit-il en inclinant
son visage vers elle. Je m'occuperai de tout.

— Vous... vous..., souffla-t-elle, ne comprenant pas
comment il voulait la rapprocher de Paul alors qu'il
était en train de la couvrir de baisers.

— *Si,* n'y pensez plus, Eleni. Je sais exactement ce
que je dois faire, j'ai déjà un plan.

Son souffle chaud caressa son cou.

— Quel plan ? murmura-t-elle faiblement.

— Vous verrez, chuchota-t-il dans ses cheveux.

Ses lèvres tracèrent un brûlant sillon de sa tempe
jusqu'à sa bouche et Eleni, vaincue, noua ses bras
autour de son cou.

Tandis qu'il caressait fiévreusement son dos, elle se
serra davantage contre lui, glissa ses doigts dans
l'encolure de sa chemise et posa tendrement sa paume
contre sa nuque. Elle pouvait sentir la tension de ses
muscles qui s'accentuait et moula son corps souple et
fluide contre le sien. Enivrée, elle répondit ardemment
à son étreinte. Puis, timidement, elle ouvrit sa chemise
et caressa la peau ferme et douce de ses épaules avec
volupté. Etouffant une exclamation, Lucio gémit :

— Eleni ?

— Oui, Lucio ?

— Eleni, vous rendez-vous compte que nous ne pouvons pas nous arrêter maintenant ? Nous sommes allés trop loin pour revenir en arrière ? Je vous désire tant, *amor mio,* cela me rend fou !

Il posa sa longue main brune contre son cou et renversa sa tête en arrière pour pouvoir plonger ses yeux dans les siens.

— *Si...* Lucio, souffla-t-elle, en lui tendant à nouveau ses lèvres.

Un bruit confus de voix qui se rapprochaient les ramena brutalement à la réalité.

Jurant en espagnol, Lucio laissa retomber ses bras, mais il s'écarta à peine d'elle, et si les deux hommes qui apparaissaient sur le balcon n'avaient pas été aussi absorbés par leur discussion, ils se seraient immédiatement rendu compte de la situation.

Mais, indifférents au couple, Paul et Ross continuaient leur controverse animée.

— Vous voulez me faire croire que votre père vous a vraiment donné beaucoup d'argent pour ce voyage ? Qu'il vous a fait confiance ? raillait Ross.

— Certainement, et pas seulement quelques centaines de dollars. Non, il a ouvert tout grand ses coffres. Je ne vous mentionnerai pas la somme parce que vous pourriez en avoir le vertige.

Lucio et Eleni échangèrent un regard excédé.

Maîtrisant son irritation, Lucio se tourna vers les deux hommes et dit plaisamment à Paul :

— Demain, *Señor* Tessier, quand nous terminerons nos opérations, vous saurez exactement ce qu'il vous reste. Avez-vous fait votre sélection ?

— Oui, répondit vivement Paul.

— Parfait. A demain matin donc, fit-il en inclinant la tête.

Saisissant Eleni par le bras, il l'entraîna vers un coin plus tranquille tandis que, derrière eux, Paul et Ross continuaient leur joute oratoire.

— N'oublie pas la perle de Mme Lister, rappela Eleni à Paul.

Elle se trouvait avec lui dans le bureau de Lucio.

— Mais oui, mais oui ! riposta-t-il avec impatience et, s'adressant à Lucio : je voudrais avoir cette émeraude.

— Non, j'y tiens particulièrement déclara Lucio. Mais je vous en céderai deux autres pour le même prix.

Paul fit en vain une nouvelle tentative pour le convaincre, Lucio était inflexible. Se tournant vers Eleni, il lui jeta avec humeur :

— Pourquoi ne vas-tu donc pas jouer dehors ?

Elle se mit à rire et répliqua malicieusement :

— C'est une bonne idée, j'y vais de ce pas.

Son regard croisa celui de Lucio, et elle frissonna en se souvenant de la soirée antérieure.

Chantonnant d'un air dégagé pour dissimuler son brusque émoi, elle sortit et s'en fut errer dans le jardin.

Perdue dans ses pensées, elle ne vit pas Ross qui s'approchait et ne s'aperçut de sa présence que lorsqu'il lui saisit le bras.

— Bonjour, Eleni ! Où étiez-vous donc ? Je vous ai cherchée toute la matinée.

— Bonjour Ross, laissa-t-elle tomber sèchement.

Elle se libéra de son emprise et continua à marcher.

— Magnifique endroit pour se promener, n'est-ce pas ? remarqua-t-il en réglant son allure sur la sienne.

— Oui, splendide.

— Eleni... Vous devez savoir que je n'ai pas été *réellement* renvoyé il y a deux ans. J'ai dû partir parce

que Paul ne pouvait pas supporter l'idée que je sois
amoureux de vous.

— Cela n'a pas d'importance, Ross.

— M'avez-vous entendu ? J'ai dit que j'étais amoureux de vous ! répéta-t-il avec emphase.

— C'est de l'histoire ancienne, Ross, répondit-elle
avec lassitude.

— Je comptais bien vous envoyer l'argent, Eleni,
poursuivit-il, après tout ce temps, je croyais ne plus rien
éprouver pour vous, mais quand je vous ai revue, j'ai su
immédiatement que je m'étais trompé.

— Oh ! Ross, je vous en prie, ne continuez pas.

— Il le faut, ne comprenez-vous pas ? je vous aime
encore.

— Il est trop tard, Ross. Ce qui s'est passé entre
nous est oublié en ce qui me concerne.

— Vous ne vous souvenez donc plus de tous nos
bons moments ? demanda-t-il d'un ton vibrant.

Agacée, Eleni s'arrêta.

— Oui, je m'en souviens, et je suis heureuse que
nous n'ayons eu que cela. Et maintenant, pourrions-
nous changer de conversation ?

— Non, Eleni, j'ai encore tant de choses à vous dire !

Au moment où Ross essayait de la prendre par la
taille, elle vit Paul qui accourait vers eux et, presque
simultanément, elle distingua Consuelo qui les épiait
derrière un arbre, l'air hostile.

— Laissez-moi ! lui ordonna-t-elle précipitamment.

Les doigts de Ross se resserrèrent ; lui aussi avait vu
Paul.

— Je voudrais être seul avec ma fiancée, décréta ce
dernier d'un ton glacial.

Marshall relâcha son étreinte. Consuelo avait disparu. Eleni soupira de soulagement.

— Je vous verrai plus tard, ma chérie, annonça Ross

en lui adressant un joyeux sourire. Quand il vous
ennuiera trop, appelez-moi au secours.

Paul resta silencieux jusqu'à ce qu'il ait disparu.

— Je ne t'avais pas dit d'aller jouer avec *lui,* fit-il
d'un ton sarcastique.

— Paul, je vais te le répéter une fois de plus et si tu
ne me crois pas, tant pis. Ross ne signifie rien pour moi.
Ce qu'il y a eu entre nous — et c'était bien peu de
chose — est terminé depuis longtemps. En ce moment,
comme nous vivons tous sous le même toit, je préfère
me comporter poliment avec lui ; pourquoi n'essaies-tu
pas d'en faire autant ?

— Je veux simplement éviter qu'il te poursuive sans
cesse, c'est tout, maugréa-t-il, les sourcils froncés.

Eleni le dévisagea un instant sur le point d'éclater de
rire.

— Pour toi, j'ai toujours onze ans, n'est-ce pas ? Il
est temps que tu te réveilles, cher Paul, et que tu cesses
de veiller sur moi comme un grand frère. Sois certain
que si je voulais « jouer » avec Ross, je le ferais.

— Il allait t'embrasser ! protesta Paul avec indignation.

— Non, il essayait de le faire, ce n'est pas la même
chose.

— Eh bien, tâche qu'à l'avenir il s'en abstienne, et si
tu dois être polie avec lui, parle de la pluie et du beau
temps.

D'un ton contrarié, il ajouta :

— Il faut que je retourne à l'hacienda, Ferraz
m'attend.

D'un air rêveur, elle le regarda s'éloigner. Paul était
étrange, il venait d'interrompre à cause d'elle un
entretien important. Elle aurait dû être flattée de cette
marque d'intérêt, mais Eleni sentait pourtant qu'il
n'était pas réellement épris d'elle. Et Lucio ? Jamais il

n'avait fait allusion à un possible mariage entre eux. Peut-être ne recherchait-il qu'une aventure ? Pouvait-elle se contenter de cela ? Rageusement, elle donna un coup de pied à une pierre sur le chemin. Des larmes de frustration lui montèrent aux yeux.

Après-demain, Eleni devrait partir. Et si elle ne le revoyait jamais ? Une indescriptible angoisse la saisit à cette idée...

Quand ils eurent fini de dîner, Eleni s'éloigna sur le balcon en emportant son verre de brandy. Elle était lasse d'entendre les éternelles discussions de Paul et de Ross. Elle s'appuya contre la balustrade, huma avec délice l'air parfumé de chèvrefeuille et espéra que Lucio viendrait rapidement la rejoindre. Ils s'étaient à peine vus aujourd'hui et elle avait hâte d'être dans ses bras.

Lucio apparut silencieusement et ils s'éloignèrent côte à côte sans un mot. A peine eurent-ils dépassé le coin du balcon, qu'il lui saisit la main et l'entraîna en courant. Comme elle trébuchait, gênée par ses escarpins à hauts talons, elle les ôta prestement et, pieds nus, dévala avec lui les escaliers qui menaient au jardin.

Le visage rayonnant de bonheur, elle lança, essoufflée et ravie :

— J'ai l'impression de faire l'école buissonnière !

— Vite, vite, *chica !* lui répondit-il avec un de ses grands sourires éclatants.

Dès qu'ils furent dissimulés par les premiers arbres, il l'attira contre lui et sa bouche chercha fiévreusement la sienne.

— *Mi bien,* dépêchons-nous ! supplia-t-il.

La prenant par la taille, il la guida jusqu'au bassin aux nénuphars.

— Avec un peu de chance, ils ne nous découvriront pas, murmura-t-il, en l'entourant aussitôt de ses bras.

Eleni se blottit contre sa poitrine, ivre de joie.

— Lucio-o-o !

C'était la voix d'Angel.

— Lucio ! C'est important, je sais que vous pouvez m'entendre, Lucio ? Lucio !

Le visage d'Angel apparut entre les roseaux.

— Pardon, j'ai aperçu la robe rouge d'Eleni. C'est important, répéta-t-il. C'est le coup de téléphone que vous attendiez.

Lucio murmura impatiemment :

— Décidément, on ne nous laissera jamais en paix !

Il releva d'un doigt le menton d'Eleni et lui donna un léger baiser.

— J'essaierai d'être rapide, lui assura-t-il tendrement.

En soupirant, elle le regarda s'en aller. Angel esquissa un petit geste d'excuse et elle lui sourit.

Assise sur le banc, elle demeura immobile, attendant le retour de Lucio et priant le Ciel pour que Paul et Ross n'aient pas l'idée de venir ici.

Perdue dans ses pensées, elle ne se rendit pas immédiatement compte qu'elle n'était plus seule. Ross, debout devant elle, la dévisageait.

— J'ai réussi à persuader Paul de ranger ses pierres, ainsi nous pourrons avoir ensemble un peu de tranquillité. Il croit que vous êtes avec Ferraz.

Il se laissa tomber sur l'herbe à ses pieds et elle le regarda avec consternation.

— Où est-il ?

Eleni haussa les épaules.

— Je n'en sais rien, fit-elle.

Et son regard se reporta sur le miroir sombre du bassin dans lequel les étoiles se reflétaient entre les fleurs. Elle sentait les yeux de Ross fixés sur elle et se refusait à les croiser.

Soudain, il se pencha et lui prit le bras.

— Donnez-moi encore une chance. Eleni, mon trésor, écoutez-moi, supplia-t-il.

— Peut-être le ferai-je si vous me lâchez, répondit-elle, agacée.

— Mais, je ne peux pas ! Vous êtes si merveilleuse ! J'en ai assez de jouer perpétuellement les seconds derrière Paul. J'ai besoin de vous, je vous veux, gémit-il en l'attirant vers lui.

— Ross... commença Eleni.

Puis elle se tut.

Et si elle lui permettait de l'embrasser, juste pour voir s'il pouvait encore l'émouvoir ? C'était l'occasion ou jamais de découvrir si les sentiments qu'elle avait éprouvés un jour pour lui étaient semblables à ceux qui la liaient à Lucio. Si son baiser ne la troublait pas, peut-être en irait-il de même avec Lucio après un moment...

Elle cessa de résister, et les yeux de Ross brillèrent d'une lueur de triomphe quand elle s'abandonna contre lui. Il suffit d'une seconde à Eleni pour se rendre compte que ce contact lui faisait horreur. Elle tenta de le repousser, mais il resserra son emprise et l'immobilisa en lui maintenant les bras le long du corps, l'empêchant de se défendre. Les lèvres de Ross s'écrasèrent sur les siennes, agressives. Envahie par la répulsion et la panique, elle gémit de rage impuissante et de douleur.

Un léger bruit sur les graviers, les fit tressaillir. Ross releva vivement la tête et plongea ses yeux dans l'obscurité. Eleni scruta peureusement l'ombre sans parvenir à rien voir. Etait-ce Consuelo ? Paul ?

L'interruption avait distrait Ross un instant, elle se

libéra vivement de son étreinte, le repoussa violemment. Ross, déséquilibré, tomba assis sur l'herbe.

— C'était une erreur, Ross, articula-t-elle d'une voix entrecoupée, et elle ne se reproduira plus.

Elle pivota et s'enfuit en courant.

Allait-elle rencontrer Consuelo ? Cette idée la fit défaillir, mais tout était mieux que de rester avec Ross. Comme elle avait été stupide ! Il irait sans doute se vanter et crier victoire. Il était vrai que maintenant, elle savait à quoi s'en tenir sur ses sentiments, mais à quel prix ! Naturellement, ce qu'elle éprouvait pour Lucio ne ressemblait en rien à ce qu'elle avait ressenti autrefois pour Ross. C'était Lucio, Lucio seul qui emplissait son cœur, sa tête, qui hantait ses jours et ses nuits.

Consuelo n'était pas en vue. Elle regarda plus attentivement autour d'elle sans découvrir personne. Alors… qui ? Paul ?…

Son cousin se trouvait dans la librairie, et Angel, en faction devant la porte.

Ele s'approcha de Paul. Il glissait minutieusement des pierres précieuses dans de minuscules sachets de plastique. Levant les yeux sur elle, il la dévisagea d'un air contrarié.

Les avait-il surpris ? Eleni ne savait que faire. Se justifier, ou attendre qu'il exige une explication ?

— Il aurait cent fois mieux valu que tu ne fasses pas ce voyage ! explosa-t-il soudain, laissant libre cours à sa mauvaise humeur. Surtout maintenant que ce Marshall est ici ! Tu savais qu'il travaillait à la Marañon, n'est-ce pas ?

— Non, Paul, je l'ignorais, lui répondit-elle calmement tandis qu'il continuait à ranger ses émeraudes avec soin.

— J'ai vraiment hâte d'être à la maison ! s'exclama-t-il à mi-voix.

Eleni se demanda ce qu'il entendait par là et décida de ne pas l'interroger. Elle avait eu suffisamment de discussions orageuses pour aujourd'hui.

Elle vit, en quittant Paul, que le bureau de Lucio était fermé. Sa conversation téléphonique s'éternisait, pensa-t-elle. Désemparée, elle décida de se réfugier chez elle, certaine qu'il viendrait la chercher plus tard.

Mais le temps s'écoulait et il n'apparaissait pas. Elle l'attendit une partie de la nuit, dans un état d'anxiété qui ne faisait qu'empirer à chaque seconde. Plusieurs fois, elle alla jeta un coup d'œil dans le hall. Personne. que s'était-il passé ? Où était-il ?

Au bord des larmes, elle finit par se coucher. Après quelques heures d'un sommeil troublé, Eleni se leva. Il était encore très tôt et elle sortit sans bruit pour ne réveiller personne. Peut-être qu'une promenade dans le jardin paisible la tranquilliserait. Le cœur lourd, elle regarda du côté de la chambre de Lucio, regrettant de ne pas avoir le courage d'aller frapper à sa porte. C'est alors que Consuelo en surgit, complètement nue, serrant ses vêtements contre sa poitrine. Sans remarquer la présence d'Eleni, elle claqua la porte derrière elle et s'engouffra dans l'escalier qui menait aux dépendances des domestiques.

7

ELENI demeura pétrifiée pendant quelques secondes. Son univers venait de voler en éclats. Etouffant un cri, elle fit demi-tour et descendit en titubant dans le jardin. Presque inconsciemment, elle prit le sentier qui menait à la pergola. Le soleil se levait au-dessus des montagnes. L'air, frais et doux, caressait sa peau. Elle s'éloigna rapidement de l'hacienda, sans savoir où elle allait, à demi aveuglée par les larmes. Elle voulait seulement fuir... fuir le plus loin possible, mais le beau corps nu de Consuelo hantait sa mémoire et semblait la narguer.

Quand elle parvint au petit refuge, elle s'arrêta brusquement, prenant conscience de l'endroit où elle se trouvait. En gémissant, elle se laissa tomber sur le sable blanc, dans cet endroit peuplé de souvenirs merveilleux, avec l'impression qu'elle allait mourir. Tout ce qu'elle avait cru de Lucio était faux, tout ce qu'il lui avait dit n'était que mensonges. Bien qu'il ne lui ait jamais fait aucune promesse, elle se sentait cruellement trahie et bafouée. Pourquoi ne s'était-elle pas contentée de Paul ? Pourquoi toujours chercher à obtenir l'impossible ? Pourquoi était-elle venue au Pérou ?

Elle resta longtemps recroquevillée sur le sol, en

proie à un désespoir sans nom, puis progressivement, sa nature combative reprit le dessus. A quoi bon se lamenter ? se demanda-t-elle avec amertume. Elle devait revenir à l'hacienda et se comporter avec naturel, c'était la seule solution.

Se terrer dans sa chambre aurait été lâche, elle décida donc de se joindre à tout le monde pour le petit déjeuner. Il lui faudrait affronter Lucio tôt ou tard. Le plus vite serait le mieux. Elle devrait dissimuler sa peine et paraître enjouée. Mais si jamais il s'avisait de la toucher...

D'humeur batailleuse, elle prit quelques fleurs rouges dans un vase et les piqua dans ses cheveux derrière son oreille gauche.

Eleni ignorait quelle serait l'attitude de Lucio, mais elle ne s'attendait certainement pas à ce regard froid et plein d'animosité qu'il lui décocha avant d'afficher une attitude indifférente. Surprise et vexée, elle se demanda pourquoi il pouvait lui en vouloir. Relevant le menton, elle le défia d'un air glacial.

Il lui barra un instant le chemin et murmura entre ses dents :

— Ce n'est vraiment pas la peine d'adopter cette attitude méprisante, vous n'en avez pas le droit.

Elle le dévisagea avec stupeur, puis alla prendre sa place habituelle à table, l'esprit en proie à un tourbillon de pensées contradictoires.

— Vous n'avez peut-être pas suffisamment dormi la nuit dernière, lui lança-t-elle à mi-voix, cela se voit. Votre charme irrésistible serait-il en train de faiblir ? Et moi qui le croyais inépuisable !

Lucio releva les sourcils d'un air à la fois choqué et écœuré.

— Cherchez une autre personne pour exercer sur elle votre mauvais caractère, fit-il sur le même ton.

Il semblait désormais à la fois furieux et blessé.

Eleni tressaillit.

— Mauvais caractère ? Mais comment osez-vous ? alors que vous avez été d'une odieuse agressivité avec moi ! Laissez-moi en paix, c'est tout ce que je vous demande.

Paul et Ross toujours absorbés dans des discussions sans fin, ne se rendaient heureusement pas compte de la tension qui régnait autour d'eux.

— Vous laisser en paix ? Ce sera avec joie, siffla Lucio.

Elle le fixa, stupéfaite, de ses grands yeux bleus étonnés, embués de larmes.

— Eleni, mon trésor, ces fleurs vous vont à ravir, intervint soudain Ross avec un clin d'œil complice.

— Elle les porte du mauvais côté, jeta aussitôt Lucio d'une voix cassante. Sur l'oreille gauche, c'est proclamer au monde entier qu'elle est tout à fait disponible.

Se penchant vers elle, il lui souffla :

— Vous auriez dû en mettre davantage pour être certaine de bien vous faire remarquer.

Eleni frémit sous le coup.

— Vous voyez, Paul ! s'esclaffa Ross. Il semble que vous n'ayez pas encore convaincu Eleni !

— Causez-vous toujours ces ravages partout où vous passez ? lui demanda Lucio, sarcastique.

— Désolée de vous occasionner tant d'ennuis, répondit-elle d'une voix cinglante. Si Santes n'était pas introuvable, soyez sûre que je partirais aujourd'hui même. Je ne suis restée que trop longtemps sous votre toit.

— Effectivement. Beaucoup trop longtemps... ainsi que *tous* vos admirateurs.

Eleni en eut le souffle coupé. Lui toujours si courtois ! Pourquoi cette hargne ? Que lui avait-elle fait ?

Furieuse, elle rétorqua immédiatement :

— Je regrette de devoir vous imposer ma présence jusqu'à demain. Peut-être voudriez-vous que je campe hors des limites de votre propriété ?

— Les menteuses sont généralement jetées dans un puits, déclara-t-il rageusement.

Les poings d'Eleni se serrèrent sous la table. C'était un comble !

— Menteuse ? Quand vous ai-je jamais menti ?

— Chaque jour, avec vos grands yeux innocents ! Vous êtes comme un délicieux gâteau empoisonné.

Eleni se dressa, son endurance était à bout. Elle saisit son bol de fraises à la crème et le lança au visage de Lucio.

— Voilà ce que je pense de vous, lui dit-elle froidement.

Un silence total régna pendant quelques secondes. Paul semblait avoir été frappé par la foudre. Angel et Ross la dévisageaient, bouche bée.

Eleni pivota et s'enfuit en serrant les poings.

Elle courut tout le long du balcon jusqu'au côté opposé et s'effondra sur un banc. Enfouissant son visage dans ses mains, elle éclata en sanglots.

Angel vint s'asseoir auprès d'elle et lui tendit une serviette de table en guise de mouchoir. Elle s'en empara avec gratitude.

— Oh ! Angel, gémit-elle, entre deux hoquets. Vous ne m'avez pas encore tourné le dos ?

— Non, pas moi.

Il passa un bras réconfortant autour de ses épaules.

— Tout le monde l'a fait, souffla-t-elle.

— Mais non, pas tout le monde, à moins que pour vous « tout le monde » ne soit Lucio.

Ces mots provoquèrent un nouvel accès de pleurs. Angel lui tapota affectueusement le bras.

— Allons, allons, Eleni, ce n'est qu'une querelle d'amoureux.

— Nous ne sommes pas des amoureux. Je le hais, *lo odio*.

— Peut-être que si vous parliez...

— Nous l'avons fait suffisamment. C'est assez pour aujourd'hui, et pour toute la vie.

— Mais si vous pouviez discuter du problème, insista-t-il gentiment.

— Non ! nous n'avons plus rien à nous dire. D'ailleurs, il me déteste, je le sais, il voulait me jeter dans un puits ! avoua-t-elle, mortifiée.

Angel toussa un peu en réprimant un sourire.

— Mais non, Eleni, je suis sûr qu'il ne voulait pas dire cela, quand on est en colère....

— *Con mil diablos !* s'exclama soudain Lucio.

L'air courroucé, il se planta devant le banc.

— Qu'est-ce que cela signifie ? Toi aussi, Angel ?

Angel leva la main.

— *Espere !* Attendez. J'ai seulement pensé qu'elle avait besoin d'être consolée.

— Tu la consoles, alors qu'elle m'a lancé son dessert au visage ! Jamais je n'avais été insulté de la sorte ! s'exclama-t-il avec fureur.

— Cela vous apprendra à m'accuser à tort ! cria-t-elle.

— Ne te laisse pas attendrir, Angel, derrière toute cette douceur, toute cette beauté, il n'y a que mensonges et tromperies. Tu crois que c'est un petit chaton inoffensif, mais ses griffes sont celles d'une tigresse, articula Lucio avec emphase.

— Peut-être, rétorqua calmement Angel, mais vous n'auriez pas dû la menacer de la précipiter dans un puits.

— Je n'ai jamais menti, hurla Eleni, au bord de

l'hystérie. Qui vous croyez-vous donc pour oser me parler ainsi ? Etes-vous tellement irréprochable ?

— Je ne lui ai jamais déclaré que j'allais la précipiter dans un puits, bon sang ! Comment peux-tu la croire ? Ai-je déjà infligé ce traitement à quelqu'un ?

— J'ai seulement dit que vous vouliez le faire, sanglota Eleni.

Devant ce redoublement de larmes, Lucio recula.

— Oh ! je suis immunisé contre cette sorte de comédie ! Vos larmes ne m'atteignent pas. Avec moi, cela ne prend pas.

Il fit demi-tour et disparut dans la maison. Quelques secondes plus tard, on entendit une porte claquer. Eleni tressaillit et avec un petit gémissement s'effondra contre la poitrine d'Angel.

— Je ne sais même pas pourquoi il est fâché contre moi, hoqueta-t-elle. Moi... moi, j'ai des raisons de l'être, mais lui ?

— Vous voulez dire qu'il est dans cet état et que vous en ignorez la raison ? s'enquit Angel avec étonnement.

— Avant même que je lui dise bonjour, j'ai lu dans ses yeux qu'il était furieux.

Une pensée lui traversa soudain l'esprit. Lucio l'aurait-il surprise avec Ross la nuit passée ? Mais non, c'était impossible : quand elle était revenue à l'hacienda, il était encore enfermé dans son bureau en train de téléphoner. Ou bien était-il déjà las d'elle ? Une nuit avec Consuelo l'avait-il convaincu qu'il ne l'aimait pas autant qu'il le croyait ? Qu'importent les raisons, pensa-t-elle avec rage. S'il avait l'intention d'être odieux, elle le serait trois fois plus.

Elle leva vers Angel ses yeux rougis et déclara :

— Merci Angel. Je me sens mieux. Je crois que je vais aller me rafraîchir. A tout à l'heure.

Elle se leva et le laissa, pensif, sur le banc.

Quand elle ressortit de sa chambre un peu plus tard, elle se heurta à Paul.

— Je te cherchais, lui annonça-t-il sévèrement.

Il la saisit par le poignet et l'entraîna avec lui.

Elle devina immédiatement qu'il se préparait à lui faire un de ses sermons et soupira avec résignation.

— Eleni, fit-il d'un air grave, tu ne devrais pas encourager Angel.

— Qu... oi ! s'exclama-t-elle, ébahie.

— Oui, je t'ai vue assise, blottie contre lui et...

— Paul, au nom du Ciel ! Pour qui me prends-tu ? l'interrompit-elle.

— Je ne veux pas que tu sois trop familière avec lui, insista-t-il, on ne sait jamais quelle sera sa réaction. J'ai appris qu'il avait été mercenaire, ce n'est pas une fréquentation recommandable pour toi.

— J'aime beaucoup Angel, il est très gentil et, mercenaire ou non, je le considère comme mon ami, affirma-t-elle d'un ton obstiné.

Paul la dévisagea avec contrariété.

— Un de ces jours, ta stupidité te causera des ennuis. Quand donc commenceras-tu à te comporter comme une adulte sensée ?

— Je n'encourageais pas Angel, et il le sait. Si tu t'étais donné la peine de mieux observer, tu aurais vu qu'il essayait seulement de me réconforter, ajouta-t-elle, furieuse.

— Et pourquoi devait-il te réconforter ? Puis-je le savoir ? s'enquit Paul d'un ton glacial.

— A cause... à cause du bol de fraises que j'ai renversé sur Lucio.

Sa voix se brisa.

— Ah ! oui ! Voilà encore une de tes sottises. Pour-quoi as-tu fait cela ? Que vas dire papa quand il l'apprendra ? Je sais que Ferraz n'éprouve aucune sympathie pour moi, et maintenant tu te conduis avec lui de cette façon horrible. C'est le comble ! J'espère que tu iras immédiatement t'excuser.

— Jamais ! explosa Eleni. Jamais ! Je préfère mourir !

Sur ces mots, elle lui tourna le dos et le laissa là sans autre forme de procès.

Eleni passa sa journée à essayer d'éviter les uns et les autres. Lucio ne se montra pas à l'heure du déjeuner. Elle s'enferma chez elle sous prétexte de faire la sieste et prétendit dormir quand Ross vint frapper à sa porte.

Plus tard dans la journée, elle alla rendre visite à Meza. La petite pièce où il reposait, près de la cuisine lui parut être une oasis. Prenant un des livres des enfants de Luz, elle lui fit la lecture une demi-heure de plus que d'habitude et ne s'en alla que quand Lucio apparut. Il demeura sur le seuil de la porte, la surveillant sévèrement, étonné de la trouver là. Eleni referma posément le livre, se leva, fit un sourire d'adieu à Meza et sortit en frôlant Lucio sans prononcer un seul mot.

— Elle est belle, n'est-ce pas ? constata Meza avec une expression béate.

Eleni put entendre clairement la réponse de Lucio.

— Pour certains, oui... je suppose qu'elle l'est.

Elle se hâta de s'éloigner, le cœur battant.

Ce soir-là, elle s'habilla de la façon la plus simple dans l'espoir de ne pas attirer l'attention. Une robe de coton blanc uni, avec une jupe évasée, des bretelles, et un petit corsage boutonné sur le devant. Mais à peine avait-elle pénétré dans le salon que Ross s'avança vers elle les bras tendus.

— Vous ressemblez à un ange ! Je vous ai cherchée

partout toute la journée. J'espère que vous n'essayez pas de m'éviter ?

— On ne peut rien vous cacher, fit-elle avec humeur.

— A cause d'hier ? Eleni, vous n'allez pas m'en vouloir pour cela ? Il y avait si longtemps que je ne vous avais tenue dans mes bras, que j'ai perdu la tête. C'était si doux, si bon. Eleni, mon trésor...

— Je vous en prie, Ross. C'est terminé. Je n'aurais jamais dû vous permettre de m'embrasser. C'était une erreur et je le regrette amèrement.

— Oh ! je vous ai effrayée ! Cela ne se reproduira plus. Je vous jure qu'à l'avenir, je serai plein d'égards. Vous savez bien que je peux l'être... rappelez-vous. La vie est rude à la Marañon, et je crains qu'elle n'ait un peu déteint sur moi. Je me suis comporté comme un sauvage.

Eleni passa sa main sur son front.

— N'en parlons plus, oublions tout cela, dit-elle avec lassitude.

Elle sortit sur le balcon et s'appuya contre la balustrade. Les étoiles scintillaient. Là, il y avait le Verseau, puis... les Poissons. Et comment s'appelait, déjà, cet astre tellement brillant ? Ah ! oui, Altaïr. Elle aurait tant et tant à oublier.

— Eleni, insistait Ross, reprenons tout depuis le début. Je suis fou de vous !

— Non, non et non, cria-t-elle presque, avec désespoir.

— J'essaierai de vous convaincre, jour après jour. J'y parviendrai, vous verrez.

— Jour après jour ? Mais, Ross, vous oubliez que je pars demain. Calgary est à des milliers de kilomètres. A quoi bon ? Pourquoi insistez-vous ? Et ne vous ai-je pas répété cent fois que tout était fini entre nous ?

Soudain, il changea d'attitude.

— Ecoutez, Eleni, c'est un secret, alors n'en parlez à personne, mais il se pourrait que je vienne à Calgary plus tôt que vous ne l'imaginez.

Il baissa la voix et ajouta :

— Un voyage… d'affaires. Non, Eleni, des milliers de kilomètres ne nous sépareront pas.

Elle le dévisagea avec étonnement.

— Votre concession est donc si riche ? Je m'en réjouis pour vous, Ross, mais ne venez pas à Calgary pour moi, car vous seriez déçu. Faites ce que vous voulez de votre vie, mais ne m'incluez pas dans vos projets.

— Je pourrais vous y inclure facilement, ma chérie. Je ne crains pas la concurrence de Paul, au contraire, qu'elle soit la bienvenue et que le meilleur gagne. Paul et moi sommes enfin égaux !

— Qu'entendez-vous par « égaux » ? demanda Eleni, surprise.

— Maintenant que j'ai de l'argent, nous nous trouvons sur le même plan, expliqua Ross. Je peux vous offrir tout ce que vous désirez, Eleni. Mais enfin, je suis beaucoup plus amusant que lui ! Ne pensez-vous pas que je serais un mari bien plus intéressant ?

Il esquissa une grimace comique pour essayer de la dérider.

— Ne me dites pas que vous n'êtes pas de cet avis, reprit-il. Ne répondez pas immédiatement. Imaginez quelle équipe formidable nous pourrions former ! Vous deviendriez célèbre, vos modèles seraient connus du monde entier, je vous ferais sortir de l'ombre des Tessier. Nous serions les plus amoureux des partenaires et…

Il s'arrêta brusquement et tourna la tête.

— Est-ce vous, Paul ? Mais ne pouvez-vous pas nous laisser en paix ?

— *Dispenseme,* excusez-moi. Je ne voulais pas vous déranger, fit Lucio.

Sa voix était d'une douceur inquiétante. Je suis seulement venu vous avertir que le dîner était servi, ajouta-t-il.

— Ah! c'est vous, Ferraz. Pardon! Je croyais que c'était Paul, me harcelant comme toujours. Il semble que pour arriver à parler seul avec Eleni pendant deux minutes, il faille prendre un rendez-vous!

Les deux hommes étaient face à face, se mesurant du regard.

— Vraiment? fit Lucio. Dans ce cas, Eleni, vous pourriez peut-être accorder un rendez-vous à Ross après le repas? Je vous en prie, fit-il en s'inclinant légèrement et en désignant d'un geste la table dressée.

— Désolée si nous vous avons fait attendre, maugréa Ross en passant devant lui.

Alors qu'Eleni s'apprêtait à le suivre, Lucio lui barra le passage. Lentement, il la dévisagea, remarquant son air furibond, ses lèvres pincées. Elle fit un effort pour ne pas parler et serra les poings.

— Décidément, chaque fois que je vous trouve, vous êtes avec quelqu'un de différent, remarqua-t-il d'un air sarcastique. Ne pouvez-vous pas vous décider à choisir? Ou bien pensez-vous passer ainsi votre existence, allant d'un homme à l'autre? Peut-être en préférez-vous plusieurs à la fois; cela flatte votre vanité. Un seul à vos pieds ce n'est pas suffisant, il vous les faut tous, j'imagine. *Dios gracias,* vous partez demain!

Eleni ne put émettre un son, rendue muette par la fureur et l'indignation. Elle tenta de le repousser mais il la retint avec une poigne de fer.

— Vous n'avez rien à répondre? Rien pour votre défense? Non, je suppose que non. Une femme facile comme vous, ne cherche même pas des excuses car il y aura toujours un homme prêt à succomber à vos charmes.

Eleni respirait avec difficulté et tremblait de rage.

— *Facile ?* Vous m'appelez une femme facile ? cria-t-elle presque en se démenant en vain pour libérer son bras. Qui donc êtes-vous pour me juger ? Essayez de m'embrasser Lucio Ferraz et vous verrez à qui vous avez affaire ! Oh ! si seulement j'avais un autre bol de fraises, je vous les jetterais à la figure !

— *Gata !*

— Si je suis une *gata,* qu'êtes-vous ? Comment osez-vous poser vos mains sur moi ? Il se peut que vos autres maîtresses l'apprécient, mais ne me comparez pas à elles. Laissez-moi, Lucio, je vous préviens...

— Si vous vous comportez comme elles, quoi de plus naturel ?

— Je vous hais, gronda-t-elle.

— Vous regretterez ces mots, fit-il durement... et les fraises.

— *Te odio,* répéta-t-elle, *te odio.*

— Parfait, *bella,* car moi aussi je vous hais... ainsi nous sommes deux.

Il saisit brutalement ses cheveux, renversa sa tête en arrière et s'empara de sa bouche avec un mélange de brutalité et d'exquis savoir-faire. Pendant un instant, elle se sentit à nouveau entraînée par l'impérieux besoin de s'abandonner à lui tandis qu'il pressait impudemment son corps contre le sien. Mais elle se reprit aussitôt, elle ne se laisserait pas traiter ainsi. Elle mordit furieusement sa lèvre et quand il releva la tête, le gifla de toutes ses forces.

— Dieu ! vous êtes à peine civilisé ! lui jeta-t-elle, tremblant de tous ses membres.

Portant la main à son visage, il murmura d'une voix sarcastique :

— Et vous donc ? Vous mordez, vous griffez comme un chat sauvage. Je plains votre malheureux cousin et le sort qui l'attend !

— Je vous avais prévenu. A présent, laissez-moi ou je me défendrai à coups de pied s'il le faut.

— *Por Dios !* quelle violence ! je ne m'en serais jamais douté... vous êtes pleine de surprises, Eleni. Et je ne suis pas comme Paul, cela me plaît.

Il esquissa un sourire sardonique. Qu'allait-il faire maintenant ? se demanda-t-elle avec effroi. Si seulement il pouvait la laisser partir...

— Et moi qui croyais que le Canada était peuplé de gens pacifiques ! continua-t-il d'une voix moqueuse.

Elle ne pouvait plus supporter ses railleries, son injustice, sa méchanceté. Levant sur lui ses yeux brillants comme deux pierres précieuses elle l'injuria en espagnol, cherchant dans son vocabulaire le mot le plus blessant qu'elle put y trouver.

Il eut un rire de gorge. Sa tête s'inclina lentement vers elle. Eleni se raidit.

— Puisque nous allons nous haïr, *bella,* autant le faire bien.

Ses lèvres se posèrent sur sa bouche avec la légèreté d'un papillon. Mais peu à peu, leur pression s'accentua et son baiser se fit plus sensuel, plus intime. Eleni se débattit en vain, les bras de Lucio autour de son corps étaient durs comme de l'acier et elle brûlait déjà de désir. Elle voulut le mordre à nouveau mais il s'écarta brusquement.

— Il est préférable que vous partiez demain, car Dieu sait où nous pourrions en venir, murmura-t-il. Votre visite aura été... intéressante. Je vous devrai cela, Eleni, une petite aventure inoffensive. Je n'ai pas souvent cette chance à Sal si Puedes et votre... collaboration et bonne volonté l'ont rendue d'autant plus plaisante. Néanmoins, je ne crois pas qu'à l'avenir, il soit prudent que vous reveniez ici avec votre cousin, car s'il me trouvait dans la chambre de sa fiancée, il serait choqué, mais dans celui de sa femme !

Eleni crut qu'elle allait avoir un malaise. De sa vie elle n'avait été attaquée ni humiliée de la sorte. Faisant un immense effort sur elle-même, elle inspira profondément plusieurs fois avant de lancer d'une voix presque naturelle :

— Pensez-vous que nous puissions passer à table maintenant ?

Le dîner fut un cauchemar pour Eleni. Angel était inquiet, silencieux ; Ross et Paul ne cessaient d'échanger des allusions désobligeantes, Lucio affectait envers elle une courtoisie excessive qui la blessait presque plus que ses insultes. Et comme s'il ne l'avait pas encore suffisamment tourmentée, ses yeux demeuraient obstinément fixés sur le premier bouton de son corsage. Son expression était tellement méprisante qu'Eleni avait l'impression qu'elle était à demi nue et impudique.

Dès qu'elle le put, Eleni disparut dans sa chambre et tourna la clef dans la serrure. Elle en avait assez de tous et de tout, de Ross et de Paul, de Lucio, de cette journée abominable. Si seulement elle pouvait déjà être à demain ! Dévorée de jalousie et de rage, elle pensa amèrement qu'elle ne saurait blâmer Lucio de la croire « facile » : ne l'avait-elle pas été avec lui depuis le début ?

Le lendemain, tout le monde vint leur dire adieu, sauf Consuelo. Au-delà du portail de la propriété, là où les chemins se divisaient pour aller, d'un côté, vers le pont et, de l'autre, vers la montagne, une petite foule s'était rassemblée. Même Meza était présent, clopinant sur ses béquilles. Après beaucoup de sourires, de bons

souhaits et de cordiales poignées de main, ils se
dirigèrent vers la colline. Deux soldats armés ouvraient
la marche ; Lucio et un fonctionnaire de la Banque
Minière du Pérou suivaient en bavardant. Ce dernier
portait une double sacoche de cuir jetée en travers de
l'épaule. Derrière eux, venait Eleni accompagnée par
Angel, puis Paul et Ross discutant aigrement. Hilario
conduisait deux ânes chargés de leurs bagages et deux
autres soldats escortaient enfin cette petite caravane,
jetant autour d'eux des regards aigus pour détecter
toute embuscade éventuelle.

La nature baignait dans la chaleur dorée du soleil. Le
ciel était d'un bleu intense et les oiseaux chantaient. En
contraste, Eleni n'aurait pu se sentir plus désespérée.
Tête baissée, elle marchait en silence à côté d'Angel.
Elle avait du mal à avancer, ses jambes lui semblaient
lourdes et une immense peine enserrait son cœur
comme dans un étau. Chaque pas qui l'éloignait de Sal
si Puedes était une agonie. Elle s'efforçait de ne pas
regarder Lucio devant elle, de ne pas voir l'éclat bleuté
que les rayons donnaient à ses cheveux. Les gardes
prirent un chemin caché qui menait au terrain d'aviation et peu après, ils étaient arrivés. La piste d'atterris-
sage longeait le flanc de la montagne, les roches avaient
été entamées à la dynamite par endroit. Dès qu'il les
aperçut, le pilote du vieil avion militaire mit les moteurs
en marche et les hélices se mirent à tourner. Un autre
homme armé se tenait debout devant la porte ouverte
de l'appareil.

Les sacs d'or et les bagages furent transportés dans la
carlingue et tout le monde commença à échanger des
poignées de main. Eleni pensa qu'elle allait s'évanouir.
Puisant cependant en elle des réserves insoupçonnées,
elle parvint à sourire, à dire à chacun le mot qu'il fallait
et même à remercier Hilario des bons repas qu'il leur

avait préparés durant leur voyage, à l'aller. Il lui baisa
la main. Angel la pressa de ne pas partir sans avoir
essayé de tirer les choses au clair avec Lucio. Elle le
regarda tristement, secoua la tête et se dirigea vers
Ross pour prendre congé de lui. Elle comptait le faire
très brièvement de façon qu'il comprenne une fois pour
toutes que tout était bien fini entre eux.

Mais il s'écria :

— Eh ! pas si vite Eleni !

Il la souleva de terre en la couvrant de baisers. Avant
de la reposer sur le sol, il lui souffla :

— A bientôt à Calgary. Je penserai à vous, Eleni.

— Cela suffit ! aboya Paul.

Lucio la dévisagea un instant puis jeta :

— Au revoir, Eleni.

Ce fut tout. Il demeura simplement là, l'observant
alors que l'air, brassé par les hélices ébouriffait ses
cheveux blonds.

— Adieu, Lucio, je vous remercie de votre hospitalité, réussit-elle à articuler lentement.

Tout en les prononçant, elle eut la certitude aveu-
glante qu'elle aimait Lucio de toute son âme. Elle
aurait tout donné pour qu'il lui adresse un sourire, ou
une de ses grimaces effrontées.

Elle frissonna dans la chaleur de l'après-midi, tandis
que le fonctionnaire de la Banque épongeait son front
baigné de sueur à l'aide d'un grand mouchoir blanc.
Lucio demeurait impassible. Eleni plongea son regard
dans le sien aussi longtemps qu'elle le put, puis
détourna la tête.

— *Adios Lucio,* murmura-t-elle enfin en faisant un
effort surhumain pour retenir ses larmes.

Pendant un dernier instant poignant, elle le contempla, comme pour graver ses traits à jamais dans sa
mémoire.

Puis, elle fit demi-tour et se dirigea vers l'avion. Angel l'aida à y monter et, quand elle tourna la tête, elle vit Hilario qui la saluait de la main et Angel qui lui souriait. Lucio gardait une immobilité de statue.

Dans un flot de paroles confuses, le pilote lui assura avec enthousiasme que c'était un honneur pour lui d'avoir une dame à son bord, et l'installa avec mille précautions sur l'un des quelques sièges, disposés face à face de chaque côté de la carlingue. Paul serrait sa petite valise noire entre ses genoux. Ils attachèrent tous leurs ceintures. L'un après l'autre, les soldats pénétrèrent dans l'avion. La porte se referma, la rotation des hélices s'accéléra, l'appareil se mit à vibrer et, peu après, ils décollèrent.

Eleni s'affaissa sur son siège avec la sensation de sombrer dans un océan de désespoir. Elle avait perdu conscience de la présence de Paul. Il la regardait, espérant attirer son attention, mais elle demeurait inaccessible, perdue dans sa douleur.

— Eleni ?

Comme elle ne répondait pas, il secoua légèrement son bras.

— Eleni !

Il se pencha pour se faire entendre par-dessus du bruit assourdissant des moteurs.

— Tu te rends compte que nous serons à Trujillo dans moins de deux heures ! Alors que nous avons mis neuf jours pour en venir ! Réellement, cela me rend fou quand j'y pense !

Elle émergea lentement de sa rêverie, désirant qu'il la laisse tranquille au lieu de l'accabler par son bavardage insignifiant.

— Crois-tu à cette histoire au sujet de Santes ? Moi pas, enchaîna-t-il.

Sans attendre sa réponse, il continua :

— Comme je suis content de rentrer. Tu t'es très bien comportée, Eleni. A mon avis, Ferraz ne mentionnera pas à papa l'épisode des fraises. Ce serait la moindre des choses de sa part, après tout cela ne concernait pas nos affaires... un différend personnel, inutile de lui en parler.

Eleni hocha distraitement la tête.

— Je voudrais bien savoir pourquoi il nous a joué cette comédie du *peon modesto*. J'ai étudié le problème sous tous ses angles sans trouver de réponse. Et toi, as-tu découvert une raison ?

Elle secoua la tête.

— Nos relations ne se sont pas améliorées ensuite, et après il y a eu l'incident des fraises. Que t'avait-il dit pour que tu perdes ainsi tout contrôle ?

Eleni redoutait depuis longtemps cette question.

— Il a eu une façon assez... déplaisante de s'exprimer, répondit-elle prudemment, sachant que si elle ne lui donnait pas une explication quelconque, Paul la harcèlerait sans fin.

— Vraiment ? fit-il. C'est curieux...

— Tu trouves ? Tu ne l'aimais pas non plus beaucoup.

— C'est vrai, mais du moment que du côté affaires tout s'est bien passé, c'est le principal en ce qui me concerne. Ah ! Comme j'ai hâte d'être à la maison, s'écria-t-il une fois de plus. J'espère que les autres voyages seront moins désagréables.

— J'en suis sûre, Paul. Après tout, tu n'auras pas à supporter Lucio, il ne sera plus là, n'est-ce pas ?

— Non !

Il rit doucement.

— Souhaitons que le prochain négociant que je rencontrerai ne s'appelle pas Pedro !

Paul la regarda avec un visage rayonnant.

— Je déteste les avions, mais j'aurais bien embrassé ce pilote quand il a accepté de nous prendre !... Eleni, tu sais que j'ai réellement choisi un diamant pour ta bague de fiançailles ?

Elle se sentit devenir glacée.

— Je suppose que les parents seront contents, continua-t-il. N'as-tu pas eu l'impression, avant de partir, qu'ils espéraient que quelque chose se passerait pendant ce voyage ?

Juste quand elle se félicitait d'être parvenue à se conduire normalement, une boule se forma dans sa gorge, et les larmes lui montèrent aux yeux. Elle garda le silence en espérant que Paul croirait qu'elle ne l'avait pas entendu, ne trouvant pas le courage en cet instant de lui dire qu'elle ne voulait pas, et ne voudrait jamais l'épouser.

— Eleni ! Tu es encore repartie dans tes nuages, murmura-t-il. Je me demande comment tu arrives à rêver ainsi tout éveillée !

Il poussa un soupir de résignation et tourna son attention d'un autre côté.

A leur arrivée à Trujillo, un camion blindé les attendait. Le fonctionnaire de la Banque et les quatre soldats portant les sacs de jute s'engouffrèrent à l'intérieur. Il démarra aussitôt et disparut dans un nuage de poussière rouge.

Paul et Eleni montèrent dans un taxi et se dirigèrent vers le centre de la ville.

Le portier de l'hôtel les reconnut comme étant des amis du *Señor* Ferraz. Il se répandit en saluts et en démonstrations d'amitié. Rien ne serait trop pour eux, il était à leur entière disposition.

Eleni demanda que son dîner lui soit servi dans sa suite.

— Tu ne te sens pas bien ? s'enquit Paul. Il est à

peine sept heures. Ton humeur est bizarre depuis que nous sommes partis.

— Je suis fatiguée, Paul.

— Mais tu n'as pas cessé de m'accabler pour que nous fassions du tourisme et maintenant que nous disposons d'une soirée entière pour visiter la ville, tu vas te coucher ! Parfois, je ne te comprends vraiment pas.

— Lis donc les journaux, Paul, lui conseilla-t-elle, voilà des semaines que tu n'as pas eu la possibilité de le faire.

— Eh bien, va dormir. Il y a un avion qui part très tôt pour Lima, avec un peu de chance, nous pourrons peut-être prendre la correspondance pour Los Angeles, Son visage s'éclaira à cette idée, et il demanda qu'on lui apporte le *New York Time*.

Eleni se dirigea vers l'ascenseur, accompagnée d'un groom chargé de ses bagages. Elle soupira de soulagement quand elle se retrouva enfin seule, et se laissa tomber sur son lit. Maintenant qu'elle aurait pu pleurer tout son saoul, elle n'y arrivait pas. Les yeux dans le vague, elle se mit à revivre en détail son voyage, se rappelant chaque mot, chaque intonation, chaque geste de Lucio.

Il était dix heures quand elle décida de dormir, de sombrer dans l'oubli pendant quelques heures.

Fouillant dans ses affaires, elle vit l'enveloppe avec les billets de cent dollars, et la grande plume noire de condor que Lucio lui avait donnée. Elle la caressa, la pressa passionnément contre son cœur, puis, dans un moment de rage, pensa la jeter au panier, mais à la dernière seconde, elle ne put s'y résoudre et la remit dans la valise. Elle en sortit ensuite le négligé que lui avait donné Dora et le regarda pensivement. Si sa tante avait pu se douter... elle serait si déçue. Demain soir, il faudrait affronter toutes ses questions. Eleni gémit tout haut à cette idée. Que pourrait-elle lui dire ? « non, non, tante Dora, rien n'est arrivé et rien n'arrivera jamais » ? Pauvre oncle Angus qui avait dépensé pour rien le prix d'un billet d'avion...

Après avoir pris une douche, Eleni passa le déshabillé. C'était sa dernière nuit au Pérou, elle voulait l'y porter au moins une fois. S'examinant dans un grand miroir, elle pensa que Lucio avait eu raison de remarquer qu'il avait été conçu pour séduire les hommes. Au lieu de dissimuler ses formes féminines, la soie et la dentelle les moulaient et les mettaient en valeur. Eleni considéra quelques instants avec étonnement cette image d'elle, sensuelle et inconnue que lui renvoyait la glace, puis elle détourna les yeux, frémissant au souvenir de Lucio.

Agenouillée devant sa valise, elle se mit en devoir de chercher sa trousse à ongles. Quand elle la repéra enfin, tout au fond, sous une quantité de choses, elle la sentit comme bloquée et tira si impatiemment qu'un bruit de déchirure se fit entendre. Irritée, elle repoussa vers la gauche tout le contenu de son bagage. Sur le côté resté vide, se voyait un long accroc causé pas ces ciseaux. Alors qu'elle considérait avec agacement ce petit dégât, elle aperçut soudain un coin brillant de plastique qui dépassait légèrement sous la doublure. Etonnée, elle le saisit, tira, et dégagea un sac rempli de fine poudre blanche. Qu'était-ce ? Et d'où cela pouvait-il bien provenir ? Perplexe, elle se pencha et glissa à nouveau ses doigts dans la fente du tissu. A l'intérieur s'en trouvaient d'autres. Elle renversa alors par terre toutes ses affaires, se mit à fouiller fébrilement et découvrit sept paquets en tous points semblables. Avec un frisson d'horreur, Eleni comprit brusquement que c'était de la cocaïne.

8

QUELQU'UN qu'elle connaissait avait glissé de la drogue dans sa valise! Elle articula un cri et recula effrayée, sans quitter sa découverte des yeux.

Lucio lui avait expliqué un jour que quand elle était extraite des feuilles, elle ressemblait à du sucre brun. Il devait donc s'agir d'un produit pur et raffiné. De la cocaïne pure! chuchota-t-elle. Il devait y en avoir pour une fortune. Elle sentit la sueur perler à son front.

En observant de plus près, elle s'aperçut que la couture dans la doublure avait été faite grossièrement. Cela signifiait que la personne avait l'intention de récupérer rapidement les sachets.

De quoi s'agissait-il? se demanda-t-elle, glacée de terreur.

Quelqu'un devait donc la surveiller et la suivait peut-être, savait qu'elle repartait le lendemain avec Paul. Essaierait-on de s'emparer de la drogue quand elle était encore à Trujillo?

Qui avait pu lui jouer un tour aussi horrible? *Qui?* Lucio?… impensable! Angel? Hilario? Ramón? n'importe qui vivant à Sal si Puedes. *Ross?* Il s'était déjà servi d'elle une fois. Etait-ce lui? Pourtant il semblait avoir trouvé beaucoup d'or, il était riche désormais…

mais l'était-il réellement ? Lucio, avait sans nul doute
une fortune... l'avait-il amassée au moyen d'un trafic
illicite ? Non ! Il était impossible que ce soit Lucio. Et
Angel ? Oh ! non, surtout pas Angel ! Inlassablement,
les noms tournaient dans sa tête en une ronde infernale.

Elle repensa à Lucio, à ses façons étranges, à la
comédie qu'il leur avait jouée. Il lui avait promis de
tout lui expliquer et, finalement, elle n'était guère
avancée. Eleni poussa un gémissement, totalement
désemparée.

Elle se souvint soudain d'un détail : Ross avait dit
qu'il serait bientôt à Calgary et lui avait recommandé,
avec des airs mystérieux, de n'en parler à personne.
Avait-il compté sur elle pour passer la « marchandise »
à travers trois contrôles douaniers ? Sans cette déchirure de la doublure, elle ne se serait jamais rendu
compte de ce qu'elle transportait. Oui... il se pouvait
que ce soit Ross. Comment punissait-on ce genre de
délit au Pérou ? Si on la découvrait en possession de
stupéfiant, serait-elle jetée en prison immédiatement ?
Croirait-on ses explications ? Paul serait-il considéré
comme complice et penserait-on que les pierres précieuses n'étaient qu'une couverture ? Mon Dieu ! que
dirait l'oncle Angus en apprenant que son fils et sa
nièce étaient incarcérés ! Elle préférait ne pas l'imaginer. L'agitation d'Eleni allait croissant. Passant nerveusement la main dans ses cheveux, elle s'efforça de
mettre de l'ordre dans ses idées. Que faire d'abord ?
Allait-elle se barricader ? L'entendrait-on si elle criait ?
Dans ce pays étranger, elle ne savait comment se
comporter et Paul ne serait pas de bon conseil, lui non
plus. Si elle l'appelait, il se mettrait dans un état
épouvantable et cela n'arrangerait rien.

Lucio ! Il ne restait que lui, il était son seul recours.
Au plus profond d'elle-même, elle était convaincue

qu'il était innocent. Non, il n'était pas impliqué, elle en était certaine maintenant. Elle lui téléphonerait et lui demanderait conseil.

Soulagée d'avoir pris cette décision, elle exhala un long soupir et se mit à réfléchir. Comment faire comprendre à Lucio, à travers une radio à ondes courtes qu'elle était en possession de huit paquets de... dynamite ? Elle attirerait l'attention de tous les voleurs et de tous les escrocs à des kilomètres à la ronde. Il lui fallait un code... un code.

Mordillant pensivement sa lèvre, Eleni se concentra.

Après une demi-heure d'attente et d'explications à diverses standardistes, elle entendit finalement la voix profonde d'Angel. Quelques secondes plus tard, Lucio était en ligne.

— Allô, chéri, j'ai pensé que je devais vous remercier encore pour notre merveilleux séjour, commença-t-elle joyeusement.

À l'autre bout du fil, il y eut un silence glacial et elle devina sa surprise. Elle enchaîna, sans lui donner le temps de parler :

— J'étais dans ma chambre d'hôtel, pensant à ces trois dernières semaines et plusieurs choses me sont venues à l'esprit. Il était indispensable que je vous appelle, chéri.

— Euh !... naturellement, *chérie*... Quelles choses ?

Eleni sourit. Il avait compris. Elle inspira profondément.

— Vous rappelez-vous notre veillée avec les paysans au coin du feu ?

— *Si,* c'était très agréable, je m'en souviens parfaitement.

— Vous m'avez appris des choses si intéressantes... Oh, et puis sans savoir bien pourquoi, les histoires que me racontait Janey me sont revenues en mémoire.

— Elle était particulièrement bavarde sur deux sujets, si je ne me trompe ? fit Lucio d'un ton léger.

— Celui qui m'obsède maintenant ne concerne pas les deux *garimpeiros* assassinés — quoique ce dernier mot ait une signification spéciale pour moi en ce moment.

Elle marqua une pose, puis ajouta d'une voix sensuelle :

— Oh !... chéri, comme Huanchaco était beau !

— Qu'est-ce qui vous a le plus frappée, là-bas ? demanda prudemment Lucio.

— Le sable... si blanc, fin comme du talc. Une vraie merveille. Cela vaudrait une fortune à Calgary, d'ailleurs je compte y retourner et en emporter un peu avec moi pour le montrer à mes amis, sans quoi ils ne me croiront jamais.

— Les douaniers n'apprécieraient pas cela, ma chérie.

— Non, j'en ai peur, en effet. Malheureusement, les cartes postales ne font pas justice à ce sable si merveilleux. Mais après tout, si j'en prenais juste un peu... Je suis indécise... Oh, Lucio ! Sans vous je me sens triste et seule. J'aimerais tant que vous soyez à mes côtés. Vous me manquez tant ! soupira-t-elle d'un ton pathétique.

— Paul n'est-il pas avec vous ? Sait-il que vous voulez retourner à Huanchaco ?

— Non, je ne lui en ai pas parlé, il... il... réagirait très mal et se mettrait en colère, balbutia-t-elle.

— *Si,* je vois...

Il paraissait si naturel, qu'elle se demanda s'il avait vraiment capté son message. Mais autrement aurait-il maintenu une conversation aussi saugrenue ? Surtout après la façon dont ils s'étaient quittés quelques heures plus tôt...

— Pouvez-vous me conseiller ? Je ne sais pas quoì faire... au sujet de Paul et mon problème...

— Ne faites rien pour l'instant Eleni, attendez que je vous rappelle.

Il semblait très ferme et serein.

— C'est entendu, Lucio, j'attendrai de vos nouvelles. Je vous en prie, ne tardez pas trop à m'en donner.

Sa voix se brisa, trahissant son anxiété.

— *Chica,* murmura-t-il d'un ton différent. Je vais faire aussi vite que possible, ne vous inquiétez pas... au sujet de Paul.

— Oui, mon chéri, c'est promis, je ne bougerai pas, assura-t-elle en tremblant.

Eleni raccrocha et ferma les yeux avec un soulagement délicieux, puis elle se prépara à une longue attente, remit de l'ordre dans sa valise et commença à arpenter nerveusement sa chambre en consultant constamment sa petite pendulette de voyage dont les aiguilles avançaient à une lenteur désespérante.

De la musique lui parvenait de la place. Minuit sonna.

Subitement, une pensée l'assaillit : si quelqu'un s'introduisait chez elle, elle n'avait rien pour se défendre. Elle téléphona donc au bar de l'hôtel, en demandant qu'on lui apporte une bouteille de brandy. Cela pourrait toujours servir de massue, le cas échéant. Elle commanda également un café.

La femme de chambre apparut peu après avec un plateau portant le nécessaire.

Eleni s'enferma à double tour et se servit une tasse de café. Les minutes s'égrenaient lentement et la jeune fille crut qu'elle allait devenir folle.

Vers une heure moins le quart, elle décida d'éteindre la lumière et de faire semblant de dormir. Assise sur son lit, le dos appuyé contre le mur et la bouteille à portée de la main, elle attendait que Lucio l'appelle, ou qu'un visiteur indésirable tente de forcer sa porte...

Eleni était parfaitement réveillée, cependant quand elle vit dans la pénombre, la poignée de cuivre tourner silencieusement, elle pensa d'abord qu'elle rêvait. Glacée de terreur, elle se recroquevilla sur elle-même. Il y eut un très léger déclic, le battant s'ouvrit et se referma presque sans bruit. Une ombre s'approcha. Elle crut que son cœur allait s'arrêter de battre.

— Eleni, Eleni, chuchota une voix en se penchant au-dessus d'elle.

— Oh ! Lucio, cria-t-elle dans un sanglot. Vous m'avez effrayée !

Glissant un bras sous ses épaules, il la souleva et l'embrassa.

— J'aurais bien frappé, mais...

Il l'embrassa encore, fougueusement.

Eleni noua instinctivement ses bras autour de son cou pour s'assurer qu'il était bien réel.

— Je n'avais jamais songé que vous viendriez personnellement, murmura-t-elle. Lucio, c'est merveilleux que vous soyez ici !

Il s'assit sur le lit et l'attira contre lui.

Etourdie de bonheur, elle ébouriffa ses cheveux noirs, et se blottit contre sa poitrine, savourant le contact de sa peau chaude, l'odeur épicée de son eau de cologne.

— *Mi bien,* à peine étiez-vous partie que vous me manquiez déjà.

Avec ardeur, il caressa lentement son dos et la serra contre lui comme s'il ne voulait plus jamais la laisser partir.

— Et maintenant, éclairez-moi. Qu'est-ce que c'est que cette histoire au sujet d'être assassinée et d'avoir des sachets de cocaïne en votre possession ? Avais-je bien saisi ?

— Oui, vous êtes fantastique, Lucio ! Venez, je vais vous montrer.

Elle se glissa hors du lit et, tout en se dirigeant vers sa valise, lui raconta à voix basse comment avait eu lieu sa découverte. Lucio s'agenouilla par terre à côté d'elle et le faisceau de sa petite torche électrique éclaira le contenu de son bagage. Eleni eut vite fait de mettre à jour les quatre premiers paquets rangés côte à côte. Il siffla doucement, en prit un, l'ouvrit avec son couteau, plongea un doigt à l'intérieur et le porta à sa bouche. Eleni l'observait, oubliant le danger, exaltée par la joie intense que lui procurait sa présence.

— Vous aviez raison, c'est de la cocaïne, et de très bonne qualité. Une fortune, en effet ! Il doit y avoir près d'un kilo !

Il la regarda avec un de ses sourires un peu railleurs et ajouta :

— Et moi qui espérais que ce n'était qu'un prétexte pour me faire venir !

Son attention se porta à nouveau sur les sacs. Il les remit soigneusement en place, lissa la doublure, et rangea les affaires d'Eleni par-dessus.

Elle remarqua soudain qu'il était vêtu de noir de la tête aux pieds. Il se redressa, grand, calme, sûr de lui.

— Eleni, murmura-t-il doucement.

Il braqua sur elle le faisceau de lumière.

— *Por Dios !* murmura-t-il. Il vous va réellement bien, c'est vrai !

Immobile dans le rai lumineux, elle demeura pétrifiée, troublée, soudain consciente de la légèreté de sa tenue. Elle rougit violemment et releva le menton d'un air de défi. Lucio soupira, regarda quelques secondes ses cheveux d'or cascadant sur ses épaules ambrées, 'a bouche pleine et pulpeuse, ses yeux saphir. Il éteignit la torche et ils se retrouvèrent dans la pénombre.

— Pourquoi n'êtes-vous pas avec votre cousin? s'enquit-il. J'imaginais que vous dormiriez avec lui, ne serait-ce que pour vous sentir en sécurité… Eleni, pourquoi portez-vous ce négligé?

Ses mains la saisirent aux épaules et elle se retrouva tout contre lui. Elle percevait les battements de son cœur.

— Je ne sais même pas si Paul est dans sa chambre, répondit-elle. Je ne l'ai pas revu depuis que nous sommes à l'hôtel et… Lucio, ce n'est pas *son* négligé. On me l'a donné avant mon départ et j'ai voulu le mettre au moins une fois.

— Vous ne m'avez jamais dit qui vous l'avait donné. Est-ce lui?

— Comment pouvez-vous croire que j'accepterais un tel cadeau de la part de Paul? s'écria-t-elle, indignée.

— Pourquoi pas? C'est votre *novio,* l'homme que vous allez épouser. Je ne vous comprends pas, Eleni.

Il la fixa et ajouta d'une voix rauque :

— Je voudrais que vous soyez un peu plus logique, *amor mío.*

— Tandis que je vous attendais, Lucio, commença lentement Eleni, j'ai pris conscience que ce voyage nous avait servi de révélateur à Paul et à moi. Nous avions toujours accepté comme une chose normale l'idée de nous marier ensemble un jour ou l'autre. C'était un accord tacite dans la famille. Angus et Dora ont espéré que ce tête-à-tête au Pérou précipiterait peut-être les événements et que nous reviendrions officiellement fiancés, mais c'est le contraire qui s'est produit. En vérité, nous n'en avons aucune envie ni l'un ni l'autre. J'ignore si Paul s'en est rendu compte, mais une chose est certaine : il n'est pas amoureux de moi et je ne le suis pas de lui. Je suis heureuse de l'avoir compris avant de commettre une sottise.

— Alors, puis-je supposer que ce négligé est pour moi ? murmura Lucio.

Sans lui laisser le temps de lui répondre, il l'attira contre lui.

— M'auriez-vous appelé si vous n'aviez pas trouvé la contrebande ? reprit-il.

— Eh ! bien... non, avoua-t-elle en baissant les yeux.

Il soupira et remarqua avec ironie.

— Pour quelqu'un d'apparemment petit et fragile, vous savez bien asséner des coups redoutables ! Enfin vous m'avez téléphoné quand vous aviez besoin d'aide, je suppose que c'est un progrès.

Un sourire sarcastique apparut sur son visage. Elle chercha à le repousser en posant sa main sur son torse et ce simple geste suffit à libérer le flot d'émotions qu'ils avaient endiguées depuis leur dispute. Il l'enlaça passionnément, la couvrit de baisers. Avec fébrilité, il caressa ses épaules rondes et fit glisser la bretelle de son déshabillé, dévoilant sa gorge satinée. Quand il traça de son doigt le contour de ses seins, Eleni poussa un gémissement de bonheur. Elle chuchota d'une voix altérée :

— Le fait de nous haïr ne semble pas avoir changé grand-chose...

— Oh ! *mi bien,* j'ai cessé de vous détester dès la seconde où vous êtes partie. Je n'avais plus qu'une obsession : vous revoir, vous reprendre entre mes bras.

— Comment êtes-vous entré ? chuchota-t-elle contre son oreille.

— Avec le passe, répondit-il tranquillement.

— Mais comment vous l'êtes-vous procuré ?

— Je l'ai pris, c'est tout. Pensez-vous qu'une simple

clef pouvait m'arrêter ? Il fallait que je pénètre dans
votre chambre. J'ai pensé que si vous y étiez, vous
auriez peur d'ouvrir la porte et que si vous ne vous y
trouviez pas, je devais, de toute façon, chercher ces
huit sacs.

— Lucio, qu'allons-nous faire ?

— Il y a deux policiers en civil dans le hall de l'hôtel
et deux autres sur la place. Le piège est déjà tendu pour
le fraudeur s'il venait cette nuit. A présent, il ne nous
reste plus qu'à l'attendre.

— Et si personne ne vient ? demanda-t-elle en écar-
quillant les yeux.

— Alors vous serez suivie, où que vous alliez par des
inspecteurs. Quand vous aurez quitté le pays, un
détective d'Interpol vous prendra en charge. Vous ne le
reconnaîtrez pas, mais quelqu'un dans cet avion aura
l'œil sur vous. A votre arrivée — s'il ne s'est rien passé
entre-temps — la police canadienne prendra le relais.
Vous n'avez rien à craindre pour votre sécurité, Eleni.
Racontez-moi tout depuis le début.

Il y avait peu de chose à révéler et elle en eut bientôt
terminé avec son récit.

— A votre avis, qui a pu mettre le stupéfiant dans
ma valise ? et comment se fait-il que vous en sachiez si
long sur ce sujet ! s'enquit-elle en se pressant contre lui.

— Voici trois mois, la source de la cocaïne purifiée a
été localisée à Sal si Puedes ou dans ses environs.
Depuis lors, nous tentons de découvrir qui se trouve à
l'origine de cette affaire. Nous savons que la drogue
arrive généralement à travers les montagnes jusqu'à
Trujillo et nous avons découvert qu'un autre chargement était attendu ici ce soir. Cette fois-ci, ils vous ont
utilisée. Un plan parfait ! Se servir de l'avion du
gouvernement pour transporter de la drogue ! Grâce à
vous, nous avons pu faire la connexion. La personne

qui se trouve derrière tout cela n'est pas un trafiquant ordinaire, Eleni. Cette opération est plus importante que prévue. Le fonctionnaire de la banque, les soldats, le pilote pourraient être compromis.

— Attendez ! attendez, Lucio, comment avez-vous pu arriver aussi vite ?

— J'ai trouvé Santés, avoua-t-il en souriant malicieusement, je me doutais qu'il était avec sa maîtresse.

— Et je parie qu'il n'était pas ivre non plus !

— Hélas, oui ! mais je suis sans pitié quand il le faut, et le malheureux a recouvré sa lucidité avant qu'il ne comprenne ce qui lui arrivait ! s'esclaffa Lucio. De toute façon, il fallait que je le voie parce que Consuelo devra partir incessamment. C'est là aussi quelque chose qui me frappe, Eleni, ajouta-t-il d'une voix préoccupée. Il y a juste trois mois qu'elle est venue vivre à Sal si Puedes, étrange coïncidence, non ?

— Mais Lucio, si leur trafic marchait si bien, pourquoi se sont-ils servi de moi ?

— Ils ont pu penser que nous commencions à avoir des soupçons et qu'il serait intelligent de changer de système. Avec un peu de chance, nous allons peut-être les attraper la main dans le sac... c'est le cas de le dire !

— Alors... vous... collaborez avec la police ?

— Eleni, je suis aussi désireux qu'elle de mettre fin aux activités de ce gang. Cela ne m'est pas du tout agréable de savoir que ma propriété est utilisée comme relais, fit-il d'un ton contrarié.

— Oui, je comprends. Etait-ce la raison de la comédie que vous nous avez jouée ? De ce voyage de neuf jours ?

— Oui, *chica*, nous pensions que la cocaïne arrivait à travers la montagne. J'ai surveillé tous les voyageurs, vérifié toutes les rumeurs dans toutes les villes et dans chaque maison. J'avais soupçonné les gitans, mais ils étaient innocents.

— Ainsi, vous examiniez leurs sacoches quand vous avez disparu ce soir-là sous les arbres ? s'exclama Eleni.

— Oui, cela me paraissait étrange qu'ils les aient laissées sur les chevaux, mais je n'ai rien découvert si ce n'est quelques pièces d'or.

— Je ne m'étonne plus que Lord Mistico ait été aussi nerveux !

Lucio s'esclaffa doucement :

— Il avait du mal à se retenir de courir derrière moi ! Mais si j'avais volé leur argent, ils m'auraient coupé la gorge.

Eleni frémit, et s'enquit d'un ton faussement innocent :

— Que disiez-vous au sujet de Consuelo ?

— C'est bizarre qu'elle soit venue s'installer à Sal si Puedes juste à l'époque où la drogue a commencé d'en provenir. En admettant qu'elle s'arrange pour l'introduire dans l'avion, de qui la reçoit-elle ? Qui la lui remet une fois par mois ? Je ne peux m'empêcher de songer à Ross Marshall.

— Moi aussi, admit Eleni d'une voix un peu distraite, toujours préoccupée par Consuelo.

— Sa concession est pauvre, continua Lucio. Je l'ai vue de mes propres yeux. Il y vit comme un misérable *garimpeiro* et ce n'est pas dans son caractère, il n'a jamais été enthousiasmé par le travail.

— Lucio ! s'exclama-t-elle avec excitation. Ross m'a déclaré le contraire. Il m'a dit qu'il avait trouvé beaucoup d'or et amassé une fortune. Il a même parlé d'acheter la maison voisine de la nôtre, une espèce de petit château, et il a ajouté qu'il viendrait bientôt à Calgary, mais de n'en parler à personne. Oh ! Lucio, tout s'explique !

— Et cela vous est égal ?

— Egal ? répéta-t-elle perplexe. Pourquoi me dites-vous cela ?

— Il s'agit de Ross. J'ai eu l'impression qu'entre vous deux tout n'était pas terminé.

Le regardant avec incrédulité, Eleni s'écria :

— Paul s'imagine déjà toute sorte d'absurdités, et maintenant vous aussi ?

— Je n'ai rien inventé Eleni, je vous ai vue dans ses bras près du bassin quelques minutes après vous avoir quittée.

— Mais pourquoi n'êtes-vous pas venu me secourir au lieu de disparaître ? s'écria-t-elle, stupéfaite.

— Vous *secourir* ? explosa-t-il. Vous n'aviez certainement pas l'air d'en avoir besoin !

— Mais je ne pouvais plus me libérer ! Au moins, le bruit que vous avez fait l'a distrait une seconde et j'ai réussi à le repousser et à m'échapper.

— *Por Dios !* Qu'attendiez-vous de moi ? Je vous abandonne cinq minutes parce que j'ai un appel important de la police et, quand je reviens, je vous trouve en train d'embrasser un homme que vous prétendiez ne plus aimer !

— C'était une erreur, Lucio. Je l'ai laissé faire, admit-elle, mais quand j'ai voulu aussitôt m'en écarter, il ne m'a plus lâchée. J'ai essayé en vain de me débattre, j'étais en proie à une panique totale.

— Et pourquoi vous êtes-vous mise dans une telle situation ? Cela m'a rendu fou !

— C'est difficile à expliquer, Lucio... surtout quand vous me regardez avec cette expression-là, chuchota-t-elle.

Il la souleva brusquement dans ses bras et alla la déposer sur le lit. Puis il roula sur elle et promena ses lèvres sur ses épaules.

— Est-ce plus facile ainsi ? s'enquit-il, railleur.

— Eh bien… non, avoua-t-elle en haletant. Je l'ai laissé m'embrasser parce que, parce que…

— *Si ?*… murmura-t-il en frôlant de sa bouche la petite veine qui battait à la naissance de son cou.

Elle laissa échapper un petit cri de plaisir et soupira :

— C'était… une espèce de test stupide que j'ai voulu faire pour savoir si je ressentirais la même chose qu'avec vous…

— Et quel a été le résultat de cette… expérience ? questionna Lucio en mordillant doucement le lobe de son oreille.

— Je n'éprouvais plus rien, souffla-t-elle, éperdue. Au contraire, il m'a fait horreur !

Elle saisit sa tête brune entre ses mains et posa un baiser sur ses paupières.

— Lucio ? Est-ce la raison pour laquelle vous avez été si brusque ainsi hier matin ?

— Je ne me souviens pas de vous avoir brusquée, *amor mío,* chuchota-t-il entre deux baisers.

Son souffle chaud dans ses cheveux, l'odeur épicée de son eau de toilette la plongeaient dans un émoi exquis.

— Vous m'avez traitée de « délicieux gâteau empoisonné », lui reprocha-t-elle d'une voix boudeuse.

Elle sentit son rire plutôt qu'elle ne l'entendit.

— Pardon, *bella,* je retire ces paroles calomnieuses. Etait-ce la raison de l'incident des fraises ?

— Non, pas tout à fait, concéda-t-elle.

Il releva la tête et la dévisagea, étonné !

— Mais alors, il y avait quelque chose d'autre qui vous a déplu au point de me lancer le contenu de votre bol au visage ?

— Je vise bien, n'est-ce pas ? fit-elle en pouffant.

— Allons, éclairez-moi, je suis curieux de savoir ce

qui a pu vous mettre dans cet état. J'en ai tout de même le droit, Eleni !

Se demandant comment aborder la question avec délicatesse, elle hésita quelques secondes et finit simplement par déclarer d'une traite :

— Ce matin-là, j'ai vu Consuelo sortir complètement nue de votre chambre.

Elle attendit sa réaction en retenant son souffle.

— Ah ! c'est donc cela ! Et vous avez cru que j'avais passé la nuit avec elle ! Je suppose que c'était une déduction logique. Et voilà la raison de votre geste, conclut-il en riant de bon cœur. Il faudra, que je me souvienne, *amor mío*, que vous pouvez être jalouse comme une tigresse. Comme c'est réconfortant ! A présent, je découvre que vous avez connu les mêmes tourments que les miens !

— Eh bien ! l'avez-vous invitée chez vous ou non ? lui demanda-t-elle, vexée par cet accès de gaieté.

— Non, *chica*.

Il baisa doucement sa bouche et avoua :

— Je ne l'ai pas touchée. Depuis qu'elle est à l'hacienda, elle tâche de me séduire et de m'attirer dans ses filets. Il ne lui déplairait pas d'avoir de l'influence sur le maître de Sal si Puedes. Constatant qu'elle n'avait pas de succès avec moi, elle a essayé ses charmes sur Angel, sans aucun résultat non plus. Alors, quand elle a su que son départ était imminent, elle a dû vouloir tenter sa chance une dernière fois. Quand je me suis réveillé, je l'ai trouvée à mes côtés. Il ne m'a pas fallu longtemps pour la chasser, *chica !* Et je suis sûr que c'est elle qui a mis la cocaïne dans votre sac. Elle était terriblement jalouse de vous et a certainement agi ainsi pour se venger.

— Lucio ? Je regrette pour les fraises, chuchota Eleni en l'entourant de ses bras.

— *Mi bien,* vous me rendez si heureux, je vous remercie d'être aussi jalouse, fit-il en riant.

Elle soupira avec ravissement.

Lucio se redressa sur un coude et promena lentement sa main dans la vallée au creux de ses seins.

— Eleni, murmura-t-il d'une voix grave, je peux me retirer dans le petit salon, si vous le désirez.

Ses lèvres caressèrent tendrement sa joue.

— Oh! non, supplia-t-elle, en nouant ses bras derrière sa nuque.

— *Te quiero,* Eleni, souffla-t-il, je t'aime.

Il le dit presque comme un avertissement. Elle sourit dans l'ombre et lui répondit :

— Oui... je veux... oui, *te quiero* aussi.

Etouffant un grognement, il roula sur le lit en l'entraînant avec lui, maintenant sa nuque dans un étau.

— Ne vous moquez pas de moi, Eleni ! Je suis tout à fait sérieux !

— Mais moi aussi, assura-t-elle en lui décochant un sourire radieux. Je n'ai jamais été plus sérieuse de ma vie !

Elle libéra ses bras de son étreinte et enroula sa jambe autour de la sienne. Les mains de Lucio se posèrent immédiatement sur sa taille et il l'attira tout contre lui. Langoureusement, elle effleura ses lèvres et glissa ses doigts à l'intérieur de sa chemise. D'un geste impatient, Eleni défit les boutons et explora sa peau hâlée avec délice. Lucio marmonna son nom et reprit sa bouche avec une ferveur et une sauvagerie qui la laissèrent pantelante. Il donnait libre cours à la passion dévorante qui l'étreignait et la serrait à lui couper le souffle.

Quand enfin il se fit moins pressant, Eleni s'écarta légèrement et l'aida à ôter son vêtement. Enflammée par un poignant désir qui la rendait audacieuse, elle tenta d'ouvrir sa ceinture avec des doigts malhabiles. Lucio se releva et se déshabilla prestement. L'espace d'une minute, Eleni demeura pétrifiée, éblouie par la beauté de son corps mince et bronzé, digne d'une statue grecque. Et tandis qu'elle l'admirait, elle éprouva un violent besoin de lui appartenir, de ne faire plus qu'un avec lui, et l'implora du regard.

Lentement, Lucio la reprit dans ses bras et se mit à caresser ses hanches, puis remonta jusqu'à sa gorge palpitante pour s'attarder sur le doux renflement de ses seins. Eperdue, Eleni se blottit tout contre lui submergée par une avalanche de sensations inconnues. Elle avait l'impression délicieuse de flotter entre le rêve et la réalité.

D'une voix altérée, elle murmura soudain :

— Lucio, vous ai-je dit que je vous aimais ?

Il la fixa avec des yeux luisant d'une flamme étrange et répondit d'un ton rauque :

— Oui… vous m'avez dit que vous m'aimiez à la folie, *mi amor*.

Il baissa la tête et s'empara de ses lèvres en un baiser ardent. Puis il fit lentement glisser les bretelles de son négligé le long de ses épaules. Le vêtement de soie effleura en une douce caresse sa poitrine puis ses hanches tandis que Lucio imprimait des arabesques sur sa peau brûlante avec sa bouche. Enfin elle se retrouva nue, son corps contre celui du jeune homme. Ce contact embrasa follement Eleni. Eperdue, elle cria son nom et s'abandonna voluptueusement à la vague de plaisir qui la submergeait.

Lucio pesa de tout son poids sur elle et déposa une pluie de baisers sur son visage son cou et lorsqu'ils arrivèrent au point de non-retour, Eleni, à moitié inconsciente souffla :

— Et si le voleur entre maintenant ?

Lucio rit et déclara :

— Ne vous inquiétez pas, *bella,* nous ferons semblant d'être endormis dans les bras l'un de l'autre.

— Mais ne pen-pensez-vous pas qu'ils risquent
d'être surpris ? balbutia-t-elle.

— Mais non, *chica,*... seulement déçus, murmura-
t-il, malicieux.

Rassurée, elle se laissa aller et Lucio, en chuchotant
des mots incompréhensibles en espagnol qui la firent
frissonner, la fit sienne. Emerveillée, Eleni découvrit
tout un monde de sensations nouvelles dont seul Lucio
possédait la clef...

Longtemps après, ils s'endormirent, comblés, le bras
de Lucio entourant la taille d'Eleni dans un geste
possessif.

Lorsque Eleni s'éveilla, quelques heures plus tard, il
faisait déjà jour et elle s'aperçut avec stupeur que le lit
était vide. Lucio avait bel et bien disparu. Tout n'aurait
pu être qu'un rêve, la cocaïne, leurs aveux, leur
amour... songea-t-elle, vaguement anxieuse. En pleine
lumière, même la chambre paraissait différente. Son
déshabillé gisait par terre, froissé. Elle se sentit soudain
vulnérable et solitaire. Elle avait tant besoin de lui,
pourquoi l'avait-il abandonnée ? Il aurait été si bon de
se retrouver près de lui en ouvrant les yeux...

Il avait dû s'absenter et reviendrait vite, se dit-elle en
se raisonnant. Mais quand elle sortit de la douche, il
n'était toujours pas là. Pensivement, elle alla décrocher
le téléphone et demanda s'il y avait un message pour
elle. On lui répondit aimablement qu'il n'y avait rien.
Prise d'une impulsion subite, elle ouvrit sa valise et
palpa la doublure. Les sacs n'y étaient plus. Lucio et la
drogue s'étaient volatilisés...

Elle demeura immobile, ne sachant que penser. Que s'était-il passé ? Pourquoi ne lui avait-il rien dit ? Quand le reverrait-elle ? Elle partait dans une heure pour Lima. Paul devait déjà l'attendre en bas.

Serait-il possible que Lucio soit un trafiquant ? Que leur nuit d'amour n'ait été qu'un moyen pour entrer en possession de la drogue et s'enfuir au petit matin ? De toutes ses forces, elle repoussait cette horrible éventualité. L'idée même lui donna une telle nausée qu'elle décida de ne plus réfléchir à rien jusqu'à son départ. Il lui restait cinquante minutes et beaucoup de choses pouvaient encore arriver. Un autre employé se trouvait à la réception lorsqu'elle appela. Il n'y avait toujours pas de message dans son casier. Elle allait être en retard et Paul serait contrarié. Carrant ses épaules, elle se dirigea vers la salle à manger pour retrouver son cousin qui devait déjà avoir terminé son petit déjeuner.

Il était d'humeur morose comme elle l'avait craint.

— Tu es en retard ! lui jeta-t-il d'un ton aigre dès qu'il la vit. Comme toujours d'ailleurs ! J'allais envoyer la femme de chambre pour te chercher. Tu n'es vraiment pas une compagne de voyage agréable !

— Tu n'es pas très drôle toi non plus, que je sache, rétorqua-t-elle avec agacement.

— De toute façon, cela n'a plus d'importance, maugréa Paul, notre Jet a été envoyé ailleurs et notre merveilleux DC-6, cette pièce de musée, est hors d'état de marche. Il n'y aura pas de vols pour Lima aujourd'hui. Je suis fou de rage ! Ils en prennent un peu trop à leur aise avec leur *mañana*... Tiens, regarde là-bas, le garçon avec l'écharpe jaune, c'est le pilote. Il boit tranquillement son café, tout cela lui est parfaitement égal !

— Pourquoi veux-tu qu'il se fasse du souci, puisque tu t'en fais pour deux ? Allons, Paul, calme-toi, ce n'est

pas bien grave. Alors vraiment ? reprit-elle avec un
sourire radieux. Nous ne pourrons pas partir aujour-
d'hui ?

Il la considéra d'un air furieux.

— Non ! et à ce rythme, nous ne serons sans doute
pas à Calgary avant après-demain !

— Eh ! bien, puisque nous allons rester ici un jour de
plus, nous pourrions en profiter, proposa-t-elle d'un air
engageant. Nous sommes dans une ville ravissante dont
l'architecture est vraiment magnifique et…

— Quand je voudrai étudier l'architecture, je te le
ferai savoir, coupa-t-il avec dérision. Tout ce que je
souhaite maintenant, c'est d'en finir avec ce voyage et
rentrer chez moi le plus vite possible. Il faut que
j'envoie un télégramme à papa pour lui expliquer ce qui
nous arrive. Cela me prendra toute la matinée, naturellement, étant donné la façon dont les choses fonction-
nent dans ce pays ! T'es-tu rendu compte que le journal
le plus récent date d'il y a trois jours ?

— Puisque je vois que tu n'as pas envie de sortir,
déclara Eleni, j'irai me promener seule.

Elle se leva, heureuse de fuir sa mauvaise humeur.
Comment avait-elle pu envisager de l'épouser ? Ils
étaient si dissemblables. Si Paul n'en avait pas encore
pris conscience, il ne tarderait pas à le faire.

Toujours pas de message pour elle, ni à la réception
ni dans sa chambre. La *doncella*, qui terminait de
border son lit, l'assura que personne n'était venu en son
absence.

Se rappelant un film d'espionnage qu'elle avait vu
récemment, Eleni déposa à l'intérieur de sa valise, sur
deux chemisiers, un de ses longs cheveux dorés. Si
quelqu'un essayait de la fouiller, elle le constaterait
ainsi immédiatement. Satisfaite de son stratagème, elle

jeta un dernier coup d'œil circulaire et sortit dans la lumière limpide du matin.

Elle flâna sur la Plaza de Armas, essayant de paraître calme, équipée de son magnétophone portatif et d'un guide touristique, scrutant la foule, les boutiques, chaque coin de rue, dans l'espoir d'apercevoir Lucio.

Elle lut dans son petit manuel que la Plaza de Armas était la plus ancienne du Pérou, et que l'imposante sculpture qui lui faisait face était un monument à la Liberté et aux Héros de l'Indépendance. Des maisons coloniales aux éclatantes façades bleu de Prusse, lie-de-vin ou pourpre, entouraient le square. Une grande cathédrale se dressait du côté nord, avec des murs crépis aveuglants de blancheur sous le soleil.

Avant de rejoindre Paul pour le déjeuner, elle monta dans sa chambre pour voir si personne n'était venu durant son absence. Immédiatement, elle se rendit compte que l'on avait touché à sa valise. Le chemisier jaune n'était plus à la même place et le cheveu avait disparu. Sa trousse de voyage avait également été inspectée. Rien n'avait été volé, pas même l'enveloppe contenant les deux mille dollars. Eleni la prit, pensant qu'il était imprudent de laisser traîner autant d'argent, et décida de la mettre dans le coffre de l'hôtel avec l'attaché-case de Paul.

Durant le repas, Paul qui s'était un peu rasséréné, parce qu'il avait pu se procurer un journal datant seulement de quarante-huit heures, l'informa des nouvelles du monde extérieur. Elle l'écoutait d'une oreille distraite, encore impressionnée à l'idée qu'un mystérieux personnage s'était introduit chez elle. Quelqu'un l'attendait-il en ce moment pour la menacer et lui poser des questions. Et, où était donc Lucio ?

Eleni ressortit après le repas. Paul déclara qu'il faisait trop chaud et préférait lire à l'hôtel. Elle passa

l'heure de la sieste assise à la terrasse d'un café,
regardant les passants et se demandant constamment si
elle était surveillée. De temps en temps, elle tournait la
tête avec inquiétude, observant la rue somnolente. La
même question la harcelait sans cesse : où était Lucio ?
Sans lui, elle se sentait si désemparée !

Après que l'heure la plus chaude fut passée, elle alla
flâner aux environs du grand marché, non loin de la
Plaza de Armas et acheta des souvenirs pour sa famille
et ses amis en marchandant comme elle l'avait vu faire.
Etait-elle suivie par quelqu'un ? Serait-ce ce petit
homme aux moustaches tombantes ? Il lui sembla qu'il
la guettait depuis longtemps. Son cœur se mit à battre
de façon désordonnée. Elle s'engagea vivement dans
une ruelle, se mit à courir et s'arrêta net après avoir
tourné au coin d'une rue. Elle pivota et se retrouva nez
à nez avec lui. Ils se dévisagèrent avec méfiance.

Il glissa sa main dans la poche de sa veste douteuse et
en sortit un objet. Grimaçant et faisant des courbettes,
il lui demanda :

— La *Señorita* aimerait-elle acheter un véritable os
de Chimu ? Un os de prêtresse, très précieux. Je vous le
vendrais à bon prix. Pas cher, pas cher, seulement cent
soles.

Eleni soupira de soulagement, il ne s'agissait que
d'un vendeur ambulant ; le réceptionniste l'avait prévenue.

Elle secoua négativement la tête en souriant, puis
elle lui dit une phrase que Lucio lui avait apprise. Il lui
adressa un rapide salut, scruta les passants à la recherche d'une autre victime et s'en alla rapidement.

C'est alors que de loin et l'espace d'un instant, elle
crut entrevoir Ross. D'abord paralysée par l'étonnement, elle plongea ensuite dans la foule pour essayer de
le retrouver. Que faisait-il ici ? Il était censé être à la

Marañon, c'était bien étrange ! Elle regarda de tous côtés, parcourut le marché d'un bout à l'autre, jeta un coup d'œil dans de nombreuses boutiques et grimpa même sur un banc pour tâcher de mieux voir, mais Ross s'était littéralement volatilisé. Non, elle n'avait pas été le jouet d'une illusion, elle était persuadée de l'avoir reconnu.

Inquiète et de mauvaise humeur, elle rebroussa chemin vers l'hôtel. Dans sa suite, rien n'avait été touché, le cheveu était à la même place.

Paul, ayant épuisé les ressources de son journal, était retombé dans sa maussaderie coutumière. Il adressa quelques remarques aigres à Eleni en lui demandant si elle l'évitait délibérément. Il critiquait tout, le menu, le vin, les gens, le climat, et même l'uniforme des garçons.

— Il y a des années qu'on ne porte plus cela, jeta-t-il d'une voix méprisante.

— C'est un hôtel un peu démodé, Paul, tu ne peux pas t'attendre à y trouver l'atmosphère et le style du *Hilton !* fit Eleni avec agacement.

Soudain, Paul se mit à jurer tout bas et fixa d'un air furibond un point derrière elle. Etonnée, elle tourna lentement la tête. Que se passait-il encore ?

Ross Marshall, se frayant un passage entre les tables, venait vers eux avec un grand sourire cordial.

— Quelle agréable surprise ! s'écria Ross en saisissant une chaise et en s'esseyant à leur table.

— Je ne me souviens pas de vous avoir invité à dîner, lança immédiatement Paul sur un ton glacial.

Ross s'esclaffa :

— Vous êtes toujours aussi guindé, je vois !

— Voilà une rencontre inattendue, fit Eleni, enjouée. Je vous imaginais à la Marañon, dans la boue jusqu'aux genoux. Quelle affaire vous amène donc ici ?

— Eleni, il fallait absolument que je vous revoie avant votre départ !

— Il me semblait bien vous avoir entrevu cet après-midi, laissa tomber Eleni en épiant sa réaction.

Il eut un imperceptible tressaillement, puis répondit légèrement :

— Impossible, mon chou, j'arrive à l'instant !

— Comment vous êtes-vous arrangé pour aller aussi vite ? aboya Paul.

— Santes m'a amené, il a repris son service !

Santes avait été bien occupé durant ces dernières vingt-quatre heures, songea Eleni.

Ross appela le garçon, et lui commanda avec aplomb son dîner et une autre bouteille de vin.

— J'ai été content d'apprendre qu'il n'y avait pas de vols, Eleni. J'avais peur de vous manquer et j'étais prêt à vous suivre jusqu'à Lima, s'écria-t-il avec chaleur.

— Et peut-on savoir pourquoi ? s'enquit Paul.

— Avez-vous trop bu, ou êtes-vous complètement stupide ? fit-il. Pour voir Eleni, naturellement ! J'ai juste eu le temps de trouver Santes !

A cet instant, le garçon vint leur servir leur repas. Ils l'entamèrent sans grand appétit, leurs pensées étaient ailleurs. Après quelques instants, Ross se leva en annonçant qu'il avait un coup de téléphone important à donner. Paul et Eleni restèrent seuls dans un silence glacial. La jeune fille s'efforçait de nouer les fils de cette intrigue, et Paul, tentait de deviner ce qu'elle pensait. Il ouvrit plusieurs fois la bouche pour prendre la parole mais se ravisa.

Soudain, il murmura :

— Que fait-il ? Il a disparu depuis un quart d'heure...

— Peut-être ne reviendra-t-il pas, suggéra Eleni.

— Ne sois pas sotte, il n'en est qu'au potage.

Ils demeurèrent muets un moment, puis Paul explosa de nouveau :

— Vingt minutes ! mais que diable se passe-t-il ici ?

— Je n'en sais pas plus long que toi, Paul, alors ne me regarde pas avec ces yeux accusateurs !

Elle se demandait si Ross n'était pas en train de chercher fiévreusement dans sa valise les huit sacs de cocaïne.

— Excusez-moi d'avoir tant tardé, fit Ross en réapparaissant quelques instants plus tard. J'ai dû emmener Consuelo avec moi. Angel y tenait absolument. Je lui avais trouvé un travail. J'ai téléphoné pour savoir si l'entrevue avait eu lieu, il paraît qu'elle ne s'est pas présentée. Dommage, c'était un emploi agréable, dans un bar correct. Mais après tout, qu'elle fasse ce qu'elle voudra, c'est son affaire.

Eleni reconnut que l'excuse pouvait être valable. Mais après tout...

Ross termina à moitié son repas sous l'œil désapprobateur de Paul qui avait horreur du gaspillage.

Il se leva et déclara :

— J'adorerais prendre un brandy avec vous, Eleni, mais j'ai un rendez-vous. Je reviendrai dès que possible, et nous pourrons alors boire ce verre ensemble ? Dites oui s'il vous plaît ! insista-t-il en la voyant hésiter.

Eleni réfléchit rapidement : si elle le laissait disparaître maintenant, elle ne saurait rien et, au fond d'elle-même, elle croyait en sa culpabilité.

— Bien, c'est entendu, fit-elle.

Paul lui adressa un regard ulcéré.

— Au revoir, Paul, lui lança Ross avec une petite grimace narquoise.

— Votre compagnie a été un véritable *enchantement* pour nous, répliqua Paul de sa voix la plus sardonique.

Aussitôt qu'il fut parti, et sans laisser à son cousin le temps de parler, Eleni disparut en lui criant :

— Je reviens dans une seconde !

Elle monta au deuxième étage, ouvrit la porte de sa suite et la referma à clef. Rien n'avait été touché dans le petit salon, mais dès qu'elle entra dans sa chambre, elle vit que sa valise et sa trousse de toilette n'étaient plus exactement à la même place. Le cheveu avait disparu. Si Ross était venu fouiller pendant le dîner, alors qui avait été l'intrus de ce matin ?

Elle renouvela son manège pour le cas où un troisième individu ferait son apparition et rejoignit Paul.

— Je pourrais aussi bien être seul ! marmonna-t-il sur un ton blessé. Tu t'absentes tout le temps. Pourquoi lui as-tu promis de le rencontrer plus tard ? Tu ne cesses de l'encourager, c'est pour cela qu'il continue d'insister. Pourquoi te poursuivrait-il jusqu'ici s'il ne pensait pas qu'il avait ses chances ?

— Il a dû venir pour Consuelo, répondit-elle, contente de trouver enfin une réponse logique à lui donner.

Paul se détendit un peu.

— C'est vrai, mais quoi qu'il en soit, je ne te permettrai pas de le revoir ce soir.

Eleni le dévisagea, stupéfaite :

— Tu ne me le *permettras* pas ?

— Si tu le fais…

Paul s'interrompit et la fixa d'un œil sévère et menaçant.

— Oui ? Eh ! bien ? Que se passera-t-il, Paul ? s'en-quit-elle calmement.

Il haussa les épaules et se tut.

Eleni brûlait d'envie de lui dire qu'ils devraient

abandonner cette absurde idée de fiançailles. Mais si elle lui en parlait maintenant, il s'imaginerait que c'était parce qu'elle voulait épouser Ross, et cela provoquerait un drame. Elle remit donc l'explication à plus tard.

Finalement, Ross ne réapparut pas et Paul ne put dissimuler sa satisfaction. De bonne humeur, il entraîna Eleni en ville en déclarant que, puisqu'ils étaient à Trujillo, autant valait en profiter pour essayer de voir quelque chose.

Pour Eleni, le temps passa ainsi un peu plus vite.

Quand elle se retrouva seule dans sa chambre, l'anxiété la saisit de nouveau à la gorge.

Entre l'angoisse qu'elle éprouvait au sujet de Lucio et la crainte de voir un intrus s'introduire chez elle, elle n'arrivait pas à trouver le sommeil et demeurait immobile, étendue sur son lit, les yeux grands ouverts, la bouteille de brandy à sa portée sur la table de nuit. Où était Ross à présent? Pourquoi n'était-il pas revenu? Qu'allait-il arriver? Quand reverrait-elle Lucio?

Les heures s'égrenaient avec lenteur. Eleni crut qu'elle allait devenir folle. Après l'enchantement, le bonheur de la nuit passée, cette terrible solitude lui semblait d'autant plus insupportable. Elle s'assoupit plusieurs fois et se réveilla en sursaut croyant qu'elle n'était plus seule, mais il n'y avait personne.

Le matin, Eleni était totalement désemparée et ne savait plus qui croire ni que penser. Peut-être avait-elle commis une terrible erreur en appelant Lucio au lieu de recourir immédiatement à la police.

Paul fit soudain irruption chez elle en lui annonçant que leur DC-6 était prêt et qu'il fallait se dépêcher de quitter l'hôtel.

— Allons, disait-il, vite, vite!

Il se précipita dehors, héla un taxi et revint la

chercher en courant. Eleni contempla une dernière fois le square, pénétra dans la voiture et ils partirent.

Elle resta silencieuse pendant le trajet, plongée dans une sorte de douloureuse stupeur.

Paul croisait et décroisait nerveusement ses mains, excité, impatient, ravi à l'idée de toucher bientôt le sol natal.

Ils procédèrent rapidement aux formalités. Leurs bagages furent vérifiés ; Paul remplit et signa une quantité d'imprimés nécessaires à l'exportation des pierres. Il s'occupa de tout tandis qu'Eleni regardait tristement à la fenêtre.

Elle savait que l'aéroport était beaucoup plus proche de Huanchaco que de Trujillo. Cependant, quand elle aperçut l'ancienne église blanche et or, perchée sur la falaise, émergeant entre les nuages, elle fut saisie d'émerveillement comme le jour où elle l'avait vue la première fois avec Lucio. Oh ! Lucio ! gémit-elle intérieurement.

— Eleni, suis-moi, ordonna Paul. Tu devrais réellement t'acheter une valise neuve ! Le douanier pensait que tu cachais quelque chose avec cette doublure toute déchirée !

Il la prit résolument par le coude et l'entraîna vers la passerelle.

L'hôtesse leur sourit et leur désigna leurs sièges. Paul lui attacha immédiatement sa ceinture avant même qu'elle ait pu esquisser un geste. Résistant au désir de repousser brutalement ses mains, elle lui dit seulement :

— Décidément, tu crois que j'ai toujours cinq ans !

— Je ne sais jamais si tu es complètement réveillée, alors je préfère ne pas prendre de risques, répondit-il avec bonne humeur.

Il lui donna une petite tape amicale sur le genou et ajouta :

— Tu ne peux pas t'imaginer combien je suis content de quitter ce pays ! Oh ! quel heureux jour !

9

Ils arrivèrent en retard en raison d'un arrêt imprévu à Chimbote et manquèrent leur correspondance pour Los Angeles. Il y avait une attente de cinq heures jusqu'au prochain vol, ce qui signifiait qu'ils n'atteindraient pas Los Angeles avant une heure du matin. Paul ne cessait de maugréer.

— Autant descendre à notre hôtel pour nous rafraîchir un peu et déjeuner. Nous verrons ensuite si tu peux acheter une valise. Ici, le cuir est censé être de bonne qualité et pas cher. Nous réaliserons peut-être une bonne affaire, fit-il en soupirant avec résignation.

Bien qu'ils n'aient eu besoin que d'une chambre puisqu'ils devaient repartir avant la nuit, Paul en réserva deux. Eleni songea brièvement aux espoirs de Dora et ne put s'empêcher de sourire. Paul comprendrait bientôt que les projets de ses parents étaient sans avenir. Elle espérait qu'il s'en rendrait compte sans qu'elle ait besoin d'en parler la première. Il fallait que ce soit une décision prise d'un commun accord, de façon qu'il n'ait rien à lui reprocher et ne se sente pas offensé.

Une fois dans sa suite ultra moderne, de style espagnol, elle se reposa un peu puis décida de prendre une douche. Paul lui avait dit qu'elle semblait fatiguée et bizarre. Eleni était en fait au bord de l'épuisement. Désormais, Lucio se trouvait à des centaines de kilomètres, et elle n'avait plus aucune chance de le revoir. Peut-être ne saurait-elle jamais ce qu'il était advenu de la cocaïne, où il était parti, et pourquoi il ne lui avait pas dit adieu…

Quand elle sortit de la salle de bains, drapée dans une grande serviette, elle aperçut une enveloppe blanche glissée sous la porte. Le cœur battant, elle se précipita puis, au moment de la prendre, s'immobilisa et la fixa avec un insupportable mélange d'angoisse et d'espoir. Elle se baissa avec lenteur, la ramassa et l'ouvrit de ses doigts tremblants. A l'intérieur se trouvait une invitation à un spectacle qui aurait lieu le soir même, et dont la vedette serait Candi Ferraz. Brisée par l'émotion, Eleni ne pouvait détacher son regard du bristol.

Lucio savait qu'elle était ici ! Un sentiment de joie profonde la submergea et des larmes de bonheur inondèrent son visage. Mais où était-il ? Peut-être avait-il téléphoné à Candi pour lui demander de la contacter ainsi, sachant que Paul descendrait sûrement au même hôtel que son père. Candi aurait-il un message pour elle ? Elle essuya ses yeux, serra le carton blanc et ébaucha quelques pas de danse.

Paul frappa à sa porte en lui conseillant de se dépêcher.

— Tu n'es pas encore prête ? lui reprocha-t-il quand elle apparut dans l'entrebâillement.

— Je le serai dans deux secondes, répondit-elle en le contemplant avec un visage rayonnant.

— Tu as l'air de te sentir beaucoup mieux, remarqua-t-il.

— Devine ce que j'ai reçu ?

Elle lui tendit l'enveloppe et se dirigea dans la salle de bains pour achever de se préparer. Par-dessus son épaule, elle lui cria :

— A propos, Candi est le neveu de Lucio.

— Ah ! fit Paul, je comprends. On m'en a adressé une également et je me demandais de qui il s'agissait. Dommage que nous ne puissions pas y aller...

Eleni suspendit son geste et lança :

— Que veux-tu dire par là ?

— J'ai réservé deux billets d'avion pour le vol de quatre heures. Comment as-tu pu l'oublier ! Enfin, Eleni, tu ne t'imagines quand même pas que je vais rester un jour de plus, uniquement pour écouter un chanteur ! Tu es insensée ! Sois un peu raisonnable !

— Je suis raisonnable Paul, parfaitement raisonnable ! et je *veux* assister à ce spectacle.

Il la regarda avec incrédulité.

— Non, c'est impossible, je ne peux pas annuler ces billets maintenant.

— Et pourquoi pas ? je m'en chargerai, si tu veux, et j'en prendrai deux autres pour demain, rien n'est plus simple.

— Réellement, Eleni !...

— Angus et Dora nous ont conseillé de profiter de nos vacances, eh ! bien, ce soir, je veux m'amuser. Jusqu'ici tu n'en as fait qu'à ta guise, Paul. A présent, c'est mon tour. Je reste. Puisque tu as été malheureux durant tout le voyage, je serai enchantée de te conduire à l'aéroport et de te mettre dans l'avion.

Paul était ahuri.

— Mais... essaya-t-il encore de protester.

— Prends ta décision tout seul, l'interrompit-elle. Mais si tu décides de ne pas partir, je t'interdis de me faire sans cesse la morale et de me traiter comme une enfant... Et c'est la *dernière* fois que tu m'ordonnes de me dépêcher. Je viendrai quand je serai prête et disposée à le faire. Il se pourrait même que je décide de m'attarder une semaine de plus.

Avec un sourire impertinent, elle lui ferma la porte de la salle de bains au nez.

Quand elle réapparut, rafraîchie et d'humeur batailleuse, il arpentait la pièce d'un air rageur et explosa :

— J'en ai assez de tes enfantillages. Nous faisons un voyage d'affaires, pas d'agrément. Nous prendrons l'avion à quatre heures, décréta-t-il.

— Toi, peut-être, moi, non, répliqua-t-elle paisiblement.

— Ah !, mais c'est moi qui ai les chèques de voyage. Comment vas-tu payer une nuit de plus à l'hôtel ? lui demanda-t-il d'un air satisfait.

— Tu ne penses tout de même pas que je suis venue au Pérou sans emporter de l'argent de poche ? Parfois, tu émets vraiment des réflexions stupides !

Elle disposait en outre de deux mille dollars que Ross lui avait remboursés.

— Je ne peux pas rentrer sans toi ! s'exclama Paul. Papa ne me le pardonnerait pas !

— Je resterai en tout cas assez longtemps pour assister au spectacle de Candi. Après, nous verrons.

Si Lucio venait à Lima, pensait-elle, son départ pourrait être retardé de bien plus longtemps… peut-être que Candi avait un message pour lui dire de revenir à Trujillo et…

Paul interrompit ses pensées en l'implorant.

— Eleni, je t'en supplie, je ne veux pas partir sans toi. Tu es sous ma responsabilité, s'il t'arrivait quelque chose, Angus me tuerait et franchement, je m'en voudrais mortellement aussi ! Allons, ce n'est pas le moment d'être aussi obstinée !

— Mon cher Paul, j'ai vingt-quatre ans et non pas

quatre comme tu sembles le croire. Veux-tu que
j'appelle oncle Angus pour lui annoncer que je compte
m'attarder au moins un jour de plus ? Ainsi, tu auras la
conscience tranquille.

Elle s'approcha du téléphone et il la dévisagea un
instant.

— Mais tu parles *vraiment* sérieusement ?

— Evidemment !

— Bon, entendu, finit-il par maugréer avec humeur.
Pour cette fois, je céderai, mais ce sera la dernière, et
j'espère que Candi a du talent sinon...

— Il en a, affirma Eleni.

— Je vais donc m'occuper des réservations pour le
premier vol de demain, soupira Paul avec exaspération.

— Parfait, approuva-t-elle avec un sourire encourageant et amical.

Furieux, Paul alla décrocher le récepteur. Quand les
arrangements furent faits, il se retourna vers elle et lui
dit avec humeur :

— Tu n'as pas encore mis tes chaussures ! As-tu
oublié que nous allons déjeuner ? Allons, dépêche-toi ?

Elle le dévisagea en silence et posa lentement ses
mains sur ses hanches, avec un air décidé et menaçant.
Levant aussitôt une main apaisante, Paul s'écria d'un
ton exagérément repentant :

— Pardon ! pardon ! Princesse, je n'ai rien dit !

Terriblement émue et excitée, Eleni était assise
auprès de son cousin dans la pénombre du night-club
situé au dernier étage de leur hôtel. Des bougies
brûlaient sur chaque petite table et un spot éclairait le
rideau encore baissé sur la scène. Elle avait scruté la
salle sans apercevoir Lucio. Bien sûr, il était impossible
qu'il fût à Lima, et pourtant...

— Eh ! bien, ce Candi va-t-il commencer, oui ou non ? se plaignit Paul pour la troisième fois.

Eleni ne l'écoutait pas. Elle soupira de plaisir, contemplant avec intérêt l'assistance élégante. De grandes baies laissaient pénétrer le ciel bleu roi éclaboussé d'étoiles et permettaient de jouir d'une superbe vue d'ensemble sur la ville. Au loin, un phare clignotait sur la mer d'encre.

Les yeux dans le vague, elle ne remarquait pas les regards admiratifs dont elle faisait l'objet. Ses cheveux cascadant sur ses épaules semblaient former une bannière dorée, accrochant la lumière. Le fourreau mordoré qu'elle avait choisi mettait en valeur son corps hâlé aux formes gracieuses. Ses prunelles brillaient d'un éclat particulier, ce soir.

— Tu devrais essayer un pisco amer, conseilla-t-elle à Paul, c'est délicieux. Comment peux-tu te contenter d'un whisky, alors que nous sommes à Lima ?

— Je n'en ai pas la moindre envie, et je ne crois pas que tu devrais en boire un autre, cela risque de te rendre malade.

Eleni pensa que Paul n'avait réellement rien de romantique. Elle lui répondit en riant :

— La dernière fois, j'en ai bu trois et je suis revenue sans encombre dans ma chambre. Alors, apportez m'en un s'il vous plaît, fit-elle au garçon qui attendait la commande.

Quelques instants après, Candi apparut sur scène avec son orchestre.

Au bout de quelques minutes, Paul chuchota :

— Il est vraiment bon ! excellent registre, excellent contrôle, voix très travaillée. Je ne m'y attendais absolument pas !

— Chut ! fit-elle, écoute-le.

— Ses musiciens ne sont pas mauvais non plus.

Habillés un peu bizarrement, mais… il est séduisant, n'est-ce pas ?

— Oui, acquiesça Eleni en souriant.

Paul marqua une pause puis reprit :

— Tu l'avais déjà rencontré ?

— Qui ? Candi ? Non, pourquoi ?

— Eh ! bien, c'est le neveu de Ferraz…

— Oui, je te l'ai dit.

— Quel âge a-t-il ?

— Candi ? Dix-huit ans environ. Difficile à croire. Quelle maîtrise n'est-ce pas ? il doit chanter depuis l'âge de cinq ans, murmura Eleni, sans quitter des yeux la silhouette mince et vigoureuse.

— Seulement dix-huit ans ? fit Paul, étonné. Il est vrai que la valeur n'attend pas le nombre des années, ajouta-t-il en hochant la tête. Finalement, je ne suis pas mécontent d'être resté, admit-il en tambourinant en mesure sur la table.

Soudain il lança :

— Alors, c'est le fils du frère ou de la sœur de…

— De son frère aîné, Olavo. Ne te souviens-tu pas que sur l'invitation figurait le nom de Candi Ferraz ?

— Je suppose donc qu'Olavo est ici, fit Paul en lançant un coup d'œil circulaire. Crois-tu qu'il ressemble à Lucio ?

— Non, je ne le pense pas, Paul, il n'apprécie pas les projets de son fils au sujet de cette carrière. Il voudrait qu'il se concentre uniquement sur l'affaire de la famille. En revanche, il est possible qu'Estella soit présente.

A son tour, elle se mit à scruter la pénombre avec curiosité. Comment serait Estella ? Elle avait été la *novia* de Lucio autrefois et, malgré elle, Eleni ressentait une certaine jalousie.

— Qui est Estella ? chuchota Paul.

— La mère de Candi.

Et, anticipant ses questions, elle ajouta :

— Il est l'aîné de six enfants.

Paul siffla doucement entre ses dents.

— Six ! Ils doivent encore croire aux grandes familles dans ce pays.

Eleni ne répondit pas et se demanda quelle serait l'opinion de Lucio à ce sujet.

— Ils peuvent sans doute se le permettre, commenta Paul. On ne peut pas dire que Lucio soit dans le besoin. Olavo non plus, j'imagine.

— Il ne l'est pas, il a hérité de toute la propriété familiale et de l'affaire.

— Ah ! oui ? Et Lucio ? Ce n'est pas équitable.

— Je suppose que non, mais c'est la façon dont on fait les choses au Pérou, riposta Eleni avec un haussement d'épaules.

— Je vois. Et Candi est l'aîné.

— Oui, Paul. A présent, tais-toi, s'il te plaît, il joue la mélodie que Lucio a composée.

Paul se tut le temps de la chanson puis il chuchota :

— Je n'ai pas compris un seul mot, mais c'était vraiment très joli. Tu dis que c'est Lucio qui l'a écrite ?

Il contempla, surpris, son visage extasié. Eleni regardait Candi, mais ses pensées étaient à des centaines de kilomètres de là...

Les artistes saluèrent et quittèrent la scène pour un court entracte. Candi se dirigea immédiatement vers leur table. Eleni et Paul n'étaient pas encore revenus de leur surprise quand il lança avec un grand sourire :

— Eleni ?

— Vous connaissez-vous ? demanda Paul, soupçonneux.

Le jeune homme posa sur lui un regard étonné.

— Non, fit Candi. Vous devez être le *Señor* Tessier, je suis Candido Ferraz.

Paul se leva et les deux hommes se serrèrent la main.

— Mon... Lucio m'a recommandé d'appeler votre cousine, Eleni.

— Ah oui ? s'exclama Eleni avec une expression si rayonnante que les prunelles noires de Candi brillèrent de malice.

— Il m'a expliqué que vous trouviez le « *Señorita Neilsen* » trop formel. D'après sa description, je vous ai reconnue immédiatement.

Son accent était charmant, il était élégant, sympathique, sûr de lui, mais sans la moindre prétention. Paul se radoucit et lui exprima chaleureusement son admiration. Candi le remercia avec une modestie exquise.

— Je savais que vous aviez beaucoup de talent, Candi, je vous avais déjà entendu avant, lui avoua Eleni. Mais en réalité, c'est encore mieux.

— Asseyez-vous, proposa Paul aimablement, nous serions heureux de vous inviter à boire un verre.

— En fait, déclara Candi après l'avoir remercié, j'étais venu vous proposer de bien vouloir vous joindre à mes parents. Il faudra que je retourne en scène rapidement.

Quelques instants plus tard, ils se frayaient un chemin entre les nombreuses tables. Candi et Eleni marchaient devant, il la guidait en la tenant par le coude. La pression de sa main s'accentua légèrement alors qu'il la regardait.

— Quand mon oncle m'a expliqué comment vous reconnaître, j'ai pensé qu'il exagérait. Mais non, vous êtes aussi ravissante qu'il me l'avait dit, fit-il galamment.

Eleni rougit et ses yeux brillèrent de plaisir.

— Lucio a un goût excellent, continua-t-il sans lui donner le temps de répondre et en la dévisageant discrètement.

Elle sentait qu'il était en train de la jauger et ne parlerait pas jusqu'à ce qu'elle ait remporté sa totale approbation. Quelle arrogance ? songea-t-elle en souriant intérieurement. Elle décida soudain de le prendre par surprise et d'interrompre son examen.

— J'ai vingt-quatre ans, je vis avec mon oncle et ma tante à Calgary. Mes parents sont morts depuis longtemps. Je travaille comme orfèvre chez mon oncle. Je n'ai jamais été mariée et je n'ai pas d'enfants. Bien que je ne sois pas riche, je ne suis pas dans le besoin et je réussis bien dans mon métier. Généralement, je m'entends avec les gens.

Candi esquissa un sourire.

— Pardonnez-moi ma curiosité mais... Il fit un geste élégant de la main, typiquement espagnol, avec un soupçon de panache.

— Eleni, Lucio est ici.

La jeune fille crut que ses jambes allaient se dérober sous elle et Candido dut la soutenir.

— Il est... il est ici ? balbutia-t-elle d'une voix enrouée, tremblant malgré ses efforts pour rester calme.

— Je n'ai pas voulu dire au Club, précisa Candi, il est en ville. Il est passé à votre hôtel cet après-midi, mais vous étiez sortie.

Il était à Lima ! Eleni n'arrivait pas encore à croire l'extraordinaire, la merveilleuse nouvelle, et elle était heureuse du soutien de Candi.

— Mon Dieu ! souffla-t-elle. Et dire que j'étais en train d'acheter une valise et des choses stupides !

— Une nouvelle valise ? fit Candi sur un ton qui l'intrigua.

— Vous êtes au courant ?

— Seulement un peu, répliqua-t-il. C'est à cause de cette affaire que Lucio n'a pas pu venir ce soir.

— Vous l'avez vu ? s'enquit anxieusement Eleni.

— Oui, il va bien. Ne vous inquiétez pas, mon oncle n'est pas imprudent.

— Non... non, j'en suis certaine. Il ne vous a pas donné de message... pour moi ?

— Je crois qu'il préfère les transmettre personnellement en ce qui vous concerne, répondit Candi avec un regard malicieux. Ils sont certainement un peu... compromettants.

Une rougeur envahit les joues d'Eleni.

Un des membres de l'orchestre se hâtait vers eux. Il échangea quelques mots avec Candi et celui-ci regarda la scène, puis Eleni, d'un air préoccupé.

— Je vous en prie, Candi, lui dit-elle aussitôt. Ne vous inquiétez pas pour nous, nous trouverons la table tout seuls, montrez-nous seulement où elle est, et occupez-vous de votre groupe.

Candi lui adressa un sourire reconnaissant.

— Un des musiciens a le trac, c'est la première fois que nous jouons devant autant de monde. Merci, Eleni, je vais voir si j'arrive à réconforter ce pauvre Ricardo. La table est là-bas, ajouta-t-il avec un geste de la main. Maman est debout et vous attend. *Gracias,* Eleni.

— Bonne chance avec Ricardo, lui lança-t-elle alors qu'il s'éloignait.

— Que se passe-t-il ? interrogea Paul en la rejoignant.

Elle le lui expliqua rapidement tandis qu'ils s'avançaient vers la famille Ferraz. Eleni se sentait un peu intimidée et nerveuse, surtout à cause d'Estella. Elle eut un choc en la voyant. Elle n'aurait jamais imaginé qu'elle pouvait être aussi belle ! Un an de moins que Lucio, elle avait donc trente-cinq ans, mais à la lumière des bougies, elle semblait aussi jeune que son fils. Une peau laiteuse comme un pétale de magnolia, d'immenses yeux noirs légèrement bridés, un nez et une bouche au dessin parfait, d'épais cheveux noirs et brillants, relevés dans un chignon classique. Elle ressemblait à une madone. Son port était gracieux et légèrement altier. Sa robe turquoise, admirablement coupée, seyait à ses formes un peu rondes, mais fermes et voluptueuses. Malgré elle, Eleni eut un serrement de cœur. Elle était si insignifiante en comparaison. Comment Lucio pouvait-il l'aimer ?

Paul lui prit le bras. Surprise par ce contact inhabituel, elle le regarda et s'enquit :

— Qu'y a-t-il ?

Il laissa immédiatement retomber sa main avec une ombre d'irritation.

— Non… rien. Puisque tu sembles en savoir davantage sur la famille que moi, pourquoi ne te charges-tu pas des présentations ?

Elle haussa les épaules.

— Comme tu veux.

Adressant un gracieux sourire à Mme Ferraz, elle lança :

— *Buenas noches, Señora* Ferraz. Je suis Eleni Neilsen et voici mon cousin Paul Tessier. C'est très aimable à vous de nous inviter à votre table.

Les présentations continuèrent. Il y avait la sœur cadette de Candi, aussi belle que sa mère, mais avec une fraîcheur et une innocence que les jeunes filles blasées de Calgary auraient pu lui envier ; un frère d'Estella et sa femme, ainsi que plusieurs amis de la famille et une tante de Candi, du côté maternel.

— Malheureusement mon mari, Olavo, est souffrant et n'a pu venir ce soir, fit Estella avec un air de regret.

Son sourire était un peu réservé mais chaleureux et curieux. Eleni le lui rendit, immédiatement plus à l'aise et détendue. Il n'y avait pas de jalousie dans le regard

de cette femme, seulement de l'intérêt. Elle se
demanda ce qu'Estella savait exactement de ses relations avec Lucio.

— Comme c'est dommage ! fit Paul. J'espère que ce
n'est rien de grave ?

— Non, il se remettra très vite, j'en suis certaine,
répliqua nonchalamment Estella.

— Quel dommage que Lucio ne soit pas ici, continua
Paul. Je suis sûr qu'il aurait été ravi... Vous devez être
très fière de votre fils, madame.

— Je le suis, avoua-t-elle avec simplicité, en adressant à Paul un sourire bienveillant. Passez-vous une
bonne soirée ?

La conversation se poursuivit sur un ton léger, tout le
monde était détendu. Eleni était à présent heureuse
d'avoir été invitée. Elle parlait successivement anglais
et espagnol, et mélangeait parfois les deux langues à la
grande joie des autres convives. Mais ses fautes ne
l'embarrassaient pas car l'amusement de ses compagnons était dépourvu de toute moquerie. C'était beaucoup plus drôle que d'être seule à une table avec Paul,
d'autant plus que ce dernier déployait tout son charme
et il pouvait être charmant quand il le voulait.

Comme Estella avait placé Eleni à sa gauche, les
deux femmes eurent la possibilité de bavarder. Eleni la
questionna sur ses quatre autres enfants, restés à la
maison aux bons soins d'une gouvernante. Estella, lui
demanda de lui parler du Canada, et lui affirma aussi
qu'elle espérait que la *Señora* Tessier leur ferait le
grand plaisir de venir au Pérou, étant donné qu'elle
avait déjà eu celui de connaître son époux. Belle et
sophistiquée, Estella fascinait Eleni.

La seconde partie du spectacle débuta avec un peu de
retard. L'orchestre de Candi semblait être au complet.
Il avait dû réussir à réanimer Ricardo, pensa Eleni.

Candi chanta avec toute son âme et la salle croula sous les applaudissements tandis qu'il saluait une dernière fois, épuisé et radieux.

— Oh ! soupira Eleni. Il a été fantastique !

Estella, quant à elle, rayonnait.

Revenant auprès d'eux quelques minutes plus tard, Candi s'installa entre Eleni et Paul. Sous l'avalanche de compliments, il souriait et hochait la tête avec gratitude. Eleni s'aperçut que sa main tremblait sur ses genoux et que ses yeux brillaient de façon anormale. Préoccupée, elle l'observa avec plus d'attention et lui toucha légèrement le poignet.

— Candi, chuchota-t-elle, ce n'est plus le moment d'avoir le trac.

— *Si,* répondit-il d'une voix tremblante.

— Vous vous sentirez mieux dans quelques instants, lui assura-t-elle pour le réconforter. Et c'est bien mieux de l'avoir après qu'avant, n'est-ce pas ?

Une expression de soulagement apparut sur son visage.

— Je croyais que je ne pourrais jamais plus remonter sur scène, mais vous avez raison, cela n'a pas d'importance, si je ne me sens ainsi qu'*après*.

— Non, dit Eleni en riant, cela n'en a aucune.

Soupirant, il se laissa aller contre le dossier de sa chaise.

— Tout à l'heure, je pensais être sur le point de m'évanouir comme Ricardo. Imaginez la catastrophe, personne ne réussissait à le ranimer ! c'était épouvantable ! gémit-il.

Elle aurait voulu se montrer compatissante, au lieu de quoi elle ne put s'empêcher de pouffer.

— Ce n'était *pas* drôle du tout, insista-t-il sur un ton de reproche.

Devant sa mine espiègle, il se dérida aussitôt et ajouta en souriant :

— Il avait raison, vos yeux brillent exactement comme des saphirs.

Elle recouvra immédiatement son sérieux à cette remarque.

— Qu'a-t-il dit *d'autre* ?

La contemplant avec admiration, il lui adressa une petite grimace comique et répondit :

— Il m'a expliqué que vos cheveux étaient comme de l'or, et votre nez, très impertinent. Voyez-vous, il devait me donner une description minutieuse pour que je puisse vous reconnaître au cas où vous n'auriez pas été placés au bon endroit. Il m'a assuré également que si je ne vous réservais pas la meilleure table, il ne m'adresserait plus la parole de toute sa vie.

— Et c'est tout ?

— *Si*, je vous le jure.

— Nous feriez-vous le plaisir de venir déjeuner chez nous demain avec votre cousine ? demandait Estella à Paul.

Eleni la dévisagea avec surprise, puis se tourna vers son cousin. Ses yeux rencontrèrent les siens et elle sut qu'ils pensaient tous deux au premier vol du matin pour Los Angeles.

Paul salua légèrement Estella de la tête.

— Ma *fiancée* et moi-même seront très heureux d'accepter votre aimable invitation, fit-il courtoisement.

Après ces mots, il y eut comme un léger malaise autour de la table.

Eleni sentait peser sur elle le regard de Candi. Elle aurait aimé pouvoir leur crier à tous qu'ils n'étaient pas fiancés, ni même de véritables cousins. Estella lui lança un long coup d'œil curieux.

— Eh bien ! nous avons passé une excellente soirée, commenta Paul un peu plus tard dans l'ascenseur qui les menait à leur étage.

Il bâilla et secoua la tête.

— Je suis en fin de compte ravi de ne pas partir par le premier avion, il est presque deux heures !

Eleni ne répondit pas.

— Tu as bien fait de me persuader de rester. Le spectacle était très bon, et c'était intéressant de rencontrer une partie de la famille de Lucio. La *Señora* est superbe ! Tu as remarqué ses mouvements ? Quelle lenteur et quelle grâce ! Et ses bijoux ! Un peu trop, non ?

Cette dernière remarque irrita Eleni.

— Mais du meilleur goût, et elle les portait admirablement, avec beaucoup d'élégance, je ne pourrais jamais en faire autant, riposta-t-elle.

— Non, convint Paul avec peu de tact.

Son front se plissa tout d'un coup et il questionna :

— Pourquoi a-t-il fallu que tu me présentes comme ton cousin ?

Eleni releva légèrement les sourcils.

— Et comment veux-tu que je le fasse ? Préfères-tu « mon vague cousin, mon très lointain cousin ? »

— Oh ! épargne-moi tes sarcasmes ! Je voulais seulement dire qu'il faudrait peut-être t'habituer à l'idée que tu es ma fiancée.

— M'habituer à l'idée ? s'exclama-t-elle avec stupeur et exaspération. Mais Paul, tu ne m'as même pas demandée en mariage !

Il baissa un peu la tête.

— Je pensais que c'était entendu... je ne voulais pas te brusquer... chaque chose en son temps.

Sa voix était indécise.

— Tes conclusions sont trop hâtives, Paul, cria Eleni, les yeux brillants de colère. Chaque chose en son temps, en effet !

— Bien... bien, fit-il, conciliant, aussi étonné qu'elle de son brusque éclat.

L'ascenseur s'arrêta à leur étage.

— Paul, nous avons vécu sous le même toit toutes ces années et tu ne me connais qu'à peine. Comment oses-tu présumer que je t'épouserai, alors que tu n'as même pas pris la peine de me le proposer ? Il y a longtemps que j'ai cessé d'accepter que tu prennes des décisions à ma place, tu devrais le savoir. Eh bien ! si nos fiançailles étaient entendues, elles ne le sont plus. N'imagine pas que je vais devenir ta femme uniquement parce que cela contenterait tes parents ! Sais-tu seulement que les fiancés s'embrassent à notre époque ? Et que c'est même très courant ? Quand as-tu essayé de me donner un baiser ? Cela signifie-t-il quelque chose pour toi ?

Dansant d'un pied sur l'autre avec embarras, il finit par bredouiller :

— Eh bien ! je suppose que...

Mais quand il la vit sur le point de reprendre son discours, il s'empressa d'ajouter :

— D'accord, d'accord, j'ai compris. Inutile d'insister.

— Parfait, répondit-elle. Bonne nuit, Paul.

Elle pénétra dans sa chambre, et lui claqua la porte au nez.

Quand, cinq minutes plus tard, elle entendit frapper, elle fut persuadée que c'était Lucio et courut lui ouvrir. Mais à peine avait-elle tiré le verrou que le battant fut poussé avec violence, à tel point qu'elle faillit tomber à la renverse. Un cri de frayeur s'étrangla dans sa gorge

quand elle reconnut Consuelo. Celle-ci referma nerveusement et mit le loquet.

Eleni se rendit compte, quand elle se retourna vers
elle, que la jeune femme était terrifiée. Echevelée, les
yeux dilatés, les poings serrés, elle s'avança vers Eleni.
Sa robe était sale et déchirée. Eleni recula sans la
quitter des yeux, mais elle heurta une petite table et en
un instant, Consuelo était sur elle et la menaçait avec
un couteau effilé. Trop ébranlée pour avoir vraiment
peur, elle balbutia :

— Que... se passe-t-il ?

— Donne-moi cocaïne, ordonna Consuelo. Donne-
moi *maintenant*.

Eleni décida de feindre l'ignorance.

— Quelle cocaïne ? De quoi parlez-vous, Consuelo ?

— Toi, morte bientôt. Toi prendre valise. Toi avoir.
Moi, regarder. Parti !

— Oh ! Vous avez fouillé ma valise ? Alors c'est vous
qui avez dû en déchirer la doublure, fit Eleni qui
plaidait le faux pour savoir le vrai.

— Moi, mettre cocaïne dans valise. Moi, regarder.
Plus rien ! Donne-moi maintenant, *pronto*.

— Je ne l'ai pas et je ne sais pas de quoi vous parlez.
Comment pourrais-je vous donner ce qui n'est pas en
ma possession ? plaida Eleni.

Consuelo appuya la lame contre sa gorge et sa main
tremblante n'avait rien de rassurant. De fines gouttelettes de sueur commençaient à perler sur le front
d'Eleni.

— Où c'est ? Dire tout de suite — *al instante*,
menaça encore Consuelo.

— Je ne sais pas. Je... ne sais pas !

— Aïe, aïe ! cria Consuelo avec des yeux désespérés,
donner, donner tout de suite, s'il te plaît.

— Quelqu'un d'autre doit l'avoir, fit Eleni avec le plus de calme possible.

— S'il te plaît, sanglota Consuelo en proie à un terrible désespoir. Tu donnes à moi. S'il te plaît !

Eleni profita de son désarroi pour lui arracher le couteau des mains. Ce fut très facile, elle sembla à peine le remarquer, dans son état de transe.

— Je sais que tu as, répétait-elle.

Elle se laissa tomber aux pieds d'Eleni, s'accrocha à sa robe et gémit :

— Il sait. Il tuera moi. Oh ! il tuera. Il suit moi, il trouve.

Le reste était totalement incohérent. Consuelo était épouvantée et craignait pour sa vie.

Eleni s'accroupit à ses côtés.

— Qui va vous tuer ? demanda-t-elle.

Consuelo pleurait bruyamment sans répondre.

— Mais enfin ! Personne ne va vous assassiner ici, devant moi. Allons calmez-vous ! Qui vous suit ?

— Ross, articula-t-elle. Moi, le trahir, lui, *matar*.

— Comment l'avez-vous trahi ?

— Plan c'était mettre cocaïne dans avion. Mais moi, mettre dans valise. Prendre tout pour moi. Venger moi. *garimpeiros* m'ont battue. Lui regarder et faire rien. *Si*, venger moi.

— Oui, mais il a tout découvert ?

— *Si, si*, lui savoir. Lui tuer moi. J'ai vu lui. Il suit moi. Moi courir, courir.

— Alors, depuis que vous êtes à Sal si Puedes, vous glissiez dans les sacs destinés à l'or, la drogue que vous remettait Ross ?

— *Si, si*, c'était plan.

— Mais au lieu de cela, vous l'avez mise cette fois-ci dans ma valise... donc, c'est vous qui êtes venue dans ma chambre hier matin ?

— *Si, si,* moi regarder, sacs partis ! Vous savoir.

— Je ne sais rien, affirma Eleni. Ross et vous étiez donc à Trujillo bien avant le dîner ? questionna-t-elle.

— Avant *almuerzo.* Nous arriver avec Santes dans grande machine. Oohhh ! lui tuer moi, gémit-elle.

Santes avait dû déposer Lucio, revenir et prendre Ross et Consuelo pour un second voyage.

— Et qu'avez-vous fait quand vous avez découvert que la cocaïne avait disparu ?

— Aller vite banque pour prendre argent pour partir loin, loin. Mais Ross attendre devant banque. Lui savoir tout. Lui attendre. Moi courir, courir, lui derrière. Lui venir, venir, répéta-t-elle.

Eleni regarda autour d'elle avec appréhension. Un frisson la parcourut.

— Peut-être ne sait-il pas que vous êtes ici, murmura-t-elle sans trop y croire.

Au même instant, la poignée tourna légèrement d'un côté et de l'autre : Eleni entendit un léger déclic, et la porte s'ouvrit. Elle se redressa lentement et Consuelo jeta un cri étouffé. Ross Marshall pénétra dans la chambre en remettant un trousseau de clefs dans sa poche.

Il contempla les deux femmes en silence puis lança :

— Bien. Et si vous me remettiez la marchandise ?

— Je n'ai rien et j'ignore de quoi il s'agit, déclara Eleni avec aplomb. Consuelo prétend qu'elle a mis de la drogue dans mes affaires et que quand elle est venue la chercher, elle n'y était plus. C'est tout ce que je sais.

Elle s'exprimait aussi tranquillement que possible, mais intérieurement, elle était en proie à une terrible panique.

— L'une de vous deux aurait intérêt à me dire la vérité rapidement.

Sa voix glaciale et mesurée était plus effrayante que

des cris. Consuelo bondit sur ses pieds, et s'accroupit
derrière Eleni. Le silence qui suivit était lourd de
menace.

— Il n'y a rien dans les bagages de Paul, articula-t-il
avec lenteur. Et les sacs se trouvaient dans cette valise.
Consuelo ne les a pas, sans quoi elle ne serait pas ici,
mais à des centaines de kilomètres. Il ne reste donc que
vous, Eleni, conclut-il.

La gorge de la jeune fille se noua.

— Vous n'êtes pas allée à la Police, alors qu'en avez-
vous fait ? Vous pourriez avoir de très graves ennuis si
vous tardiez plus longtemps à avouer.

— Je ne suis au courant de rien, souffla Eleni.

— Attention ! gronda Ross, ne me prenez pas pour
plus naïf que je ne le suis.

Puis il jeta un regard méprisant sur Consuelo.

— Quant à toi, je t'avais prévenue de ce qu'il
t'arriverait si tu me trahissais.

— Elle avoir, elle a volé, gémit Consuelo, épouvantée.

— C'était un plan parfait, mais tu trouvais que tu ne
devenais pas riche assez vite, n'est-ce pas ?

Il fit un pas vers elle, et elle se tassa davantage,
terrorisée.

— Je ne dispose pas de toute la nuit, jeta-t-il d'une
voix tranquille et glacée, sans que son visage ne dénote
la moindre émotion.

Eleni s'étonnait que ni Consuelo ni lui n'aient songé
à Lucio. Ils ne semblaient nourrir aucun soupçon à son
endroit.

— Je ne comprends rien à votre histoire, Ross !
comment pourrais-je donner ce que je n'ai pas ?

Un coup frappé à la porte les fit s'immobiliser. Ross
poussa un juron à mi-voix. Il saisit Consuelo par le bras
et la força à se lever, tout en sortant de sa poche un

petit revolver. Il le plaqua dans son dos d'un geste
prompt.

— Elle mourra si vous ne leur ordonnez pas immédiatement de partir, souffla-t-il.

Bousculant Consuelo, livide, il l'entraîna dans la salle
de bains et s'y enferma avec elle.

Il y eut un autre coup. Eleni passa une main
tremblante dans ses cheveux, inspira profondément et
alla ouvrir.

Quand elle vit deux hommes étranges, habillés de
noir, elle voulut immédiatement refermer le battant,
mais l'un d'eux le bloqua aussitôt de son pied et le
poussa ensuite avec une telle violence qu'Eleni fut
projetée contre le mur.

L'un des intrus tourna la clef dans la serrure et vint se
placer au centre de la chambre, tandis que l'autre se
dirigeait sans hésiter vers la cachette de Ross. Il en
enfonça la porte d'un coup de pied et, en un éclair,
arracha Consuelo à Ross, fit voler l'arme de sa main et
plongea sur lui.

Eleni courut à la fenêtre en poussant une exclamation de terreur. Consuelo tenta de bondir vers la sortie,
mais elle fut rattrapée, giflée et jetée sur le lit où Ross
fut précipité à son tour quelques secondes plus tard. Il
s'en suivit un interrogatoire rapide et furieux. Bien qu'il
eût lieu en espagnol, Eleni put en saisir le principal.

La livraison de la cocaïne et le paiement devaient se
faire simultanément mais dans des lieux différents.
Ross avait touché une petite fortune. Entre-temps,
l'employé de Banque dont le gang avait la complicité,
ne découvrant la drogue dans aucun des sacs d'or,
s'était présenté, hors de lui et les mains vides, chez le
troisième acolyte chargé de la recevoir. Où était
l'argent ? Et où était la marchandise ?

Ross les assurait de son innocence. Il avait cru de

bonne foi que le stupéfiant se trouvait avec l'or et que, par conséquent, il avait été dûment livré. Mais Consuelo l'avait trahi, expliqua-t-il en lui jetant un regard haineux. Il y eut encore quelques paroles confuses et violentes et soudain un lourd silence s'abattit et quatre paires d'yeux se tournèrent vers Eleni. Involontairement, elle recula et se plaqua contre le rebord de la fenêtre. Le canon d'un silencieux, braqué jusqu'alors sur Ross et Consuelo, se releva et se dirigea vers elle. Comme dans un lent cauchemar, elle voyait l'arme, la main gantée de cuir au bout d'un bras qui ne tremblait pas, et les yeux glacés du truand qui la menaçait. Elle eut l'impression que son cœur allait cesser de battre. Eleni voulut hurler, mais aucun son ne sortit de sa gorge. L'homme fit un pas dans sa direction, puis deux et... la seconde d'après, la pièce était envahie de policiers. Ils furent rapidement rejoints par les employés du service de sécurité de l'hôtel. Puis les femmes de chambre et les garçons d'étage entrèrent en courant. Des visages curieux se pressaient dans l'embrasure de la porte. Hébétée par ce brusque revirement de situation, par les cris et la bousculade, Eleni sentit que ses jambes se dérobaient sous elle et, livide, s'appuya contre le mur en fermant les yeux. Quand elle les rouvrit, ce fut pour voir Lucio qui se hâtait vers elle.

Il l'entoura de ses bras, la berça, et ses lèvres se posèrent sur les siennes, douces, chaudes, lui redonnant la vie. Il l'embrassa à plusieurs reprises, la pressa contre son cœur, la protégeant contre la cohue. Elle noua les mains derrière son cou et gémit :

— Oh ! Lucio !

Sa voix était tellement pathétique qu'il la serra encore plus fort.

— Cela a été si long ! n'est-ce pas, *mi bien ?* Avez-vous eu peur ? Mais *chica,* il y avait toujours quelqu'un tout près de vous pour veiller à votre sécurité. Même cet après-midi quand vous étiez dans les magasins.

Riant doucement, il ajouta comme s'ils avaient été seuls :

— Votre cousin est infatigable quand il s'agit de marchander et de réaliser un bon achat ! *Amor mio,* si cela m'avait été possible, je ne vous aurais jamais quittée. Il l'embrassa à nouveau passionnément.

— J'ai réservé une autre chambre pour vous à cet étage. Vos bagages s'y trouvent déjà. Voulez-vous y aller maintenant ?

— Oh ! oui, souffla Eleni en le contemplant avec gratitude.

— Lucio, ces deux jours sans vous ont été affreux, murmura-t-elle d'une voix tremblante.

Il lui caressa doucement la joue.

— *Mi bien,* n'aviez-vous donc pas confiance en moi ? lui demanda-t-il en fronçant légèrement les sourcils. Ne saviez-vous pas qu'en dépit des apparences, vous étiez en sécurité ? N'étiez-vous pas convaincue que je ferais tout pour que vous soyez protégée ? et que je reviendrais vers vous dès que possible ?

— Quand je me suis réveillée, vous aviez disparu sans un adieu, j'étais si désemparée...

— Mais ne comprenez-vous pas qu'il me fallait me volatiliser ainsi, comme un voleur dans la nuit ? Personne n'était censé se douter que je me trouvais à Trujillo et je ne pouvais plus vous contacter. La police et moi attendions que les trafiquants viennent réclamer leur bien. Vous deviez ignorer où j'étais et où était cachée la drogue, de sorte à ne pas avoir à mentir quand on vous le demanderait. Je regrette d'avoir été obligé de me servir de vous comme d'un appât, mais vous n'avez cessé d'être sous protection, mon cher amour. Si je vous avais réveillée avant de partir,

j'aurais eu la tentation de vous dire où j'allais. Ah !
vous savoir aussi proche et ne pouvoir être avec vous a
été une torture !

La tendresse et le désir qui se lisaient dans son regard
et la chaleur de son corps puissant contre le sien
dénouèrent toutes ses angoisses. Elle enfouit son visage
au creux de son épaule et se mit à pleurer de bonheur,
de soulagement et de remords pour avoir douté de lui.
Ces quarante-huit heures auraient été beaucoup plus
supportables si elle n'avait pas perdu confiance,
songea-t-elle.

— *Te quiero,* Lucio, *te quiero,* chuchota-t-elle.

Caressant ses cheveux, il s'enquit :

— Qu'avez-vous dit, *mi bien ?* Je n'ai pas entendu
tout à fait vos paroles, mais ce doit être très important.

Il posa ses lèvres sur ses paupières mouillées puis lui
donna un baiser qui avait le goût salé de ses larmes.
C'était si tendre et si délicieusement sensuel qu'elle
perdit conscience du brouhaha autour d'eux.

— Venez, ordonna-t-il, laissez-moi vous emmener
loin de toute cette confusion. Nous ne disposons guère
de temps pour être seuls ensemble, je dois retourner au
commissariat ce soir pour établir une déclaration qui
sera très longue.

Tendrement, il sécha ses joues et il lui adressa ce
sourire effronté qu'elle aimait tant.

— Venez avec moi, *bella,* loin de tout ce monde, et
vous me direz ce que vous venez de me chuchoter.

— Je vous suis, fit-elle en le prenant par la taille, et
en levant vers lui un visage radieux.

Dans la nouvelle chambre, merveilleusement tranquille, Lucio la souleva aussitôt, et la porta vers le lit.

— Maintenant, répétez-moi cela, commanda-t-il en
la déposant avec précaution et en se penchant au-dessus
d'elle.

Eleni noua ses bras autour de son cou et l'attira contre elle. Dans un murmure caressant, elle lui chuchota à l'oreille mille mots d'amour et de tendresse. Pour toute réponse, Lucio déposa une pluie de baisers sur son visage. Enflammée, elle s'étira voluptueusement sous lui. Ces deux jours de séparation et le souvenir de l'extase de leur nuit d'amour attisaient encore davantage le désir fou qu'ils avaient l'un de l'autre.

Quand Lucio releva la tête et rencontra son regard, son souffle était aussi saccadé que le sien et elle percevait les sourds battements de son cœur.

— *Mi bien*, gronda-t-il d'une voix rauque, vous me grisez tant que je suis encore plus étourdi que Santes ! Mais vous êtes cruelle de me tenter ainsi quand vous savez que je ne peux pas rester avec vous. Oh ! Mais continuez à m'aimer ! Je n'aurai jamais suffisamment d'amour de vous. Il l'embrassa fougueusement et s'enquit soudain :

— Candi a-t-il chanté cette chanson pour vous ? Vous savez laquelle ?

— Oui, il l'a fait et c'était merveilleux. J'ai tout compris.

— *Si ?*

Ses brillants yeux sombres se posèrent sur son visage rougissant.

— Avez-vous aimé ce que vous avez entendu ?

Elle lui sourit et répondit avec une expression délicieusement provocante :

— Quand pouvons-nous commencer ?

— Je crois que nous l'avons déjà fait, murmura-t-il. Il y a quelque temps et...

Du bout des doigts, il effleura son épaule et descendit lentement dans le profond décolleté de sa robe.

— *Si ?* souffla-t-elle le cœur battant.

Glissant sa main sous le tissu soyeux, il referma doucement sa main sur l'un de ses seins dans un geste d'amour et de possession.

— *Si*, vous êtes mienne maintenant, *amor mío*. Eleni, mon amour, demain vous déjeunez chez Olavo, n'est-ce pas ?

— Oui, ils nous enverront une voiture.

— Bien. Je vous verrai là-bas. J'ai quelque chose… d'important à faire le matin.

Il répondit à son regard interrogatif par un rire.

— Et je ne vous dirai pas ce que c'est, alors ne me le demandez pas, *chica*. Vous verrez, aussitôt que nous pourrons nous échapper après le déjeuner, vous et moi nous…

— Ferons l'école buissonnière ? compléta-t-elle avec un clin d'œil complice en caressant ses épais cheveux noirs.

— *Si*, fit-il, en embrassant le bout de son nez. Nous discuterons de questions importantes et j'aurai peut-être alors une courte conversation avec votre cousin. Un échange de points de vue, ajouta-t-il avec des yeux rieurs.

Cette remarque rappela un souvenir à Eleni.

— Lucio, à quoi pensiez-vous quand vous parliez « d'arranger les choses » entre Paul et moi ?

— *Chica*, n'aviez-vous pas dit que votre cousin et vous ne vous entendiez plus aussi bien depuis qu'il se sentait obligé de se déclarer ? Alors j'ai supposé que si je le soulageais de ce poids en courtisant sa fiancée, vos bonnes relations se rétabliraient, fit-il en lui souriant malicieusement.

— Ah ! murmura-t-elle avec soulagement, vous m'aviez inquiétée. J'aimerais tant que Paul et vous vous entendiez un peu mieux !

— Croyez-moi, en tant que votre lointain cousin, je

l'apprécie énormément. Vous avez raison, il est plein de qualités, c'est seulement en tant que *novio* que je ne peux pas le supporter. A l'idée qu'il pourrait vous tenir dans ses bras de la même façon que moi en ce moment, je deviens fous, Eleni. Je lui parlerai donc pour être certain qu'il n'y aura pas de malentendu ni de rancune entre nous.

— Oui, bien sûr, Lucio, si vous croyez que c'est nécessaire, mais je lui ai déjà précisé ce soir et il a dû comp...

Elle fut interrompue par des coups frappés à la porte. Un policier en uniforme s'excusa en leur expliquant que la présence du *Señor* Ferraz était indispensable.

— A demain donc, lui souffla Lucio en l'embrassant rapidement, *Hasta mañana,* et que la nuit passe vite ! Eleni fit écho à son souhait avec ferveur.

Ce fut donc un rude choc pour Eleni quand le lendemain, Lucio ne lui témoigna pas plus d'intérêt que si elle avait été une très vague et ennuyeuse connaissance. Elle essayait en vain de capter son regard, mais après son bref salut à son arrivée, il ne lui adressa plus la parole et ne lui prêta plus la moindre attention.

Stupéfaite et désemparée, elle tâcha de dissimuler au mieux son chagrin et de jouer l'indifférence. Mais dans son esprit, mille pensées confuses l'assaillaient. Qu'a vait-il pu se passer depuis la nuit dernière pour le faire changer ainsi ? Son regard angoissé revenait involontairement se poser sur ce visage mince et brun qu'elle adorait et qui lui était si mystérieusement fermé maintenant. Après avoir connu son amour et la chaleur de sa passion, elle ne pouvait supporter de le voir aussi indifférent. Elle aurait voulu se lever de table et lui crier son désarroi, son désespoir. Mais, comme anesthésiée par le choc, elle demeura calmement assise, souriante, bavardant avec sa vivacité coutumière.

Candi dévisageait alternativement Paul, Eleni et son oncle. Estella semblait intriguée, tandis que Paul, inconscient du drame qui se jouait à ses côtés, déjeunait d'excellent appétit.

Les Ferraz possédaient une superbe propriété. La vaste maison ancienne, de style espagnol, se dressait dans un jardin plein de fleurs et de grands arbres qui se balançaient doucement dans la brise tiède. La table était servie dehors, sous une tonnelle recouverte de vigne et les Ferraz étaient d'une compagnie très agréable.

Olavo ressemblait un peu à son frère, mais c'était un homme beaucoup plus lourd, dont les traits, contrairement à ceux de Lucio trahissaient une certaine mollesse. Ses tempes argentées et son air légèrement décadent le rendaient assez fascinant.

Attentif et courtois, il devisait avec Eleni, placée à son côté et leurs paroles se perdaient dans le brouhaha général des conversations.

— Quel dommage, que vous n'ayez assisté à la soirée d'hier lui dit-elle. Vous auriez été fier de votre fils, il a remporté un triomphe.

— Jamais personne de notre famille n'est monté sur scène, répliqua-t-il d'un air imperceptiblement contrarié, *jamais*.

— Ah ! mais votre frère m'a parlé d'un pirate parmi vos ancêtres, et n'est-ce pas pire ? riposta-t-elle d'un ton taquin.

Elle trouva alors que ses yeux noirs, et soudain malicieux, lui rappelaient beaucoup trop ceux de Lucio, et sa gorge se noua douloureusement.

— En fait, en tant que spectatrice étrangère et impartiale, vous estimez sincèrement qu'il a du talent ?

— Absolument ! s'écria-t-elle avec conviction.

— Et vous pensez qu'il a des chances de réussir dans cette carrière ?

— J'en suis persuadée. Mais pourquoi ne pas assister à un de ses spectacles et vous former une opinion personnelle ? lui suggéra Eleni.

Les sourcils d'Olavo se relevèrent légèrement, et il répondit avec hésitation.

— Le faire serait comme donner mon approbation.

— Cela vous serait probablement plus facile si vous étiez convaincu de ses dons, insista-t-elle.

— Je l'ai déjà entendu chanter, je sais qu'il a une bonne voix, concéda Olavo.

— Mais vous ne l'avez pas vu sur scène. Ne pourriez-vous pas aller l'écouter incognito, sans le lui dire et sans en parler à personne ? proposa Eleni.

Il la fixa avec amusement.

— *Si,* il est possible que je le fasse, j'avoue que je suis très curieux de voir comment il se comporte devant un public, admit-il.

Il marqua une pause et confia.

— Vous m'avez presque vaincu. Candi m'avait bien prévenu que vous étiez une jeune femme avec une forte personnalité !...

Eleni prit conscience de la voix de Paul qui déclarait avec chaleur à sa voisine :

— Quelle excellente idée ! Oui, vous aimeriez le Canada, j'en suis sûr. Bien que Calgary ne soit pas reconnu comme une de ses villes les plus belles, elle est cependant très intéressante, et puis, en été, nous avons les fameux rodéos. Un spectacle fort curieux. Le Parc National de Banff se trouve tout à côté, dans les Rocheuses, il est extrêmement beau. Mes parents, Eleni et moi-même, serions très heureux de pouvoir vous rendre votre si aimable hospitalité.

Il marqua une légère pause, regarda sa cousine, et

déclara dans le silence attentif qui avait suivi ses
paroles :

— Notre mariage aura sans doute lieu après Noël,
d'ici deux ou trois mois. Me permettez-vous de vous y
inviter dès à présent ? Cela vous donnerait le temps de
vous organiser.

Se tournant vers Lucio, il ajouta aimablement,
essayant ainsi de compenser le peu de grâce dont il
avait fait preuve durant son séjour chez lui :

— Je sais que mon père serait ravi de vous faire
visiter le pays.

Eleni aurait voulu disparaître sous terre à cet instant.
Tout le monde maintenant les entourait et les congratu-
lait chaudement. Comme ce serait excitant d'aller au
Canada, et ne serait-ce pas follement amusant d'y
assister à une noce ? Même Lucio se joignait aux
félicitations générales. Eleni souhaita mourir. Ecarlate,
elle fixa Paul qui l'observait avec une expression
satisfaite, attendant de toute évidence qu'elle le compli-
mente de son petit discours. Se penchant vers elle, il lui
souffla à l'oreille d'un air enjoué :

— Tu vois, j'ai saisi ton allusion ! Et toi qui crois que
je ne comprends jamais rien ! Je ne suis pas aussi idiot
que tu l'imaginais.

Eleni se figea horrifiée. Elle ne pouvait le ridiculiser
devant tout le monde en démentant ses paroles. La
jeune fille aurait volontiers étranglé son cousin si elle
avait pu. Candi la dévisageait et le reproche qu'elle lut
dans ses yeux la peina terriblement. Quant à Lucio il
semblait parfaitement indifférent à toute la scène.

Quand il s'excusa de table à la fin du repas, Eleni
hésita à le suivre. Son attitude était hostile, mais elle
tenait à s'expliquer avec lui et leur avion décollait à
quatre heures. Oubliant son orgueil, Eleni se retira en
invoquant une excuse et, aussi discrètement que possi-

ble, partit à sa recherche. Elle le trouva errant dans la roseraie. Quant il l'aperçut, elle remarqua qu'une ombre d'irritation passa un instant sur son visage impassible. Il était visiblement contrarié de la voir.

Le chaud soleil de ce début d'après-midi brillait dans un ciel bleu cobalt d'une limpidité presque oppressante. Dans le jardin, l'air était imprégné par le parfum des fleurs. Eleni frissonna malgré la chaleur. Rassemblant son courage elle lança avec émotion :

— Lucio, qu'y a-t-il ? Que vous est-il arrivé ?

Il ne répondit pas, son regard passa bien au-dessus d'elle et se fixa sur un point éloigné.

— Lucio, il a dû se produire quelque chose, parlez-moi, je vous en supplie !

Il continua à garder un silence distant et hautain.

Devant cette attitude incompréhensible et intolérable, Eleni fut soulevée par une rage impuissante, et elle explosa :

— Je me rends compte que vous aimez blesser les gens ! Cela vous importe peu de faire du mal, n'est-ce pas ? Je commence à croire que cette… nuit, à Trujillo, vous cherchiez seulement à passer un agréable moment ! Et votre histoire de policiers dans le hall de l'hôtel et sur la Plaza était probablement inventée de toute pièce, c'était un prétexte pour rester avec moi, vous saviez que les trafiquants ne viendraient pas ce soir-là. Vous avez abusé de ma confiance. Vous avez dû trouver cela très drôle ! Vous pouvez être fier de vous ! Vous êtes un homme sans cœur et haïssable. De ma vie je ne croirai plus une seule parole d'amour, ce ne sont que chimères et tromperies !

Un des sourcils noirs de Lucio se releva légèrement.

— Tromperies ? fit-il d'un ton sarcastique.

Eleni ne put en supporter davantage, des larmes de fureur et d'impuissance lui montèrent aux yeux. Elle fit demi-tour et s'enfuit en sanglotant, loin de lui, de son visage sombre, de ses manières sardoniques et glaciales. Hors d'haleine, elle s'arrêta près d'une petite fontaine et baigna ses paupières gonflées dans l'eau fraîche. Impossible de se présenter devant les autres dans cet état. Ils n'avaient même pas pu s'expliquer. A présent, il était trop tard et, de toute façon, cela n'avait plus d'importance.

Avec effort, elle remit de l'ordre dans sa coiffure, attendit encore quelques minutes et s'en fut rejoindre le reste du groupe.

Peu après, elle faisait avec Paul ses derniers adieux à leurs hôtes, se répandant en remerciements et en paroles aimables. Candi la salua sèchement et ne prononça qu'un seul mot :

— *Adios.*

Juste adieu, pas même au revoir. Eleni lui répondit sur le même ton, de façon froide et distante. Paul, s'apercevant de l'absence de Lucio, partit à sa recherche. Quand il revint au bout d'un moment, il semblait troublé et passait nerveusement un doigt dans le col de sa chemise comme si elle le serrait trop. Puis ils pénétrèrent dans la grande limousine noire qui démarra presque aussitôt, tandis qu'ils agitaient une ultime fois leur main à la fenêtre. Par la vitre arrière, elle vit encore, groupée devant la maison, la famille Ferraz qui leur adressait de grands gestes amicaux, puis la voiture s'engagea dans l'allée qui menait au portail, et elle les perdit tous de vue.

Il semblait à Eleni que quelques minutes seulement s'étaient écoulées depuis qu'ils avaient quitté la propriété d'Olavo et d'Estella, et pourtant, ils étaient déjà à l'aéroport devant la douane. Elle déclara un grand tapis en laine de mouton qu'elle avait découvert parmi ses bagages, accompagné d'une courte note destinée à sa tante : « *Pour Dora Tessier, avec les respectueux hommages de Lucio Ferraz.* » Ainsi, malgré tout ce qui était arrivé, il n'avait pas oublié sa promesse !

Eleni était dans un profond état de choc. Chaque geste lui coûtait terriblement et elle se sentait sans force.

Paul, absorbé par les nombreuses formalités et impatient d'en finir, ne songeait plus du tout à sa déclaration au sujet de leur mariage. Eleni était soulagée de ne pas avoir à l'aborder maintenant. De retour à Calgary, il serait bien temps de lui préciser clairement et une fois pour toutes, qu'il n'en était pas question, mais pour l'instant, murée dans son chagrin, elle préférait ne pas discuter avec lui.

10

Trois semaines plus tard, vers la fin octobre, Eleni avait déjà réalisé neuf bagues de fiançailles en plus de son travail habituel.

— Neuf! pensa-t-elle en préparant la dixième. Pourquoi fallait-il que les gens se fiancent juste avant Noël? Chaque année depuis sept ans, c'était la même chose. Elle ne s'en était jamais plainte auparavant, mais dans l'état actuel de son humeur, ces promesses d'amour et cette atmosphère de fête lui étaient difficilement supportables. Elle examina presque avec horreur la monture qui prenait forme entre ses doigts.

Elle n'avait pas dit un seul mot à Paul — à personne — au sujet de leurs prétendues fiançailles et il n'en avait plus parlé. Il était clair qu'il n'avait pas vraiment envie de l'épouser. Il se l'imaginait simplement par habitude et prenait plus de temps qu'elle pour s'en rendre compte.

Angus et Dora avaient naturellement deviné la situation sans qu'il soit besoin de la leur expliquer, et ils évitaient avec tact de mentionner le sujet. Ils étaient déçus mais acceptaient les faits avec philosophie.

Eleni remit en place sa lampe à gaz et passa avec lassitude une main sur son front.

Elle fit tomber dans un bain d'acide le bijou qu'elle venait presque de terminer, afin de lui ôter les particules de borax qui y avaient adhéré durant la soudure. Certaines inégalités devaient encore être limées, puis il serait poli par une meule avec de la poudre de tripoli d'abord, et un autre produit, ensuite, destiné à lui donner du brillant. Enfin, elle le plongerait dans un ultime bain et, finalement dans un appareil à vapeur avec une pression de quarante kilos d'où il ressortirait étincelant.

Eleni aimait son métier. Depuis son retour, elle s'y adonnait corps et âme, et restait tard dans la boutique simplement pour ne pas songer à Lucio. C'était la nuit, quand elle essayait de dormir, qu'il l'obsédait le plus. Et c'était avec soulagement qu'elle regagnait l'atelier. Son travail exigeait toute sa concentration : manipuler une lampe à gaz, des bains d'acide était dangereux et la moindre distraction pouvait avoir de graves conséquences. Elle s'était déjà fait prendre les doigts dans un laminoir et n'avait pas envie que cela se reproduise. Absorbée par sa tâche, elle pouvait ainsi éviter de parler et de paraître naturelle et gaie.

Le temps était en harmonie avec son humeur, gris jour après jour, froid et désagréable, sans un rayon de soleil bien qu'il ne pleuve pas. Le vent du Nord soufflait depuis une semaine entière et le verglas avait fait son apparition. Regardant par la fenêtre, elle pensait qu'il neigerait peut-être avant la Toussaint. Et dire que dans l'hémisphère Sud, à des milliers de kilomètres d'ici, il faisait beau et chaud ! Dans le jardin tropical de Lucio, les palmiers devaient pencher leur tête avec langueur dans la chaleur de l'après-midi. Là-bas, c'était le printemps...

Eleni soupira, retira la bague du bain, l'examina et l'y replongea. Le vent rageur s'acharnait contre les

carreaux, comme s'il avait voulu pénétrer à l'intérieur.
Dans la rue, les passants se hâtaient de rentrer chez
eux, la tête dans les épaules et le col de leur manteau
frileusement relevé. Les feuilles mortes tourbillon-
naient sur les trottoirs.

— Tu es encore ici ?

Eleni tourna la tête et vit Paul, debout dans l'embrasure de la porte, étudiant la feuille de travail journa-
lière des employés. Il vérifiait soigneusement si les
commandes avaient été bien notées et exécutées.

— Le mauvais temps semble s'installer, dit-il machinalement.

— Crois-tu que nous aurons de la neige pour la
Toussaint ? demanda Eleni.

— Ce serait vraiment une malchance !

— Un peu de soleil nous...

Eleni s'interrompit et le regarda. Il était en train de
vérifier une autre liste en grommelant.

— Tiens ! il y a une jonquille sur ma fenêtre, jeta-
t-elle soudain.

— Oh ?

Un léger sourire se dessina sur ses lèvres, et elle
décida que cette situation avait assez duré.

— Et si nous partions pour le week-end, Paul, qu'en
penserais-tu ?

— Ah...

— Nous pourrions nous marier jeudi prochain ?
continua-t-elle d'un ton taquin.

— Heu...

— J'ai encore une meilleure idée. Pourquoi n'ou-
blions-nous pas ce projet saugrenu ? Soyons seulement
de bons cousins. Embrassons-nous pour conclure l'affaire.

— Mmmm...

— Alors, tu es d'accord ?

— Je... euh...

— J'en étais sûre ! c'est beaucoup mieux ainsi, ne le crois-tu pas ?

— Mm-euh... quoi ? Que disais-tu ? Je n'ai pas entendu la fin, lança Paul.

— Tu n'as rien entendu du tout ! rectifia-t-elle. J'ai dit : soyons de bons cousins et oublions cette histoire de fiançailles. Ce n'est pas drôle !

— Pardon ? Mais je croyais que tu voulais te marier, que tu en mourais d'envie ! N'est-ce pas pour cela que tu t'es mise en colère après le spectacle de Candi ? Parce que je ne me décidais pas suffisamment vite ?

— Non, pas exactement. Pas du tout, en fait.

— Et qu'entends-tu par « ce n'est pas drôle » ? Naturellement ça ne l'est pas, il s'agit de quelque chose qui doit être pris très au sér...

— Je le sais, l'interrompit-elle. C'est justement à cause de cela. Alors pourrions-nous, je t'en prie, revenir à nos rapports d'avant ?

Paul la fixa, visiblement interloqué. Puis peu à peu, il comprit et s'exclama :

— Tu veux dire que tu n'as pas envie de m'épouser ?

— Exactement ! acquiesça Eleni.

— Oh ! fit-il, surpris.

Il arbora une expression un peu perdue.

— Mais, bien entendu, nous resterons toujours amis ! se hâta-t-elle d'affirmer.

— Oui, je suppose que oui. Au moins, ainsi, nous n'aurons pas besoin de divorcer, fit-il avec une petite grimace comique. Je suis juste un peu étonné, c'est tout.

— Oui, je sais. Mais nous serons de bons cousins au lieu d'être de mauvais fiancés. Ces dernières treize années n'ont pas été si mal, n'est-ce pas ?

— Non ! au contraire, excellentes !

— Parfait ! Il ne nous reste plus qu'à souhaiter que les autres se dérouleront aussi bien !

Paul sourit, posa son stylo et vint lui donner un baiser sonore sur les joues.

— J'aurai du mal à trouver quelqu'un d'aussi gentil que toi, soupira-t-il avec un peu de mélancolie...

— Oui, c'est vrai, acquiesça-t-elle effrontément. Il va donc te falloir chercher une femme digne de toi, poursuivit-elle d'un ton plus sérieux.

— Euh... ou... i, je crois que pour l'instant, je remettrai cela à plus tard. Je n'ai jamais été un séducteur très brillant ! Ross, lui, avait du savoir-faire !

— Peut-être, mais pourquoi l'imiter ? Tu dois essayer d'être toi-même.

— Que vas-tu faire ? lui demanda-t-il brusquement.

— Faire ? Eh ! bien, je vais tâcher de terminer tout ce travail pour Noël, déclara-t-elle avec un pâle sourire.

Pour chasser le chagrin qui menaçait de la submerger, elle s'enquit :

— Que grommelais-tu tout à l'heure quand tu examinais cette feuille ?

— Carly était censé changer le fil de ce collier de perles pour demain à neuf heures, et il ne l'a pas fait.

— Il a dû s'occuper de toute urgence de ces alliances, alors ne le réprimande pas quand tu le verras. Je me chargerai de cela, dès que j'en aurai fini avec cette bague. Ne t'inquiète pas. Après, je rentrerai, annonça-t-elle d'une voix empreinte de lassitude.

— Je dois également rester ici assez tard, appelle-moi quand tu seras prête, nous aurons peut-être encore le temps d'aller au cinéma à la dernière séance, suggéra Paul.

— Bonne idée !

Elle lui jeta un regard en biais, c'était agréable que les choses reprennent leur cours normal.

Depuis son retour, elle n'était pratiquement jamais sortie. Elle avait passé son temps à travailler, dormir, et penser sans cesse à Lucio. Son absence devenait une torture et, par moments, elle se sentait devenir folle. Plus d'une fois, elle avait été sur le point de lui téléphoner et seul son orgueil l'en avait empêchée. Contre toute logique, elle se prenait à croire qu'il l'appellerait un jour ou qu'il lui enverrait des vœux de Noël. Son lit lui paraissait grand, froid et vide. Elle ne pouvait plus supporter de voir le négligé, et l'avait rangé tout au fond d'un tiroir.

Deux semaines passèrent encore. Dora commençait à se douter de quelque chose, et Eleni fuyait son regard trop perspicace.

Un dimanche matin, vers la mi-novembre, Eleni, étendue sur le canapé du salon, contemplait, fascinée, les flammes qui dansaient dans la cheminée. Paul et son père étaient sortis. Dora buvait son café à petites gorgées. Ce jour-là, le déjeuner se prenait invariablement dans cette pièce. Il neigeait. Dora soupira, posa sa tasse et s'installa auprès de sa nièce. Eleni la vit approcher avec inquiétude.

— Ma chérie, parle-moi de ce voyage au Pérou, tu nous en as dit si peu de choses, fit-elle. T'es-tu amusée, au moins ?

— Oh ! je... non... je... cela a été une expérience inoubliable, finit par répondre Eleni.

— Ah ? Tu m'as décrit le ciel bleu, les lamas et les vautours géants...

— Les condors, tante Dora, les condors !

— Oui, c'est cela, les condors. Mais tu ne m'as pas précisé ce qui avait été inoubliable.

Il était très difficile de raconter quelques moments particuliers de son séjour au Pérou sans avoir à

mentionner Pedro ou Lucio, et elle voulait l'éviter à
tout prix. Cette seule idée la rendait muette.

— Chérie, j'espère que tu as tout de même fait autre
chose qu'admirer le ciel, caresser des lamas et trouver
des plumes d'oiseau sous ton lit ! Le Pérou est-il si
ennuyeux ?

— Non, non ! s'écria Eleni, absolument pas. Je suis
certaine, par exemple, que la *Señora* vous fascinerait.

— Ah ! oui ? Et ce Candi, quel âge a-t-il ?

— Il a dix-huit ans.

— As-tu rencontré quelqu'un d'intéressant à ce
déjeuner chez Olavo ?

— Mais, tante Dora ! Je vous ai déjà décrit les
personnes qui s'y trouvaient.

— Ah ! oui, c'est exact.

Elle médita un peu.

— Comment était Lucio Ferraz ? Vous étiez dans sa
plantation, n'est-ce pas ? Et pendant que Paul travaillait, tu te retrouvais seule avec lui. Ce n'est pas très
amusant pour une jeune fille ce tête-à-tête avec un
monsieur qui pourrait être son père ! Etait-il solennel et
guindé ? Quel âge m'as-tu dit qu'il avait, j'ai oublié ?

— Trente-six ans, répondit automatiquement Eleni
sans réfléchir.

— Ah ?

— Euh… oui, je l'ai appris un jour tout à fait par
hasard, expliqua-t-elle avec précipitation.

— Bien sûr, fit Dora de sa voix calme. Je ne sais pas
pourquoi, je me l'imaginais beaucoup plus âgé.

— Moi aussi.

— Paul m'a confié que Ferraz et lui n'avaient pas
sympathisé beaucoup. Et toi ?

Eleni haussa les épaules.

— Oui, il était charmant, fit-elle sans se compromettre.

Après cette réponse, Dora réfléchit quelques instants, puis reprit :

— Ross ? Ross Marshall ? Est-ce lui « l'inoubliable » ?

— Il y est certainement pour quelque chose, répliqua Eleni en souriant, mais pas dans le sens où vous l'imaginez, tante Dora.

— Vas-tu cesser de t'exprimer par énigmes, Eleni ? Depuis ton retour, tu n'es plus la même, déclara Dora d'un ton soucieux.

— Mais si, tante Dora ! Vous vous préoccupez pour rien. Je vais vous raconter une anecdote amusante. Savez-vous dans quoi je me suis baignée un soir sous les étoiles ? Dans une grande marmite de terre qui appartenait à des moines !...

Environ deux semaines plus tard, un vendredi soir alors que le vent du Sud, le Chinook, avait fait fondre la neige et que tout le monde se désolait en pensant qu'il n'y en aurait peut-être pas pour Noël, Eleni se trouvait dans sa chambre. Elle ne s'était pas changée après son travail et portait encore son vieux jean confortable. Il se faisait tard, elle était assise depuis des heures, le regard fixe, incapable de bouger. Aujourd'hui, elle avait terminé une autre bague de fiançailles et elle avait pleuré en la regardant. Il devenait urgent qu'elle fasse quelque chose, mais quoi ? Elle comprenait désormais pourquoi les gens se fiançaient avant les fêtes de fin d'année, c'était pour ne pas être seuls, ne pas sentir cette désespérante solitude... Que ferait Lucio ? Serait-il à Sal si Puedes, ou bien passerait-il ces jours en famille ?

Un léger coup frappé à sa porte lui annonça l'arrivée de sa tante. Elle entra nonchalamment, sourit et s'assit au pied du lit.

— Tiens ! Je te croyais sortie, lui dit-elle légèrement.

— Non, j'y avais songé, et puis j'ai préféré lire, répondit Eleni sur la défensive.

— Oui ? Que lis-tu de si intéressant ?

Il n'y avait pas un seul volume à portée de la main. Ils étaient tous rangés sur des étagères de l'autre côté de la pièce.

— Je viens juste de terminer, tenta d'expliquer Eleni.

Dora contempla avec affection la petite silhouette pelotonnée dans le grand fauteuil. Elle passa sa main dans ses cheveux et les trois joncs d'or qu'elle portait à son poignet tintèrent dans le calme de la nuit.

— C'est entendu, déclara-t-elle d'une voix décidée. Tu n'es pas amoureuse de Paul, mais alors de qui ?

Eleni la dévisagea avec appréhension.

— Ne me regarde pas ainsi, ma chérie ! Tu ne fais que travailler, rêver avec des airs tristes ou te cacher dans ta chambre. Tu es follement amoureuse, les symptômes sont clairement visibles !

— Est-ce si évident ? murmura Eleni. Je réfléchissais, c'est tout.

— Tu le fais depuis trois heures, il me semble que c'est suffisant ! Ma chérie, quand tu es partie pour le Pérou, tu étais pleine de joie de vivre, que s'est-il passé ?

Comme sa nièce commençait à secouer la tête, elle ajouta doucement :

— Tu ne me feras pas croire qu'aucun homme n'a essayé de te courtiser en quatre semaines ?

— C'est-à-dire que…

— Oui ! j'en étais certaine. Et sais-tu ce qui m'est venu à l'esprit ? demanda-t-elle, avec malice.

— Non, je n'en ai pas la moindre idée ! soupira Eleni.

— J'ai remarqué que tu es bien réticente quand il s'agit de Lucio Ferraz... qui a trente-six ans. Tu as passé près d'un mois avec lui et tout ce que tu trouves à dire, c'est que Sal si Puedes est « ravissant » !

Eleni prit une profonde respiration.

— Vous avez raison, reconnut-elle.

— Alors, *c'est* Ferraz ? T'a-t-il jamais expliqué pourquoi il vous avait joué cette comédie du valet de ferme ? Paul nous en a vaguement parlé.

Peu à peu, avec adresse et patience, Dora finit par obtenir les aveux complets de sa nièce.

— Oh ! Eleni, tu n'a pas fait cela ? s'écriait-elle un peu plus tard. Les fraises à la crème, je peux comprendre, mais, chérie, n'importe quel homme serait ivre de rage en entendant ses mots d'amour qualifiés de chimères et de tromperies !

— Au moins, j'ai réussi à le faire parler ! contra Eleni.

— Et qu'a-t-il répondu ?

— Il a juste demandé « tromperies » ?

— Et puis ?

— J'ai fait demi-tour et je me suis enfuie en pleurant.

— Juste quand il fallait s'expliquer ! Oh ! Eleni ! fit Dora sur un ton de reproche.

— J'étais folle de rage, je ne pouvais plus supporter de voir son visage hostile et méprisant... d'ailleurs, c'était l'heure de partir. Bien... maintenant, vous savez tout. Mais je préfère oublier tout cela, cette histoire appartient au passé.

— Hmmm ! très intéressant... remarqua pensivement Dora. Et Paul ne s'est jamais douté de rien ?

Eleni secoua la tête.

— Ciel ! Tu as eu en effet un voyage inoubliable : contrebande, cocaïne et passion !

Dora sourit puis redevint sérieuse.

— Que comptes-tu faire au sujet de Lucio ?

— Faire ?

— Eh ! bien oui ! Tu ne vas pas passer les cinquante prochaines années enfermée dans ta chambre, je suppose !

— Mais que voulez-vous que je fasse ? S'il ressentait quelque chose pour moi, il m'aurait appelée.

— Alors qu'il est probablement en train d'attendre le faire-part officiel de ton mariage ? Allons, sois raisonnable, mon petit !

— Bien... oui, je peux comprendre qu'il ait été furieux de la déclaration de Paul, mais il l'était déjà quand nous sommes arrivés, et pourquoi ? Je ne peux pas me l'imaginer, il a refusé de me le révéler. J'ai eu beau y réfléchir des heures entières, je ne m'explique pas son attitude.

— Il y a plus d'une façon de faire parler les gens, ma chérie, déclara Dora avec fermeté. Tu devrais déjà le savoir, à ton âge !

— Que voulez-vous dire, tante Dora ? Que tramez-vous à présent ? s'enquit Eleni sur le qui-vive.

— Ne dis pas de sottises, ma chérie, je ne trame rien du tout, c'est à toi que cela incombe.

— Tante Dora, je ne me jetterai pas à sa tête, je ne le poursuivrai pas s'il ne veut plus de moi, et il me l'a signifié bien clairement.

— Naturellement, ma chérie, tu ne te jetteras à la tête d'aucun homme, je ne te conseillerais jamais une chose pareille ! Je dis seulement que si tu veux qu'un homme t'aime, il t'aimera.

Eleni la dévisagea, muette de stupeur. Sa tante la considérait avec un sourire amusé et ses yeux brillaient de malice.

— Devant ce genre de situation, continua-t-elle, il

faut être logique. Tu ne t'imagines pas que j'ai pour-
suivi Angus ? Non, je me suis seulement placée sur son
chemin et le destin a fait le reste.

Elle eut encore un de ses irrésistibles sourires.

— Lui aussi s'inquiète à ton sujet. Il m'a raconté que
l'autre jour, à table, tu as fixé une motte de beurre
pendant une demi-heure. Une motte de beurre ! réellement, chérie, tu peux faire mieux ! déclara Dora en se
levant pour s'en aller.

— Tante Dora ! revenez ! cria Eleni. Que complotez-
vous ?

— Tu sais que je ne complote jamais rien si je n'y
suis pas obligée. Bonne nuit, Eleni, nous reparlerons de
tout cela demain matin. A propos, fit-elle en s'arrêtant,
demain est un samedi, j'espère que tu ne penses pas
aller au magasin ?

— Oui, en fait, j'en avais l'intention.

— Angus a donné des instructions formelles pour
que tu te reposes durant tout le week-end. Ne discute
pas, tu sais comme il est quand il a pris une décision.
Tranquillise-toi, la boutique ne fera pas faillite en ton
absence ! N'as-tu pas besoin de te faire couper les
cheveux ? demanda-t-elle soudain.

— Ah ? peut-être, concéda Eleni en passant machinalement une main sur sa tête blonde.

— Alors, tu as un rendez-vous demain matin chez le
coiffeur. Profites-en et fais-toi faire un massage. Tu te
sentiras beaucoup mieux après. Tu seras prête vers
midi, je viendrai te chercher pour que nous déjeunions
ensemble.

— Ah...

— Entendu, ma chérie.

Dora lui envoya un baiser du bout des doigts et
referma doucement la porte sur elle.

— Qu'est-ce que c'est ? questionna Eleni, stupéfaite.

Elle était assise avec sa tante à la table d'un petit restaurant chinois.

— Tu ne sais plus lire, à présent ? Il est écrit : « Réservation pour une personne sur le vol de dix-neuf heures à destination de Los Angeles. » Tu seras à Lima demain en fin d'après-midi. Tiens, voilà le télégramme qu'Angus a envoyé à Lucio Ferraz.

— Mais il annonce l'arrivée de Paul !

— Oui, je sais. Une fois que tu seras là-bas, tu pourras lui expliquer que Paul était trop occupé pour se déplacer et que tu as été obligée de venir à sa place. A propos, il est à Lima, tu n'auras pas besoin d'aller jusqu'à Trujillo.

— Il... il a déjà répondu ? s'enquit Eleni d'une voix peu assurée.

— Oui, ma chérie, vous avez rendez-vous à huit heures et demie demain soir.

Eleni se râcla la gorge et essaya de parler d'une voix normale.

— Nous n'avons pas besoin d'émeraudes !

— Mais si, mais si ! Mme Lister a été enchantée de ta bague, elle voudrait maintenant que tu lui fasses un collier, avec bracelet et boucles d'oreilles assortis. Angus lui a montré les pierres dont il disposait, naturellement elle n'a rien trouvé à son goût. Puisqu'il d'agit d'une commande importante et qu'elle est une si bonne cliente, il est indispensable que tu partes. Paul ne peut pas s'y rendre, il doit aller à New York.

— Oh ! tante Dora ! gémit Eleni.

Dora se mit à rire. Elle saisit un paquet près d'elle et le lui tendit. Eleni l'observa avec méfiance.

— J'espère que ce n'est pas un autre négligé ! Le premier m'a déjà causé suffisamment d'ennuis ! affirma-t-elle.

— Les négligés sont faits pour cela... Alors ? Il t'a causé des ennuis, *vraiment* ? fit-elle d'un ton visiblement satisfait.

Le paquet contenait un ravissant négligé en soie abricot tout aussi révélateur que le précédent.

— Tante Dora ! soupira encore Eleni avec reproche.

— Tu vois ! Te voilà à nouveau en train de m'accuser de Dieu sait quoi, alors que ces pensées qui te font rougir ne se trouvent que dans ta tête...

— Oui, oncle Angus, disait patiemment Eleni un peu plus tard le même soir.

— Et surtout, ne te dépêche pas, un choix ne doit jamais être hâtif.

— Non, oncle Angus.

— As-tu une loupe de rechange ?

— Oui, naturellement, oncle Angus.

— Il n'y a pas de « naturellement » avec moi ! As-tu étudié le processus financier, t'en souviens-tu ?

— Oui, oncle Angus, je me souviens de chaque détail.

— Sais-tu comment remplir les imprimés pour la douane ?

— Elle le sait, chéri, l'interrompit Dora, tu le lui as expliqué tout l'après-midi. Attention, le vol est annoncé.

— Allons, prends bien soin de toi, mon petit... et Eleni ?

— Oui, oncle Angus ?

Elle jeta un coup d'œil inquiet sur les passagers qui disparaissaient par la porte d'embarquement. Elle finirait par être la dernière et manquerait peut-être l'avion, s'il l'accablait encore de recommandations.

— Si tu as une chance d'être heureuse, lui dit

soudain son oncle avec un sourire, ne la laisse pas échapper, Ferraz est un homme bien.

Eleni lui lança un long regard ému et reconnaissant.

— Au revoir, ma chérie, lui dit Dora en l'embrassant, tu ferais bien de courir.

Cette fois-ci, Eleni prit une suite au lieu d'une chambre, ce qui était plus approprié pour un rendez-vous d'affaires. De sa vie elle ne s'était sentie aussi nerveuse. Il lui était impossible d'avaler quoi que ce soit, son estomac était noué. Incapable de rester assise plus de deux minutes, elle se relevait sans cesse pour arpenter la chambre et le salon. Ses joues étaient chaudes et ses mains glacées, sa gorge sèche, elle était tour à tour exaltée et pessimiste.

Voici deux mois qu'elle ne l'avait plus revu, soixante-deux jours ! Serait-il vraiment ici dans quelques instants ? Fébrilement, elle passa sa main dans ses cheveux et, pour la centième fois, s'examina dans le miroir de la salle de bains. Son tailleur bien coupé était très élégant et son chemisier ivoire en soie très féminin. Ele avait choisi ses vêtements avec soin, élégants et classiques, très femme d'affaires.

Eleni téléphona pour qu'on lui monte du café. La femme de chambre en apporta un grand pot fumant, ainsi que deux fines tasses de porcelaine, du sucre et de la crème. Un vase de tulipes rouges mettait une note de couleur dans ce décor un peu banal de grand hôtel international. Une petite lampe était allumée sur la table, et deux autres, de chaque côté du canapé. L'éclairage n'était ni trop violent ni trop faible.

Dévorée d'impatience et d'appréhension, Eleni sortit sur le balcon et respira à pleins poumons l'air doux de la nuit. Des bribes de musiques montaient vers le ciel étoilé, et là-bas brillait la Constellation des Poissons.

Que dirait-il ? Que ferait-il ? Et s'il ne faisait rien ? A cette idée, elle se sentit défaillir.

Quelques coups frappés à la porte mirent fin à son attente.

Elle demeura pétrifiée pendant quelques secondes qui lui semblèrent interminables. Deux autres coups se firent entendre, et elle se précipita pour ouvrir.

— Oh ! Lucio ! souffla-t-elle en le voyant.

Il la regarda, abasourdi.

— Eleni ?

Comme elle le dévisageait sans faire un geste, il lui dit :

— Me permettez-vous d'entrer ?

Il pénétra dans le salon et se tourna vers elle :

— Où est Paul ?

— Il n'a pu venir, il est trop occupé.

Evitant de poser ses yeux sur elle, il plaça son attaché-case sur la table et s'enquit avec une feinte indifférence :

— Vous êtes seule ?

— *Si*, je veux dire, oui.

— Et vous êtes là pour choisir des émeraudes ?

— Oui.

— Ah !

Eleni crut discerner une note de regret dans sa voix. Discrètement, elle l'observa. Jamais elle ne l'avait vu habillé ainsi en costume. Il était encore plus impressionnant.

Il l'examinait, debout, grand et mince dans son élégant complet gris. Sa peau semblait encore plus hâlée, en contraste avec la blancheur de sa chemise. Comme il était séduisant, songea-t-elle, le cœur battant.

— Vous avez bonne mine, lui dit-il. Comment vont vos parents ? Et votre... cousin ?

Il jeta un regard sur la main gauche d'Eleni.

— Ils vont très bien, merci. Et Candi, Olavo et Estella ? questionna-t-elle à son tour.

— Tout le monde est en parfaite santé. Candi se trouve actuellement à Dallas pour ses affaires de café, mais il reviendra dans huit jours, car il prépare un nouveau show. Il a réservé un théâtre pour la troisième semaine de ce mois.

— Une semaine entière ! Mais c'est merveilleux ! s'écria-t-elle avec chaleur. Je regretterai de ne pouvoir y assister, je dois repartir presque immédiatement. C'est une période très chargée pour nous, et il y a tant à faire !

Eleni gémit intérieurement. Elle se conduisait vraiment de façon stupide.

— *Si,* il en est de même dans mon magasin. J'aimerais vous le montrer. Quand repartez-vous ?

— Je n'ai pas encore fait de réservation. Aimeriez-vous une tasse de café ? ajouta-t-elle précipitamment.

— *Gracias,* si vous vous joignez à moi.

Il prit un siège, s'assit et commença à le verser lui-même. Humectant ses lèvres, en proie à un profond désarroi, Eleni s'assit nerveusement sur le bord de sa chaise. Il lui tendit une tasse, sans lui demander si elle voulait du sucre ou de la crème car il connaissait déjà ses goûts. C'était merveilleux d'être à nouveau à ses côtés, comme un rêve devenu réalité.

— Vous n'avez pas encore réservé votre billet de retour ? s'enquit Lucio en repoussant loin d'eux son attaché-case.

— Non...

— Quand allez-vous vous marier ?

Il posa la question si tranquillement et si négligemment qu'il la prit par surprise.

— Jamais ! s'exclama-t-elle impulsivement.

— Jamais ?

— Ce que je veux dire c'est que Paul ne me l'a pas vraiment proposé et ne le fera pas.

— Mais nous attendions tous un faire-part ! Estella était décidée à faire le voyage et en avait convaincu Olavo.

— Et vous ? Seriez-vous venu ?

— *Por Dios !* Non !

— De toute façon, oncle Angus allait vous envoyer des invitations au début de l'année, juste pour une visite... étant donné qu'il n'y aura pas de noces...

— Pas de noces... murmura-t-il en posant sur elle ses prunelles noires et veloutées.

— N...on, nous préférons tous deux rester cousins et rien d'autre, ajouta-t-elle. Paul m'a expliqué qu'il avait fait cette déclaration au cours du déjeuner chez Estella, parce qu'il s'imaginait que cela me ferait plaisir. Je m'étais un peu fâchée la nuit précédente, voyez-vous...

— Ah ?

— Oui, affirma-t-elle avec une légère irritation.

— Et pourquoi donc ?

— Il était vexé parce que je ne l'avais pas présenté comme mon fiancé.

— Vous ne l'aviez pas fait ?

— Au nom du Ciel, Lucio ! vous saviez parfaitement quelles étaient mes relations avec Paul.

— Après avoir passé une nuit dans les bras l'un de l'autre, après *cela,* vous lui avez permis de vous appeler sa « fiancée », s'écria-t-il avec un emportement si soudain qu'elle eut un mouvement de recul.

— Mais je ne l'y avais pas autorisé, protesta-t-elle d'une voix entrecoupée, il l'a dit tout simplement, et je ne pouvais pas l'humilier en public ! Nous en avons discuté ensuite. Je croyais lui avoir fait entendre clairement que ces fiançailles étaient absurdes, mais il a compris le contraire, et a supposé que j'étais fâchée parce qu'il ne se déclarait pas assez vite. Le lendemain, au déjeuner, il a pensé m'être agréable en les annonçant ainsi officiellement... Et qui vous a rapporté ces paroles ?

— Candi, répondit Lucio. Il les a entendues ainsi que le reste de la famille. Eleni, j'ai cru alors que vous aviez l'intention de vous marier avec Paul et que je n'avais été pour vous qu'une aventure de vacances.

Elle le regarda avec stupeur et gémit :

— Oh ! si je tenais votre maudit neveu...

Lucio lui ôta des mains la tasse de café et la soucoupe et les posa sur la table.

— Eleni, il nous a fallu soixante-trois jours et dix minutes pour que nous nous retrouvions. J'avais décidé d'attendre jusqu'à Noël pour voir si votre mariage avait lieu, et sinon je serais aller skier à Banff pour le Nouvel An, fit-il en souriant légèrement.

— J'adorerais vous accompagner, Lucio, s'écriat-elle, les yeux brillants.

Il la regardait détendu ; toute trace de tension avait disparu entre eux. Avec gravité, il murmura :

— Voulez-vous m'épouser, Eleni, *amor mío ?*

Elle ne put que lever sur lui un regard émerveillé.

— Mais il s'agit d'une demande en mariage officielle, continua-t-il. *Moi,* j'ai une bague de fiançailles !

Prenant une fine chaîne en or qu'il portait autour de son cou, il en ouvrit le fermoir et fit glisser dans sa paume un ravissant anneau de platine, monté de petits diamants disposés en spirale.

— Je la gardais au chaud contre mon cœur, pour le cas où vous vous décideriez. Je l'ai montée moi-même. Pensez-vous qu'elle vous ira ?

— Elle semble être juste à ma taille, souffla Eleni, éperdue de bonheur.

— Vous serez ma femme et vous m'aimerez ?

— Oh ! oui, oui, Lucio, *mi querido,* balbutia-t-elle, tandis que des larmes de joie perlaient à ses paupières.

— Il y aura peut-être des surprises désagréables, qui sait ? fit-il d'un ton taquin.

— Si vous êtes disposé à prendre le risque, je le suis également, riposta-t-elle en riant.

— Je vois devant nous de nombreuses années de bonheur, murmura Lucio en posant ses lèvres sur sa main.

Il la garda dans la sienne et glissa la bague à son doigt. Elle lui allait à merveille. Eleni ferma les yeux, bouleversée.

— Qu'y a-t-il, *amor mío ?* demanda-t-il avec tendresse.

Il l'obligea doucement à se lever et la prit entre ses bras.

— Sentez-vous combien je vous aime ? murmura-t-il d'une voix un peu rauque. Oui, je vois dans vos yeux que vous le savez, fit-il, en couvrant son visage de petits baisers légers.

— C'est si soudain, si inattendu, Lucio, souffla-t-elle.

— Non, au contraire, nous avons deux longs mois de retard !

Il la serra davantage contre son grand corps dur et musclé.

— Etes-vous réellement venue pour les émeraudes ? *mi bien ?* chuchota-t-il en posant ses lèvres sur le bout de son nez.

— Non ! oh ! non, *querido,* je suis venue parce que je n'arrivais plus à dormir la nuit... et que... votre visage me hantait et...

Elle n'eut qu'à lever imperceptiblement la tête pour qu'il prenne avidemment possession de sa bouche. Elle chancela, envahie par une fièvre délicieuse et familière. Leur passion se fit plus vive, plus profonde et les submergea totalement jusqu'à ce qu'ils ne forment plus qu'un seul être.

LE SAVIEZ-VOUS?

"Il faut comprendre que le **Pérou** a deux âmes," dit un vieux harpiste aveugle de Huancayo. "L'âme indienne, et l'âme espagnole—le condor et le taureau." Il joua un arpège léger. "Ça, c'est le condor." Puis il fit rugir les cordes de son harpe des Andes. "Et ça, c'est le taureau."

Le Pérou est un pays de vieilles civilisations indiennes. La dynastie inca prit naissance dans la vallée de Cuzco vers 1200 apr. J.-C. et étendit rapidement sa domination. Mais les Espagnols furent attirés par l'or et l'argent qu'offrait le Pérou, et les Incas furent conquis.

Saviez-vous que le nom même du Pérou est devenu synonyme de richesses fabuleuses? Les Espagnols disent, "Vale un Perú"—ça vaut un Pérou—pour décrire un objet de grande valeur. Et en français on dit, "Ce n'est pas le Pérou", pour indiquer: cela ne rapporte pas une fortune!

En 1824, les forces du Général Simon Bolívar, le "Libérateur", achevèrent la destruction de l'armée espagnole. Mais l'indépendance ne donna pas son équilibre politique au pays.

Le vieux harpiste fit danser ses doigts sur les cordes de sa harpe. Le rythme battant se heurta au crescendo de la mélodie, avant de la rejoindre dans une résolution triomphante. "Voyez-vous," dit-il, "les deux âmes sont en guerre. Mais lorsque la guerre est finie, les deux ne font plus qu'un."

Tout comme Eleni et Lucio . . .

Egalement, ce mois-ci . . .

PROMENADE A SPRING BAY

Dès leur première rencontre, Alicia et Michael sont fortement attirés l'un par l'autre. Mais Michael, déçu par les femmes depuis l'échec de son mariage, n'ose se fier à ses sentiments. Et Alicia est au bord du désespoir : elle aime Michael de tout son cœur, mais comment le convaincre qu'elle ne ressemble en rien à son ex-femme ?

Les violentes disputes succèdent aux tendres réconciliations à un rythme épuisant…Alicia ne veut pas vivre une aventure sans lendemain. Peut-être Michael apprendra-t-il à l'aimer ? Car, au plus profond de son être, elle sait qu'il n'y aura pour elle jamais d'autre homme.

Des histoires d'amour sensuelles et captivantes

TANT DE JOURS ET DE NUITS,
Judith Duncan

Une image obsédante hantait encore Jillian:
celle de Jacob. Il avait été son unique amour.
Mais après le tragique accident qui avait fait de
lui un invalide, il avait disparu. Cinq ans plus
tard, alors que Jillian commence à se remettre
du choc, Jacob réapparaît, bouleversant sa vie à
nouveau...

LE BOUCANIER DES MERS,
Christina Crockett

Natalie était une fille de la mer. Son rêve était de
gagner sa vie comme capitaine de navires. Mais
Ben Andress ne l'envisageait pas de la
sorte—Natalie ne pouvait que lui attirer des
ennuis dans son entreprise. Pouvait-elle relever
le défi?

A PARAITRE

HARLEQUIN SEDUCTION vous
réserve des histoires d'amour aux
intrigues encore plus captivantes! En
voici quelques titres évocateurs:

Harlequin Romantique

A Bangkok, en Amazonie, à Paris, en Espagne, à Milan ou en Turquie, vous vivez des histoires d'amour tendres et envoûtantes qui vous entraînent dans des pays de rêve.

Six nouveaux titres chaque mois
Chez votre dépositaire ou par abonnement

 Harlequin:
Votre passeport pour le monde de l'amour.

Collection Harlequin

Les chefs-d'oeuvre du roman d'amour

Recevez *chez vous* 6 nouveaux livres chaque mois… et les 4 premiers sont GRATUITS!

Associez-vous avec toutes les femmes qui reçoivent chaque mois les romans Harlequin, sans avoir à sortir de chez vous, sans risquer de manquer un seul titre.

Des histoires d'amour écrites pour la femme d'aujourd'hui

C'est une magie toute spéciale qui se dégage de chaque roman Harlequin. Écrites par des femmes d'aujourd'hui pour les femmes d'aujourd'nui, ces aventures passionnées et passionnantes vous transporteront dans des pays proches ou lointains, vous feront rencontrer des gens qui osent dire "oui" à l'amour.

Que vous lisiez pour vous détendre ou par esprit d'aventure, vous serez chaque fois témoin et complice d'hommes et de femmes qui vivent pleinement leur destin.

Une offre irrésistible!

Ce que nous vous offrons est fort simple. Vous n'avez qu'à remplir et poster le coupon-réponse. Vous recevrez, *sans aucune obligation de votre part,* quatre romans Harlequin tout à fait *gratuits!*

Et nous vous enverrons chaque mois suivant six nouveaux romans d'amour, au bas prix de $1.75 chacun (soit $10.50 par mois), sans frais de port ou de manutention.

Mais vous ne vous engagez à rien: vous pourrez annuler votre abonnement à tout moment, quel que soit le nombre de volumes que vous aurez achetés. Et, même si vous n'en achetez pas un seul, vous pourrez conserver vos 4 livres gratuits!

Vous avez donc tout à gagner, en profitant de cette offre de présentation au merveilleux monde de Harlequin.

6 des avantages de vous abonner à la Collection Harlequin

1. Vous recevez 6 nouveaux titres chaque mois. Vous ne risquez pas de manquer un seul des volumes de vos auteurs Harlequin préférés.

2. Vous ne payez que $1.75 chacun (soit $10.50 par mois), sans frais de port ou de manutention.

3. Vous pouvez annuler votre abonnement à tout moment pour quelque raison que ce soit… ou même sans raison!

4. Vous n'avez pas à sortir de chez vous: de nouveaux volumes vous sont livrés par la poste chaque mois.

5. "Collection Harlequin" est synonyme de "chefs-d'œuvre du roman d'amour": vous ne risquez pas d'être déçue.

6. Les 4 premiers volumes sont tout à fait GRATUITS: ils sont à vous, même si vous n'achetez pas un seul volume de la collection!

Bon d'abonnement ✂

Envoyez à: **COLLECTION HARLEQUIN**
P.O. Box 2800, Postal Station A
5170 Yonge St., Willowdale, Ont. M2N 5T5

OUI, veuillez m'envoyer *gratuitement* mes quatre romans de la COLLECTION HARLEQUIN. Veuillez aussi prendre note de mon abonnement aux 6 nouveaux romans de la COLLECTION HARLEQUIN que vous publierez chaque mois. Je recevrai tous les mois 6 nouveaux romans d'amour, au bas prix de $1.75 chacun (soit $10.50 par mois), sans frais de port ou de manutention.
Je pourrai annuler mon abonnement à tout moment, quel que soit le nombre de livres que j'aurai achetés. Quoi qu'il arrive, je pourrai garder mes 4 premiers romans de la COLLECTION HARLEQUIN tout à fait GRATUITEMENT, sans aucune obligation.
Cette offre n'est pas valable pour les personnes déjà abonnées.

Nos prix peuvent être modifiés sans préavis.

Nom	(en MAJUSCULES, s.v.p.)
Adresse	App.
Ville Prov.	Code postal

366-BPF-3AF2

Offre valable jusqu'au 31 déc. 1984.

COLL-SUB-3W

Découpez et retournez à: **Service des livres Harlequin**
P.O. Box 2800, Postal Station A
5170 Yonge St., Willowdale, Ont. M2N 5T5